BLONDIE
ET LA MORT

DU MÊME AUTEUR

Mélanges de sangs
Calmann-Lévy, 2011 ; Livre de Poche, 2012

Roger SMITH

BLONDIE ET LA MORT

Roman traduit de l'anglais par Mireille Vignol

calmann-lévy

Titre original (États-Unis) :
WAKE UP DEAD

© Roger Smith, 2010
Publié avec l'accord de Henry Holt and Company, LLC, New York.
Tous droits réservés.

Pour la traduction française :
© Calmann-Lévy, 2012

Couverture :
Rémi Pépin, 2012
Photo de couverture :
© The Glint/Plainpicture

ISBN 978-2-7021-4319-3
ISSN 2115-2640

Pour Natalie et Maxwell Smith

Le soir où ils se firent braquer leur voiture, Roxy Palmer et son mari Joe avaient dîné avec un cannibale africain et sa pute ukrainienne.

L'Africain, flegmatique et élégant dans son costume en soie sur mesure, avait la peau bleu-noir et des scarifications tribales sur les joues. Avec son anglais teinté d'un délectable accent français, il aurait pu réciter l'annuaire téléphonique du Cap et en faire un poème. La pute avait des tresses blondes, dont les racines noires lui hachuraient le crâne comme des points de suture sur un cadavre. Elle n'avait pas dit grand-chose et avait passé le repas à haïr Roxy pour la blondeur naturelle de ses cheveux et sa parfaite dentition américaine.

Quand le cannibale interrompait son monologue pour manger ou pour boire, Joe Palmer essayait de combler le vide. Après l'éloquence francophone, les interventions du Sud-Africain ressemblaient davantage au bruit d'un camion sans embrayage.

Ils dînaient au Blues, un restaurant de Camps Bay qui surplombait l'océan et, bien qu'ils soient passés à table peu avant vingt et une heures, ils profitaient encore des derniers rayons de lumière dorée sur la plage et les pentes de la montagne de la Table. La ville du Cap est jumelée avec Nice et les soirs comme celui-là, Roxy comprenait pourquoi.

Elle avait passé le repas à rêvasser. Avait à peine touché le mérou chat dans son assiette, avait bu un verre de blanc du Cap de plus qu'elle ne se l'autorisait en temps normal et s'était laissé bercer par le rythme de la voix africaine sans s'intéresser aux mots. C'était là un talent indispensable qu'elle avait développé pendant ses années avec Joe. Mais quelque chose la tiraillait, un souvenir, comme une écharde, taquinait son indifférence durement acquise.

Puis ça lui était revenu.

Cet homme en face d'elle, cet homme qui savourait de fines bouchées de canard à l'orange, avait été filmé lors d'un reportage sur une des guerres civiles incessantes dans son pays, au centre de l'Afrique. Il avait sectionné le cœur d'un ennemi vivant, lui avait arraché l'organe encore palpitant de la poitrine, l'avait porté droit à ses lèvres et l'avait mangé. Tout en adressant un large sourire à la caméra sans cesser de mastiquer.

Aucun accent français n'allait faire disparaître cette image. Roxy avait posé ses couverts et bu une gorgée de vin, les yeux fixés sur la lune qui se levait au-dessus des vagues. Puis Joe lui avait adressé un regard imperceptible aux autres, mais qui lui signalait que les hommes avaient besoin de quelques minutes pour parler affaires. Trafic d'armes ou mercenaires. Voire les deux.

« Allons aux toilettes, avait-elle dit en se levant.

— J'ai pas besoin », avait répondu la pute, manifestement nouvelle à ce petit jeu.

Le cannibale lui avait flanqué un coup de coude sous ses nichons en plastique.

« Va pisser ! » lui avait-il lancé.

Dans sa bouche, on aurait presque cru qu'il la bénissait : « Va en paix. »

Vêtue d'un faux jean Diesel qui la serrait sévèrement et perchée sur des talons de quinze centimètres, la blonde oxygénée avait bataillé pour se lever. Roxy, elle, s'était glissée entre les tables occupées par la clientèle riche, bronzée et principalement blanche du Cap. L'Ukrainienne la suivait d'un pas vacillant. Tous les yeux étaient rivés sur Roxy. En dépit de sa trentaine bien tassée, elle faisait toujours tourner les têtes.

Dans les toilettes carrelées et parfumées, Michael Bolton dégoulinait par les haut-parleurs du plafond. Roxy s'était enfermée et assise dans un cabinet. Elle n'avait pas envie de faire pipi, mais un grand besoin d'être seule une minute. Pour garder son sang-froid et son aplomb.

Quand elle était sortie, la pute préparait une ligne sur le lavabo. « Tu veux ? »

Roxy avait décliné son offre d'un signe de tête en se lavant les mains. Elle ne touchait plus à la coke depuis des années.

« Où tu le rencontres – elle avait observé Roxy dans la glace en reniflant et se frottant les narines – ton mari ?

— Dans un endroit de ce genre », avait répondu l'Américaine en se séchant les mains et faisant un de ces gestes inutiles que font les femmes pour arranger leur coiffure devant les miroirs des toilettes.

La pute avait essayé de sourire, dévoilant ainsi des soins dentaires pré-Glasnost.

« Peut-être moi aussi, j'ai la chance. Si ça marche pour toi, pour moi aussi.

— Bien sûr », avait dit Roxy en pensant « Dans tes rêves de chiasse, tronche de Tchernobyl ».

Mais était-elle si différente de cette femme ? C'est vrai, elle ne s'était jamais prostituée, mais ses années de mannequin avaient été une suite d'hommes riches qui avaient acheté sa présence et son affection.

Tout comme Joe aujourd'hui.

Elle avait laissé ces pensées dans les toilettes.

Disco de Lilly, pour son malheur, était beau à damner un saint. Tout le monde le lui disait depuis qu'il était tout petit. Une telle beauté, c'est souvent le cas, ouvre certaines portes. Mais elle l'avait aussi entraîné dans des galères sans fin.

Assis sur le siège passager de la Nissan volée, il sentit ses fesses se contracter machinalement lorsqu'il repensa à sa première nuit de prison à Pollsmoor. Le supplice l'avait laissé déchiré et terrifié jusqu'à ce qu'il trouve son protecteur. Alors sa peine de dix-huit mois s'était transformée en un enfer d'une autre dimension.

« Tu me rattrapes ? »

Godwynn MacIntosh lui tendit une petite pipe en verre, encore bouillonnante sous la flamme de son briquet.

Disco tira une taffe, garda l'ice dans les poumons, puis toussota un nuage de fumée. Il en avait besoin pour se calmer les nerfs, sortir la prison de son esprit et se concentrer sur le boulot.

Godwynn reprit la pipe et inhala ce qui restait de meth, la drogue émettant alors un *tik-tik* qui lui avait donné son nom local. Si Disco était grand et mince, Godwynn, lui, était petit et trapu. La peau foncée. Pas de quoi être fier dans l'atmosphère raciale des Flats, où la naissance d'un enfant trop noir n'invitait pas à faire la fête en ouvrant un cubi de vin.

Maintenant qu'il était défoncé, Disco s'amusa à penser que si Godwynn et lui étaient des cafés, il serait un cappuccino et Goddy un double expresso.

Il rit.

« Ja ? Qu'est-ce qu'y a de si drôle, bordel ? » lui demanda Goddy.

Disco hocha la tête, les yeux fixés sur la Mercedes garée trois voitures devant leur Nissan, dans le virage. Deux heures plus tôt, Goddy était venu dans sa cahute. Il lui avait raconté que Manson, son patron et le chef du gang des Americans de Paradise Park, ne voulait pas revoir sa sale gueule s'il n'était pas au volant d'une Mercedes-Benz 500 SLC. Dernier modèle.

Ils étaient donc partis pour Camps Bay avec ses bars en terrasse et ses restaurants grande arnaque. Les belles bagnoles étaient attirées par ce bord de mer comme les tiques par le trou du cul d'un chien errant.

Goddy se redressa.

« Vise un peu ça… »

Disco observa le couple qui s'approchait de la Mercedes. Solide, grassouillet et blanc, l'homme portait un pantalon noir et une chemise claire sans cravate, sa veste de costume pliée sur le bras gauche.

La femme était blonde et sa démarche faisait penser aux maigrichonnes de la chaîne de mode *Fashion Channel*. Sauf qu'elle n'était pas maigre ; elle était bien roulée.

« Tu crois qu'il est armé ? » demanda Goddy.

Disco vit la graisse de l'homme emprisonnée dans sa chemise comme une saucisse. Pas de place pour un flingue. Il fit non de la tête. Goddy disparut sous le tableau de bord et trafiqua les fils qui pendouillaient pour démarrer la Nissan.

Disco vit le gros bonhomme jeter une pièce au type qui gardait les voitures. L'alarme de la Mercedes gazouilla en accompagnant l'éclat jaune des clignotants. Le type ouvrit la portière et la blonde se faufila à l'intérieur en exhibant superbement ses jambes sous le réverbère. Il lança sa veste, qui cachait un petit attaché-case argenté qu'il tenait de la main gauche, sur la banquette arrière. Il ouvrit le coffre, y jeta la mallette, ferma le couvercle, monta en voiture et fit hurler le V8.

« Les sardines ouvrent la boîte », lança Disco alors que le toit de la Mercedes glissait et révélait deux têtes : une blonde et une brune.

La Nissan démarra en toussotant et Goddy reparut.

« Ils pouvaient pas nous rendre la vie plus facile… »

La Mercedes se faufila dans Victoria Road. Goddy laissa passer une voiture, puis la suivit. Disco sentit le tik dans ses veines et le Colt bien serré contre les muscles en béton de son ventre.

Au boulot !

« T'aurais pu faire un petit effort, nom de Dieu, Roxanne ! » lui reprocha Joe.

Depuis cinq ans qu'elle vivait au Cap, son accent plat lui écorchait toujours les oreilles.

Elle ne dit rien.

« Bordel de merde, faudrait que tu penses à tourner la page. Ça va durer encore longtemps, ces conneries ? »

Il roulait trop vite, comme d'habitude. Il dépassa une voiture dans un virage sans visibilité près de Glen Beach.

Elle se garda de répondre. Elle savait que ça le foutait en rogne qu'elle l'ignore. Elle attendit la fureur qui le suivait comme son ombre.

Mais il se contenta de hocher la tête en grommelant.

« Et merde, tiens… »

Roxy en déduisit qu'il avait fait de bonnes affaires avec l'Africain et qu'il voulait savourer le moment et ne pas gâter sa bonne humeur. Elle regarda ses mains sur le volant de la Mercedes. Elles étaient belles. Sans voir l'homme à qui elles se rattachaient, on aurait pu penser qu'elles appartenaient à un pianiste ou à un chirurgien. Pas à un balèze en surpoids qui gagnait sa vie comme marchand de mort.

Dans la nuit chaude et sans vent, ils grimpèrent les premières pentes de Lion's Head, vers Bantry Bay ; la silhouette noire de la montagne de la Table se dessinait dans le clair de lune. Les minutes suivantes s'écoulèrent en silence. Elle regarda la lune barbouiller l'océan d'une peinture argentée et observa le sillage en zigzag d'un bateau de croisière qui quittait Robben Island et prenait le large.

L'espace d'un instant absurde, elle s'imagina à bord du paquebot.

« Je prends le conducteur, d'accord ? »

Goddy ne perdait pas de vue les feux arrière de la Mercedes tandis qu'un virage après l'autre, ils montaient vers le quartier des riches.

« Ja. Cool. »

Disco songea à la blonde dans la voiture devant, et à sa robe qui s'était fendue sur ses jambes quand le gros con de Blanc lui avait ouvert la portière. Dommage qu'ils ne puissent pas la prendre avec eux.

Puis il pensa à la prison et se tourna vers Goddy.

« Hé frangin, tu t'amuses pas à tirer, compris ? »

La Mercedes ralentit et clignota.

Goddy fit la même chose.

« Relax, lui renvoya Goddy. Je tire que si j'ai pas le choix. »

Joe rétrograda et Roxy entendit le cliquetis étouffé du clignotant. Il arrêta la voiture dans l'allée et appuya sur la commande accrochée au porte-clés censée ouvrir le grand portail. Rien. Il réessaya, la voiture au point mort, ses phares éblouissant le portail en bois qui refusait de s'ouvrir.

« Cette saloperie de mécanisme recommence à merder », maugréa-t-il en ouvrant sa portière.

Au moment où il descendait de voiture, le métis sortit de l'ombre, son arme dans le prolongement de son bras. Roxy entendit s'ouvrir sa portière, sentit quelque chose de froid sur sa joue et une main se poser brutalement sur son épaule. Et la tirer.

« Sors de là. Et magne-toi le cul ! »

Le deuxième homme, une arme à la main, fit sortir Roxy, sa robe chiffonnée en haut des cuisses. Elle vit son visage sous le réverbère. Beau comme un mannequin de Calvin. Le soulier droit de Roxy resta coincé dans la voiture tandis que l'homme la forçait à sortir. Elle trébucha et s'égratigna les genoux sur les pavés en brique en se disant : « C'est pas vrai. C'est le genre de truc qu'on lit dans les journaux, le genre de truc qui n'arrive qu'aux autres. » Elle vit Joe lutter avec le type du côté conducteur. Joe le macho.

Puis il y eut un coup de feu, assourdissant dans le calme de la nuit.

Le temps s'affola.

Les deux types, soudain dans la Mercedes, reculèrent et s'enfuirent à toute vitesse en zigzaguant. Pendant un instant, elle fut incapable de penser à autre chose qu'à son soulier resté dans la voiture, son Manolo Blahnik. Offert par le créateur en personne après un défilé milanais. Puis elle vit Joe dans l'allée, étendu sur le dos, les bras en croix comme s'il se faisait bronzer au bord de la piscine. Elle se leva et vacilla sur son talon unique. Se débarrassa du soulier et courut vers lui.

« Joe ! »

Elle s'agenouilla. Les lumières du portail éclairaient suffisamment pour qu'elle voie que sa jambe gauche saignait, juste au-dessus du genou. Mais il bougeait, il essayait de se remettre sur pied.

« Bande de salopards. »

Il agrippa sa jambe blessée de la main gauche, garda l'équilibre avec le bras droit et peina pour se mettre à genoux.

Il y avait quelque chose sur les pavés à côté de Joe, quelque chose qui projetait un éclat noir et huileux dans la lumière. Un flingue. Tombé pendant la bagarre. Sans se donner le temps de réfléchir, Roxy s'en saisit et le brandit. Joe avait suivi son geste des yeux, il la regarda fixement tandis qu'elle se relevait : ses cheveux formaient une auréole dans la lumière des réverbères. Elle braqua l'arme sur lui, stupéfaite que ses mains ne tremblent même pas.

Il se fendit de son semblant de rire caractéristique.

« Roxy ? »

Elle lui tira une balle pile entre les deux yeux.

CHAPITRE 2

Billy Afrika sut qu'il était rentré dans son pays quand la femme tribale déclencha le détecteur de métal à l'aéroport de Johannesburg.

Il avait réussi à embarquer de Bagdad à Dubai sur un avion-cargo britannique. Puis il avait pris un vol d'Emirates jusqu'à l'aéroport O.R. Tambo de Jo'burg. L'avion était bondé de Sud-Africains qui rentraient d'une virée shopping au paradis du duty free dans le désert. Ils arpentaient les couloirs de l'airbus comme des zombies, encore tout fiévreux d'avoir fait tant chauffer leur carte bleue.

Billy attendait sa correspondance tardive pour le Cap dans le terminal des vols intérieurs. Café au lait et mince, il avait entre trente et quarante ans, les cheveux crépus et tondus à ras. Et observait le monde avec des yeux verts hérités d'un père allemand qu'il n'avait jamais connu.

Il suivait la femme tribale pour passer le contrôle de sécurité. Elle était pieds nus, enveloppée d'une couverture brodée, ses cheveux tressés lourds de perles, ses bras et ses jambes encombrés de bracelets en fer.

Ça n'avait pas fait le bonheur du détecteur de métal.

Il reprit son sac en toile sur le tapis roulant et s'aperçut qu'on écartait la femme pour procéder à une fouille corporelle. Plus tard, il la vit parler zoulou dans son Nokia dernier modèle, sur fond de Boeing illuminé.

Il couvait sa colère depuis son départ de Bagdad. Il se concentrait sur sa mission immédiate, laissant la rage l'envahir. Lorsque enfin il prit place dans le 737, il se sentit plus maître de lui qu'il ne l'avait été depuis une semaine.

Jusqu'à ce qu'Abdul se penche sur lui et lui demande d'attacher sa ceinture. Évidemment, ce n'était pas ce putain d'Abdul, ce n'était qu'un steward musulman du Cap avec une moustache brune et une mauvaise haleine.

La sueur perlant à son front, Billy agrippa les accoudoirs en revivant le choc de l'explosion qui avait touché le côté gauche de sa BMW, en transperçant le blindage, décapitant son chauffeur irakien et projetant sa tête sur ses genoux. Abdul avait levé les yeux sur lui avec un rictus figé, comme s'il s'apprêtait à lui en raconter une bonne sur les femmes sunnites et les ânes du désert. La violence de la déflagration avait tordu le châssis de la BMW, forcé la portière et l'avait mis à découvert.

Une balle avait percuté sa veste en Kevlar. La voiture de tête avait disparu dans la fumée, mais il avait repéré une troisième voiture sur le bas-côté de la route, des hommes tapis à l'intérieur tirant des balles pour se défendre. Il avait balancé la tête d'Abdul et jeté un coup d'œil rapide à l'arrière pour vérifier l'état de son bien – le VIP qu'il était censé protéger –, un Suédois ou un Danois, allez donc savoir ce qu'il était. Ou n'était plus. Étalé sur la banquette arrière, il était couvert de sang. Sa dépouille ne risquait pas d'être exposée.

Billy avait ouvert la portière d'un coup de pied et était sorti en tirant avec le fusil-mitrailleur tchèque, trafiqué pour les boulots rapprochés. Le ricochet d'une balle sur son casque lui avait laissé un sifflement dans les oreilles. Il s'était précipité sur la voiture qui suivait et était juste à côté quand la seconde explosion l'avait soufflé et renversé, lui arrachant son casque, son gilet pare-balles et ses bottes avant de le projeter à terre.

Quatre heures plus tard, quand il avait ouvert les yeux à l'hôpital militaire du 28th Combat, il s'était trouvé face au nez rose et pelé de l'albinos afrikaner Danny Lombard, l'homme le plus blanc qu'il ait jamais vu.

« J'ai une bonne et une mauvaise nouvelle, lui avait dit celui-ci.

— Commencez par la bonne.

— Vous n'avez pas perdu vos couilles.

— Et la mauvaise ?

— Vous êtes viré.

— Pourquoi ?

— Le bien est perdu. Faut bien que quelqu'un porte le chapeau. Et il est hors de question que ce soit un des Yankees. »

Billy avait haussé les épaules et senti une douleur cuisante dans la tête.

« Je m'adresserai au recrutement en rentrant chez moi. (Il avait remarqué l'expression de l'albinos). Quoi ? »

Son cas s'aggravait.

Les Sud-Africains avaient été recrutés par un intermédiaire du Cap qui les avait mis en contact avec une organisation américaine en Irak, la Clearwater Tactical. C'était elle qui payait l'intermédiaire, qui à son tour leur versait un salaire mensuel sur leur compte en Afrique du Sud. Ou plutôt qui était censé le faire. Car il leur manquait trente mille dollars chacun et l'intermédiaire restait injoignable.

Multiplier trente mille par sept expliquait pourquoi Billy risquait son cul en Irak. Deux cent dix mille rands. S'il était resté flic en Afrique du Sud, il lui aurait fallu trois ans pour amasser une somme pareille.

Billy songea à la promesse qu'il avait faite à l'homme enterré dans les Flats du Cap balayés par le vent. Il sentit que le mur qu'il avait bâti autour de lui ces deux dernières années n'était plus aussi impénétrable et commençait à s'effriter.

Il était sorti de l'hôpital avec quelques bleus et un mal de tête infernal. Il rentrait à la maison. Au Cap.

Le 737 s'élança et pénétra dans le ciel noir. Billy Afrika savait ce qui lui restait à faire. Et à qui il allait rendre visite.

À l'intermédiaire. Joe Palmer.

Hormis les marques des balles étonnamment petites sur son front et sur la jambe, Joe avait le même aspect que lorsqu'il se réveillait tous les matins : celui d'un Blanc en mauvaise forme et le cul à l'air. Son gros bide flasque s'affaissait et son pénis pendouillait tristement sur sa cuisse poilue. Il avait l'œil gauche fermé. Du droit il fixait Roxy sous sa lourde paupière paresseuse. Comme s'il lui faisait un clin d'œil. Une étiquette était accrochée au gros orteil de son pied gauche. Roxy remarqua qu'il avait besoin d'un bon pédicure.

« Nom de Dieu, vous ne pourriez pas le recouvrir ? » Ce serait la moindre des choses, gronda l'avocat de Joe, Dick Richardson, qui se tenait à côté de Roxy devant le tiroir réfrigéré.

L'assistant de la morgue, un jeune métis en blouse blanche souillée, haussa les épaules.

« Et je peux savoir pourquoi le corps n'est pas dans une chambre funéraire ?

— Elles sont pleines. »

Roxy était encore abasourdie par les événements de la nuit et, quoi qu'il en soit, elle avait vu Joe en bien pire état. L'assistant, qui la dévorait des yeux, attendit qu'elle se prononce.

« Oui. C'est mon mari. »

Il gribouilla sur son bloc-notes et ferma le tiroir sans ménagement.

« Sale affaire, déclara Dick en prenant le bras de Roxy. Cette putain de ville est un vrai foutoir. »

Il ouvrit une porte couleur crème et fit passer Roxy dans le couloir.

On aurait dit un bazar innommable de cadavres sur des brancards, de flics et d'employés de la morgue que tout le monde harcelait alors qu'ils essayaient de gérer le déluge des morts et des familles en deuil. Le désinfectant à usage industriel menait un combat perdu d'avance contre la douce odeur de chair humaine en décomposition.

Dick s'approcha d'elle pour lui prendre à nouveau le bras, mais elle s'écarta. Il avait des cheveux blond-roux grisonnants et des pattes de navigateur à côté de ses yeux pâles. Il cultivait une certaine ressemblance avec Robert Redford jeune.

« Je regrette que vous ayez eu à subir une telle épreuve, dit-il. J'ai proposé aux flics de m'en charger, mais ils ont insisté pour que ce soit vous qui l'identifiiez.

— Ça va aller. »

Ils s'arrêtèrent dans un bureau, où Roxy dut signer un formulaire pour récupérer les effets personnels de Joe. Une femme asthmatique au teint jaune et fané souffla fort en jetant un sac en plastique gonflé sur le comptoir. Elle en sortit les effets l'un après l'autre pour que Roxy les identifie. Ses chaussures, ses chaussettes, son pantalon de costume, sa ceinture et sa chemise blanche maculée de sang. Son portefeuille y était aussi, avec son permis de conduire et ses cartes de crédit, mais la liasse de billets qu'elle avait aperçue la veille quand il avait réglé l'addition avait disparu. Tout comme son alliance, son téléphone portable et la montre Patek Philippe qu'elle lui avait offerte à son dernier anniversaire.

Offerte avec son argent, mais bon.

Elle ne prit pas la peine de réclamer les objets manquants. Dans cette ville où les vivants étaient des cibles, pourquoi les morts seraient-ils épargnés ? Elle signa le formulaire, la femme aspira dans son inhalateur et remit les effets dans le sac. Roxy le prit et suivit Dick dans le couloir.

« Il manquait des choses, non ? » demanda-t-il.

Elle haussa les épaules.

« Je m'en fiche.

— Ici, on a de la chance s'ils se contentent de vous voler votre téléphone ou votre argent. La semaine dernière, ils ont scié le pied d'un pauvre bougre mort dans un accident de voiture. (Elle dressa l'oreille.) Ils l'ont sans doute volé pour le *muti* (ou *mouti* avec son accent nasal). Vous savez, le médicament des sorciers ? Bande de sauvages ! »

Il lui ouvrit la porte et ils retrouvèrent la clarté matinale du Cap, le soleil dur de l'Afrique accentuant toutes les dégradations de la morgue de Salt River et des bâtiments délabrés du voisinage, en bordure de la ville.

Roxy mit ses lunettes de soleil. Ils s'approchaient de la Range Rover de Dick, lorsque son portable sonna; l'avocat s'excusa et prit l'appel. Elle regarda la montagne de la Table, qui écrasait les immeubles sordides et arborait un doux nuage blanc comme une coiffe d'écume que le vent soufflait du sud.

Il était encore tôt, huit heures du matin. Elle n'avait pas dormi de la nuit et, incapable d'entrer dans la pièce imprégnée de l'odeur de Joe, elle était restée allongée dans la chambre d'amis, les yeux ouverts dans le noir jusqu'à ce que le soleil touche la face rocheuse de Lion's Head. Elle était éveillée quand Dick l'avait appelée à sept heures pour lui dire que la police tenait à ce qu'elle identifie le corps de Joe avant de procéder à l'autopsie. Et d'extraire les balles de son corps.

Roxy s'approcha d'une poubelle sur le trottoir. Comme elle débordait, elle déposa le sac en plastique sur le tas d'ordures à côté. Un couple de sans-abri sortit d'une entrée voisine en titubant et se précipita vers la poubelle; ils chaloupaient comme des marins sur le pont d'un navire en pleine tempête. Elle se tourna vers la voiture. Dick poursuivait sa conversation téléphonique et, de sa main libre, rabattait sa chevelure claire ébouriffée par le vent.

Elle entendit un cri et se retourna. Le couple se disputait le contenu du sac. L'homme arracha la chemise de Joe des mains de la femme et la déplia pour la mesurer contre sa poitrine; l'étoffe battait au vent comme le drapeau sanglant de la défaite.

Roxy revit le corps de Joe entouré de flics et d'urgentistes, les gyrophares éclaboussant la route de rouge et de bleu. Et elle se revit raconter son histoire, enveloppée dans une couverture de secours. Ils étaient deux. Non, elle ne les avait pas bien vus. Tout s'était passé si vite… L'un d'eux avait tiré sur Joe à deux reprises, puis ils s'étaient enfuis dans la nuit au volant de la Mercedes…

Elle avait soigneusement évité de parler de l'arme, qu'elle avait jetée du haut de la falaise dans le terrain vague en contrebas après s'en être servie pour abattre Joe. Elle avait eu des larmes de veuve en regardant les ambulanciers glisser le corps de Joe dans le fourgon de la morgue comme s'ils ramassaient les ordures.

Elle était encore abasourdie par la facilité de l'opération, la légèreté de l'arme dans ses mains, le recul qui était tranquillement remonté le long de ses bras et de ses épaules.

Les mensonges avaient coulé sur sa langue avec un naturel incroyable.

CHAPITRE 3

Ils avaient commencé par lui faire creuser sa tombe.

Comme ils étaient jeunes – Piper, l'aîné, avait seize ans et Goose, au bras atrophié, en avait douze – ils n'avaient pas eu la patience d'attendre que le trou soit assez profond. Ils l'avaient tabassé à coups de pied et de poing et il s'était recroquevillé en boule par terre pour essayer de se protéger, en vain. Piper s'était agenouillé à côté de lui et avait manié la lame, comme un expert qui sait déjà la différence entre le coup qui blesse et celui qui tue.

L'honneur de verser l'essence était revenu à Elvis le simple d'esprit, il avait ricané et affiché un sourire édenté en aspergeant la victime. Piper avait allumé un torchon et l'avait lancé. Ils avaient tous reculé pour regarder l'embrasement, en riant de voir le type hurler et se tortiller.

Une minute plus tard, ils avaient fait rouler son corps en feu dans la tombe.

Deux d'entre eux, noirs sur un fond de ciel délavé, maniaient les pelles et les trois autres balayaient de leurs mains et de leurs pieds la terre sablonneuse des Flats. La terre avait pesé sur ses membres, lui avait rempli la bouche et le nez, et recouvert les yeux jusqu'à ce qu'il ne voie plus rien.

Billy Afrika avait forcé son corps à sortir des ténèbres.

Et se retrouva dans un hôtel pour *backpackers*, la lumière du jour fendant les persiennes.

Couvert de sueur, il enfila un tee-shirt et un jean pour cacher les balafres qui recouvraient ses jambes et son torse comme la robe d'un cheval pie, puis il passa sur le grand balcon qui longeait l'immeuble. Les yeux plissés au soleil, il avala une gorgée d'air et s'agrippa à la balustrade, les doigts serrés sur le fer forgé de style victorien.

Il y avait des années qu'il n'avait pas fait ce rêve.

Il avait dormi bien plus tard qu'il n'en avait l'intention. Dans la rue, la circulation hurlait. L'hôtel *backpacker* de Long Street, le quartier pour routards du centre-ville du Cap, était bon marché, anonyme et bruyant. Des bouteilles de bière et des cendriers pleins jonchaient la table en plastique à côté de lui. La veille, avec le décalage horaire, il avait eu du mal à s'endormir, tenu éveillé par les cris des parades nuptiales des jeunes Allemands et Français qui buvaient et fumaient de l'herbe avec les filles du coin à la peau caramel et au regard dur.

Un point d'eau dans le safari sexuel africain.

Calmé, il rentra dans sa chambre, se mit en slip et s'installa sur le parquet. Après cent pompes, il sentit un autre type de sueur s'échapper de son corps. Il continua, ses muscles échauffés et souples.

Deux cents.

Sur le bout des doigts.

Trois cents.

Des gouttes de transpiration tombaient sous ses yeux. Sans changer de rythme, il glissa la main gauche dans son dos, étala sa paume droite au sol et continua sur un seul bras.

Trois cent cinquante.

Changea de main en l'air, la droite dans le dos.

Quatre cents.

Il roula en position assise, les pieds coincés sous le cadre du lit, les doigts noués sous la nuque. Cinq cents abdominaux. Rapides.

Son corps balafré n'était plus qu'une masse confuse de muscles et de sueur.

Puis il s'allongea par terre, les yeux fixés sur les moulures du plafond, et laissa la sueur se refroidir en respirant par le nez pour s'emplir les poumons. La terreur avait quitté son corps. Il sentit son pouls ralentir et remballa soigneusement les fragments de son passé.

Ils étaient dans la Range Rover de Dick, bloqués par les embouteillages du matin entre Woodstock et le centre-ville. Roxy avait ouvert sa fenêtre, sans se soucier du vent chaud qui lui envoyait les cheveux dans les yeux. Dick puait la lotion après-rasage qui devait le rendre irrésistible selon une pub télévisée.

Une pub mensongère.

Il se faufila dans un espace libre en cherchant les mots pour combler le silence.

« Bon Dieu, je pige toujours pas. J'arrive pas à croire que Joe soit mort. Y en avait pas deux comme lui.

— Ça, c'est sûr, répondit-elle. »

« Sauf que c'est faux », pensa-t-elle. Il était semblable à la plupart des hommes qu'elle avait fréquentés depuis l'adolescence. Semblable à l'homme assis à côté d'elle, celui qui voyait en elle un bel accessoire, un trophée disponible, prêt à sauter d'un lit de riche à un autre. C'était elle qui leur avait fourni ce regard-là. En le portant sur elle-même.

Plus jamais.

« Où en sont vos finances, Roxanne ?

— J'en sais rien. C'est Joe qui s'en occupait. »

Elle jouait les connes. Les hommes comme Dick aimaient les connes.

« Vous savez, tous ses comptes vont être bloqués jusqu'à la fin du processus légal de succession. Mais j'avais un peu d'argent investi pour lui et, dans les circonstances présentes, je pourrais le mettre à votre disposition. Ça doit représenter cent cinquante mille rands. »

Soit environ vingt mille dollars.

« Merci, Dick. Je vous en suis reconnaissante.

— *No problemo*. Donnez-moi deux jours, grand maximum. »

Il rayonnait, comme un labrador doré prêt à fourrer son museau dans l'entrejambe d'une femme.

« Et maintenant, puis-je vous inviter à prendre un petit déjeuner ? Le Mount Nelson est fabuleux un jour comme aujourd'hui. »

Son manque de tact faillit la faire rire.

« Une autre fois, d'accord ?

— Bien sûr, dit-il en dissimulant sa déception sous un sourire. Si vous avez besoin de quoi que ce soit, n'hésitez pas. Sept jours sur sept, vingt-quatre heures sur vingt-quatre. Tout ce que vous voulez. »

Elle regarda la petite voiture arrêtée au feu, à côté d'eux. Une fillette aux mèches blondes et fines était attachée sur son siège à l'arrière et menait une conversation animée avec un animal en peluche. Elle remarqua Roxy, se cacha timidement le visage derrière la main, mais continua à la regarder entre ses doigts. Roxy éprouva une tristesse presque insurmontable, suivie d'un éclat de la même colère que celle qui lui avait fait presser la détente et tuer son mari.

Puis, quand la Range Rover s'engagea et dépassa la fillette, ce fut comme si elle dépassait aussi sa colère et elle goûta soudain à sa propre liberté. Mais une petite voix la tourmentait, lui disait que les choses ne pouvaient pas être aussi simples. Elle aurait dû éprouver quelque chose.

De la culpabilité.

De la peur.

Mais elle ne ressentait rien. Pas encore.

Elle se sentait propre. Plus propre que depuis bien des années.

CHAPITRE 4

Le Docteur du Cap, le vent violent qui soufflait de l'océan Indien, ramena Billy Afrika à son enfance, tout là-bas dans les Flats. La montagne de la Table n'était qu'un lointain mirage.

À l'époque de l'apartheid, dans les années soixante et soixante-dix, les Afrikaners y avaient abandonné la population métisse, honteux de partager son patrimoine héréditaire et sa langue. De jour, sa main-d'œuvre était appréciée en ville et dans les banlieues, mais la nuit, on rapatriait les culs noirs des habitants dans ces ghettos battus par le vent, véritable damier de maisons surpeuplées et d'immeubles étouffants.

Quinze ans après la fin de l'apartheid, les choses n'avaient guère changé.

Billy n'avait pas l'intention d'y revenir de sitôt, mais le siège de Strategic Solutions au centre-ville, l'agence de recrutement de Joe Palmer, était verrouillé et abandonné, avec un gros tas de courrier derrière ses portes en verre.

Il avait téléphoné à un ex-collègue, un flic qui avait un faible pour le jeu et les liaisons illicites ; ce dernier lui avait promis de trouver l'adresse personnelle de Joe en échange de cent rands. Il l'aurait dans la journée. Billy avait donc le temps de revenir à la source de ses cauchemars.

Le temps de revenir au Paradise.

Au volant d'une Hyundai de location, il descendit Main Road, qui coupait Paradise Park en deux. White City, sur sa gauche, était le turf des Americans, le gang qui portait les tatouages de prison des 26. Dans Dark City, de l'autre côté de Main Road, leurs ennemis, les 28, faisaient la loi. Deux armées séparées par une rue étroite et des trêves aussi volatiles que la fumée de tik.

Et quand le vent balayait les trêves, le sang des gangsters faisait rougir le sable jaune de Paradise Park.

Il passa devant le terrain vague où il avait été brûlé et enterré vingt ans auparavant. Le terrain n'était plus vague. Il était occupé par un dealer de tik dont la caravane rouillée attirait les écoliers comme la merde attire les mouches. La caravane squattait à l'ombre d'un immeuble de ghetto aussi négligé aujourd'hui que quand Billy y habitait, enfant. Il n'y avait de frais que les graffitis du gang des 26.

À seize ans, quand il était sorti du service des grands brûlés, faible et balafré, il avait péniblement grimpé l'escalier souillé de pisse jusqu'à l'appartement sordide où sa mère nue divertissait un quelconque fumier qui portait la mouche et des tatouages de prison. Elle était allongée sur le canapé, un goulot de bouteille à la main : elle tirait sur ce qu'à l'époque, on appelait un « barry ». Barry White. *White pipe.* Pipe blanche car l'herbe était mélangée à un comprimé de Mandrax écrasé.

Elle n'avait jamais mis les pieds à l'hôpital où il avait hurlé en silence pendant des mois, empestant sous le baume et les bandages.

Sa mère s'était redressée sur un coude, les seins lourds et ternes, et, plissant les yeux pour le repérer dans la fumée, elle lui avait dit :

« Où t'étais allé traîner, petit salopard ? »

La question résumait toute sa compassion.

Le retour de Billy au pays des souvenirs fut interrompu quand une voiture déboucha à toute allure de Vulture Street – du côté de Dark City – et faillit le faucher avant de s'engager dans Main Road. C'était une BMW série 7 toute neuve, avec des ajouts tels que pneus larges, becquets, garde-boue et un supplément qui ne pouvait qu'être en option : un homme, attaché par la cheville au pare-chocs arrière, qui rebondissait sur la route en laissant une trace couleur fraise sur le bitume poussiéreux.

Sur le trottoir, un groupe d'écoliers pris de fringale après avoir rendu visite à leur dealer achetait de la barbe à papa à un unijambiste demeuré. Les gosses montrèrent la BM du doigt. Ils riaient à en gerber. Le demeuré dansait sur son membre valide – le pantalon vide de l'autre jambe claquait au vent – en applaudissant et sifflant à travers sa bouche édentée, heureux du divertissement gratuit.

Quiconque a raconté qu'on ne se sent nulle part ailleurs comme chez soi ne croyait pas si bien dire, nom de Dieu.

Billy allait dans la même direction que la BM, mais il garda ses distances au cas où la corde se casse et jette le type sous les roues de sa voiture. Tout le long de Main Road, les gens sortaient de chez eux pour ne pas rater la procession.

La route s'arrêta net dans un dépotoir, une décharge énorme qui s'étendait vers l'aéroport. Dans le no man's land entre les territoires des 26 et des 28, deux maisons tournaient le dos au dépôt d'ordures et s'ouvraient sur Main Road. Pas la meilleure adresse de la ville et l'une d'elles était en ruines. La seconde était en meilleur état, mais elle aussi était très délabrée, même pour Paradise Park.

C'était la destination de Billy. Et celle du chauffeur de la BMW.

Quand elle s'arrêta, Billy s'aperçut que le type qu'on traînait – ses vêtements en lambeaux sanguinolents, la chair à vif et livide là où la peau avait été écorchée – continuait de bouger. Il levait un bras déchiqueté comme s'il avait encore une chance de salut.

Billy descendit de la Hyundai et entendit Céline Dion beugler *The Power of Love* dans la BM. Il y avait trois hommes à l'intérieur de la voiture qui se redressa sur ses suspensions quand le chauffeur en descendit.

« Si c'est pas ce connard de Billy Afrika! » s'écria Shorty Andrews.

Chef des 28 de Dark City, il mesurait près de deux mètres pour cent quarante kilos qui dépassaient de son tee-shirt et de son pantalon baggie, ses bras croulant sous les tatouages de gang. Il avait une voix douce et aiguë de castrat.

« Shorty, dit Billy en regardant l'homme sur la route. C'est qui le hamburger?

— Un enculé qui vit de mon côté, mais s'amuse à piquer des trucs du côté de White City. On a un cessez-le-feu, Manson et moi. Et tu connais ce connard de Manson… il saisira la première occasion d'ouvrir le feu. J'ai une femme et des gosses maintenant. Je vais pas laisser un petit fumier comme lui reprendre la guerre. »

Shorty poussa l'homme en sang avec sa Nike géante. Le type gémit. Shorty lui asséna un violent coup de pied et se tourna vers ses deux compagnons.

« Osama, Teeth, allez chercher Doc avant que cet enculé y passe. Je veux qu'on puisse le promener vivant. »

Les deux hommes gagnèrent la maison et frappèrent à la porte.

« Alors, Barbie, t'es rentré quand? »

Barbie. Rien à voir avec la poupée. Abréviation de « barbecue ». Viande grillée. L'humour des Flats. C'est le nom qu'on lui avait donné quand il était sorti du service des grands brûlés. Il n'avait pas entendu ça depuis longtemps, ça lui donna presque l'impression de retrouver sa maison.

« Hier soir.

— Et c'était comment, là-bas?

— Un sacré foutoir. Mais pas mon foutoir à moi, si tu vois ce que je veux dire.

— Ja, je comprends, frangin. Mais la paye était bonne?

— Ja. Les Yankees aiment ma peau basanée. Ils disent que je m'intègre bien avec les autochtones.

— C'est bon de savoir que notre couleur de peau a du bon quelque part sur terre, dit Shorty en riant. »

Une Ford bleue passa à toute allure, freina, fit demi-tour bruyamment et s'arrêta dans un dérapage qui les couvrit de poussière.

« On doit pas être loin d'un cirque, dit Shorty. Le gros con de clown est déjà arrivé ! »

L'inspecteur Ernie Maggott descendit de la Ford et s'approcha d'eux. Petit homme monté sur ressorts, il était coincé dans une chemise à carreaux et un jean sans marque, son visage et son cou couleur mastic en proie à une violente éruption de boutons.

Il regarda rapidement Billy avant de baisser les yeux sur le type en sang.

« Qu'est-ce que c'est que ce bordel ?

— C'est ce que vous appelleriez une affaire interne, répondit Shorty. »

Maggott cracha un rire. Il secoua son paquet de Camel pour en sortir une à moitié fumée et l'alluma en s'abritant du vent avec le creux de sa main. Et souffla la fumée au visage de Billy.

« Je pensais pas revoir ta gueule par ici. »

Billy garda son sang-froid. Et le silence.

Les deux hommes de Shorty revenaient, suivis de Doc, qui était du mauvais côté de la soixantaine. Flasque, la peau couleur thé qui a infusé trop longtemps. Le peu de cheveux qui lui restait formait une peluche irrégulière sur son crâne. Il avait la démarche prudente de l'homme constamment ivre.

Doc regarda l'homme ensanglanté, puis Billy.

« T'aurais pu envoyer une carte postale, Barbie. »

Billy haussa les épaules.

« Shorty ! Qu'est-ce que tu veux que je fasse de ce truc ?

— Rafistole-le, Doc. Qu'on puisse le balader dans les rues. Faut qu'il serve de leçon à tous ces connards. »

Doc se dirigea prudemment vers sa porte d'entrée et agita une main tremblante.

« Dans ce cas, amène… ça à l'intérieur. »

Osama s'agenouilla, sortit un cran d'arrêt et trancha la corde qui liait les chevilles de l'homme. Puis Teeth et lui l'attrapèrent par les pieds et le traînèrent dans la maison. Billy entendit ses pleurs.

Maggott restait trop près de Billy et lui crachait sa fumée en pleine gueule.

« Tu vas aller déposer des fleurs sur la tombe de Clyde ?

— Peut-être.

— Ou faire un tour du côté de la prison de Pollsmoor ? T'assurer que Piper y est soigné aux petits oignons. Un lit et la bouffe. La télé. Et assez de chair fraîche à baiser. »

Billy garda le silence, comme s'il observait la scène de loin.

Maggott tira une ultime taffe de sa Camel et parla la bouche pleine de fumée.

« T'arrives à dormir la nuit quand tu penses que t'as pas réussi à achever ce fumier ?

— Comme un bébé », répondit Billy en mentant.

Le flic lui lança son mégot allumé dessus. Il rebondit sur sa chemise, fit quelques étincelles et tomba par terre.

« Poule mouillée de mes deux », dit-il en hochant la tête.

Il regagna sa voiture et repartit en faisant hurler ses vitesses comme si tout était de leur faute. Billy écrasa la Camel du pied, le regard dans le vide.

« T'occupe pas de lui, dit Shorty, il est complètement frustré côté sexuel. Sa femme l'a enfin quitté.

— La petite nympho qui travaillait à l'usine de viande ? demanda Billy en revenant sur terre.

— Ja. Miss Saucisse 2002, dit Shorty en riant. Qui épouserait la gagnante de ce concours de merde ? »

Osama et Teeth sortirent de la maison et montèrent dans la BM. Shorty se glissa péniblement derrière le volant, il ressemblait à un airbag gonflé. Il fit le signe de la paix à Billy et partit, la corde serpentant derrière la voiture comme un cordon ombilical maculé de sang.

En entrant dans la maison de Doc, Billy entendit le murmure de la télé – le coup étouffé d'une batte sur une balle, suivi d'acclamations discrètes. Il observa le désordre de la pièce. Divan affaissé, assiettes de repas à moitié mangé noires de mouches. La crasse familière était presque rassurante.

Au début des années quatre-vingt-dix, avec la complicité d'une infirmière syphilitique, Doc pratiquait des avortements clandestins en charcutant les fétus avec des cintres. Après plusieurs décès suite à des complications, l'infirmière avait accepté de témoigner contre lui. Il avait été rayé de l'ordre des médecins et avait passé huit ans en prison qui avaient fait de lui un alcoolique avec la tremblote.

Il rafistolait maintenant les membres de gang et, d'après les rumeurs, s'adonnait aussi au trafic d'organes. Il avait un doigt dans le trafic d'armes, la plupart achetées aux flics qui les confisquaient aux gangsters. Les flics les vendaient à Doc, qui les revendait aux gros durs et passait le reste de son temps à extraire le plomb du corps des survivants.

Billy entendit un grognement dans la cuisine qui servait de salle d'opération et le vieil alcoolo entra d'un pas lent.

« Il va s'en tirer ? demanda Billy.

— Tu parles, c'est de la viande hachée. Mais tu sais comment c'est avec ces junkies. Leur système est tellement bousillé qu'ils se rendent pas compte qu'ils sont morts. (Il prit une bouteille de brandy sur la table et agita ce qui en restait sous le nez de Billy.) T'as enfin appris à boire ?

— Non, mais te gêne pas pour moi.

— Ça risque pas. »

Doc leva la bouteille, avala la dernière gorgée d'un trait et s'essuya la bouche du revers de la main.

« Alors, Barbie, qu'est-ce qui t'amène ?

— J'ai besoin d'un flingue.

— Ja et pourquoi t'en achètes pas un réglo ? T'as bien un permis.

— Je préfère que ce soit en sous-main.

— Ça te ressemble pas.

— J'ai changé.

— Tu connais le dicton, Barbie : le slip est le seul truc qu'on puisse changer chez un homme, dit Doc en toussant et se fendant d'un rire humide. Pose ton cul et laisse-moi voir ce que je peux faire pour toi. »

Il disparut dans les sombres profondeurs de la maison.

Billy resta debout à regarder le cricket à la télé. Doc était accro et pouvait passer des heures entières à picoler devant des matchs qui duraient parfois jusqu'à cinq jours. Pour finir par un score nul, dans la plupart des cas. Comme la guerre des gangs, mais en moins sanguinaire.

Doc revint avec un truc enroulé dans du tissu. Billy l'ouvrit et reconnut le canon brillant d'un Glock 17.

« Ça te va ?

— Super. (Billy vérifia l'action. Très douce.) Combien ?

— Pour toi, cinq cents. »

Billy lui donna l'argent, glissa l'automatique dans la ceinture de son pantalon et le recouvrit avec sa chemise. Doc avait les yeux rivés sur la télé. Un batteur venait d'envoyer une balle en plein dans la foule.

Billy prit son temps avant de parler.

« Tu les as vus ? La femme et les enfants ? »

Doc fit non de la tête, sans lâcher le match des yeux.

« Tu me connais. Je sors pas beaucoup.

— T'as bien dû entendre des trucs. Pourquoi est-ce qu'ils vivent encore à White City ? »

Doc le fixa de ses yeux qui ressemblaient à des œufs pochés. Des yeux qui avaient tout vu et qui se foutaient de tout.

« Le seul truc que je veux entendre, Barbie, c'est les résultats du cricket. Compris ? »

Billy acquiesça et se tourna vers la porte ; Doc le suivit.

« Essaie de garder ton sang-froid.

— Comme toujours, Doc, répondit-il en tapotant le Glock sous sa chemise. Merci. »

Doc referma la porte en haussant les épaules et Billy prit un moment pour regarder par-dessus le dépotoir. Des mouettes le survolaient en se moquant des files de gens désespérés qui fouillaient et cherchaient tout ce qui peut se vendre, servir à se nourrir, s'abriter et acheter du tik.

CHAPITRE 5

Elle pressa la détente et vit la balle s'enfoncer dans le front de Joe.

Roxy, qui faisait la planche dans sa piscine, n'essaya pas de chasser l'image. Elle arrêta juste de barboter, se laissa couler et vit Joe tomber, déjà mort lorsqu'il heurta le trottoir. Elle remonta lentement et, en refaisant surface, sentit le soleil sur son visage.

Elle ouvrit les yeux sur Lion's Head, le sommet rocheux à côté de la montagne de la Table. La maison, accrochée au pied du massif, était une remarquable prouesse technique. La grande fierté de Joe. Elle donna un coup de pied et se laissa flotter jusqu'au bord de la piscine *infinity*, dont l'eau se fondait entre le ciel et l'océan. Elle appuya ses mains sur le rebord, sortit avec souplesse et s'assit nue et ruisselante sur le carrelage.

En sentant le soleil lui réchauffer le corps, elle parcourut du doigt les bleus qu'elle avait entre les côtes droites. Alors qu'ils étaient violets comme de la pulpe de myrtille un mois plus tôt, ils avaient maintenant une teinte marbrée, brun jaune, qui disparaissait sous le bronzage.

L'engourdissement qui lui offrait une certaine distance avec la réalité depuis la veille, s'estompait. Un mot lui vint à l'esprit : « coupable ». Non, au cul « coupable ». Elle était une meurtrière. Une criminelle. Elle était choquée par ce qu'elle avait fait la veille. Choquée d'avoir tué son époux, bien sûr, mais surtout sidérée d'avoir réussi à faire quelque chose d'aussi inattendu.

Et elle revoyait parfaitement la scène, merde.

Roxy avait toujours vécu une existence passive. Quand on jouit d'un physique agréable, il est facile d'attendre et de se laisser emporter par le courant, puis déposer dans un endroit dont on n'a jamais soupçonné l'existence.

Mais elle n'aurait jamais pensé finir là.

Elle sentit la panique monter en elle. De la terreur à l'état pur. Elle sut qu'elle allait payer pour ce qu'elle avait fait. Au centuple.

Elle tenta de se raisonner. De se calmer. Personne ne la soupçonnait. Le crime était endémique dans cette ville d'une beauté absurde. Elle y vivait depuis assez longtemps pour savoir que la plupart des criminels et leurs victimes habitaient dans les Flats, le ghetto dont la haine et la peur se retournaient contre ses propres habitants. Mais la criminalité n'épargnait pas les classes privilégiées. Les cambriolages et les braquages de voitures laissaient des cadavres bien nourris et bronzés dans les salons et les garages des banlieues chics qui décoraient les pentes de la Montagne de la Table.

Les flics qui étaient venus la veille paraissaient blasés. Ils avaient mené l'enquête machinalement, comme si le crime était déjà résolu, alors que les coupables avaient disparu dans l'étendue des Flats. Elle n'avait qu'une chose à faire : garder son sang-froid. Attendre la succession de Joe pour pouvoir quitter ce pays. Elle y était déjà restée trop longtemps. Elle était venue y passer un été et y était restée cinq ans.

Quand elle était mannequin, on la présentait toujours comme la nouvelle coqueluche, mais sa carrière n'avait pas décollé comme prévu. Elle s'était bien débrouillée, mais à l'âge de vingt-huit ans, elle avait compris qu'aucun parfum ne porterait son nom et s'était sentie vieille à côté des anorexiques de quinze ans qui hantaient les studios et les défilés de mode.

Elle avait donc émigré au Cap, où l'industrie de la mode était dynamique sans être inondée de grands noms comme en Europe et aux États-Unis. Elle avait facilement obtenu du boulot pour des photos de catalogue et quelques pubs télé.

Qui n'avaient débouché sur rien.

Puis, dans un bar en bord de mer, elle avait rencontré Joe Palmer, un homme plus âgé avec l'aisance que donne l'argent. Il lui avait offert des boucles d'oreilles Cartier à l'occasion de leur premier rendez-vous et ils s'étaient mariés six mois plus tard.

Elle ne l'avait jamais aimé.

Plus tard, elle avait appris à le haïr.

Elle se leva, se drapa dans un tissu imprimé et secoua l'eau de ses cheveux. Il faisait chaud et sec, comme toujours au Cap à cette époque de l'année. Le vent s'étant calmé dans la matinée, elle distinguait une couche brune de smog au-dessus de Robben Island et des Flats.

Elle monta dans sa chambre et se surprit à tripoter encore une fois les bleus qu'elle avait aux côtes. Elle se rappela sa chute dans l'escalier, les coups, les roulades et l'arrivée, inconsciente, au bas des marches. Elle s'arrêta devant la porte de la première chambre à l'étage. La chambre rose. Elle faillit ouvrir la porte, close depuis un mois, depuis cette nuit-là. Elle alla jusqu'à poser le bout des doigts sur la poignée.

Tout en sachant qu'elle n'était pas prête à l'ouvrir.

Elle retira sa main et regagna sa chambre.

Quand Disco de Lilly se réveilla, sa mère le regardait droit dans les yeux.

Elle lui disait : « Mais pourquoi que tu bousilles ta vie comme ça ? »

Allongé dans sa cahute *zozo* en bois, les yeux rivés sur la photo accrochée au mur – c'était tout ce qui lui restait de sa mère, décédée quinze ans auparavant –, il se rappela le coup de feu, vit l'homme blanc se tenir la jambe et tomber à genoux.

Pris de panique, il se leva du lit, à poil, en tournant le dos à la photo qu'il ne se décidait pas à enlever.

Mais il entendit tout de même sa mère : « Tu sais où tu vas comme ça ? Tout droit en enfer. »

Au diable l'enfer, s'il ne se démerdait pas rapidement, il allait retourner tout droit à la prison de haute sécurité de Pollsmoor.

Et Piper.

D'après le soleil qui chauffait à travers la fenêtre, il devait être midi ; il enfila un jean qu'il portait bas sur sa taille fine. Il prit son portable et appela Goddy. Et merde, appel refusé. Crédit épuisé.

Il ouvrit la porte de la cabane et, torse nu, s'assit sur le seuil pour préparer sa première pipe de la journée. Il avait déjà des démangeaisons sur la peau, son corps réclamait l'ice à grands cris. Sa poitrine parfaite était couverte de tatouages. Rien à voir avec les fioritures élégantes qui ornaient les surfeurs blonds des vagues du Cap, non, les siens étaient du type prison, bien vulgaires et gravés dans la peau avec des lames de rasoir et des bouts de fil de fer aiguisés. Encre en plastique fondu, cirage et entrailles noircies de batteries. Sigles du dollar, cartes de jeu, cœurs brisés, dés de poker et un serpent lové avec un pénis en guise de tête.

L'œuvre de Piper, exécutée sur le corps soumis de Disco, dans le lit de la cellule collective de Pollsmoor.

Il tira sur sa pipe, rejeta la fumée et la termina sans se soucier du verre chaud qui lui brûlait les lèvres. Il voulait fumer jusqu'à l'oubli.

Faire le vide dans sa mémoire.

Impossible.

Il prépara une autre pipe et l'alluma. Il lutta pour réprimer une remontée nauséabonde de peur. Il avala la fumée et sentit le rush en la soufflant.

Mieux.

La grosse femme de la maison principale se dandina jusqu'au fil à linge tout flasque. Elle était pieds nus et portait une chemise de nuit effilochée, les boutons prêts à exploser sous son énorme poitrine, ses cheveux raides entortillés dans des bigoudis roses. Un petit bâtard noir montra les dents, grogna dans sa direction en restant à l'abri derrière sa maîtresse et le regarda par-dessus les varices qui escaladaient ses mollets poilus comme de la vigne vierge.

La grosse garce parlait avec des épingles à linge plein la bouche.

« Va donc enfiler une chemise ! Tu fais peur au petit Zuma. »

Elle rit et fit des bruits de bisous humides en caressant le chien de son pied calleux.

Elle s'approcha de Disco comme un gros pudding.

« Où est l'argent du loyer, bordel ?

— Ce soir, tantine, d'accord ?

— Donne-moi une taffe. »

Elle attrapa la pipe et siphonna ce qui restait, ses seins menaçant de s'échapper de sa chemise de nuit. Ses mâchoires édentées firent un bruit mouillé quand elle rejeta la fumée.

« Sinon, tu me payes autrement. »

Elle portait sur lui le même regard que les 28 lors de sa première nuit à Pollsmoor : comme s'il n'était qu'un morceau de bidoche. Elle écarta les plis de sa chemise de nuit de la main gauche, et Disco put constater qu'elle n'avait pas pris la peine de mettre une culotte. Sa puanteur lui infesta le nez quand elle se pressa contre lui.

Il se leva d'un bond en se rappelant l'affreuse journée où il avait accepté de faire ce qu'elle voulait un mois auparavant : ses mouvements violents qui avaient ébranlé la cahute en bois et laissé la photo de sa mère de travers.

Plus jamais.

« J'aurai l'argent ce soir, tantine. »

Il s'enfuit dans le *zozo*.

« Tu crois que je vous ai pas vus dans la Mercedes hier soir, bande de petits merdeux ! » hurla-t-elle quand il claqua la porte.

Il se regarda dans la glace brisée accrochée au mur et déplora ce que Piper avait fait de son corps. Non seulement il l'avait brisé et avait empoisonné son âme, mais il avait aussi dégradé son seul atout : sa beauté.

Il avait détruit à jamais le rêve qui l'avait gardé en vie, celui que sa maman lui avait transmis. Qu'il deviendrait un jour un top-modèle et se trémousserait sous les flashs.

Barbara Adams avait peur des quelques mètres qu'elle devait faire dans l'allée pour rejoindre sa maison. Mais elle n'avait pas d'autre moyen d'entrer, seulement cette porte dans la clôture avachie et les quelques pavés en béton jetés sur l'herbe jaunie qui perdait toujours la bataille contre le sable des Flats.

C'était encore pire ce jour-là. La chaleur, l'angle du soleil, son reflet terrible sur la petite maison blanche, tout lui rappelait intensément le jour terrifiant où, deux ans plus tôt, son mari s'était fait éventrer comme un cochon sous ses yeux et ceux de ses enfants à cet endroit précis.

Elle revit Clyde Adams s'effondrer dans le sable jaune en la dévisageant d'un air incrédule et essayant d'empêcher ses intestins de lui glisser entre les doigts.

Elle revit ce monstre le tirer par les cheveux — ses cheveux raides et bruns dont il était si fier — et lui trancher la gorge. Il avait retenu un moment le corps de son mari par les cheveux, puis il l'avait lâché et Clyde s'était effondré dans le sable, son pied gauche continuant de se convulsionner en projetant un petit nuage de poussière.

Puis il n'avait plus bougé.

Barbara était à l'endroit même où son mari avait trouvé la mort. Ses mains s'étaient crispées sur les sacs des courses, les ongles enfoncés dans ses paumes. Elle respira un grand coup et entra, c'était une femme mince aux cheveux bruns et au teint olive qui avait oublié qu'elle était jolie.

Quand elle vit qui était à l'intérieur, elle marqua une pause et se ressaisit.

Billy Afrika était assis sur le sofa. Vêtue d'un tee-shirt et d'un pantalon de survêt, Jodie, sa fille de treize ans, était assise sur ses jambes repliées et lui montrait un album de photos.

Celui avec les fées blondes sur la couverture.

Billy leva les yeux sur Barbara.

« Je te croyais mort », lui dit-elle, l'air déçu qu'il ne le soit pas.

Billy se leva et suivit Barbara dans la cuisine, où elle posa les courses sur le plan de travail et commença à les ranger. Trois côtelettes maigrichonnes emballées dans du plastique rejoignirent une salade flétrie dans le frigo. Elle plaça des boîtes de haricots et un paquet de riz dans le placard au-dessus de l'évier. Pour la fermer, elle dut faire claquer la porte qui resta de travers sur ses gonds. La maison était propre mais décrépite.

Barbara avait besoin d'une coupe de cheveux et ses vêtements pendouillaient sur son corps anguleux. Billy remarqua qu'une de ses chaussures était fendue, dévoilant la chair pâle de son orteil. Avec l'argent qu'il lui avait envoyé – une fortune dans les Flats –, elle n'aurait pas dû vivre ainsi.

Elle finit par se tourner vers lui.

« Alors, te voilà Billy. En chair en en os.

— On dirait bien. »

Elle fit un bruit qui aurait pu être un rire, puis remplit un verre d'eau du robinet et le descendit d'un trait.

« On n'a plus eu de tes nouvelles.

— Mais t'as reçu l'argent ? »

Elle acquiesça sans le regarder, en rinçant le verre avant de le poser sur l'égouttoir. Elle ne lui offrit rien à boire.

« Je suis désolé pour les deux derniers mois, mais je m'en occupe. »

Elle haussa les épaules.

« T'es rentré pour de bon ?

— Sais pas.

— T'es fou de revenir ici. »

Elle passa devant lui et gagna le salon. Jodie n'y était plus et un air de R & B plaintif s'échappait d'une chambre. Une fille en chaleur à cause d'un garçon. Barbara choisit de s'asseoir à côté de la table où trônait sa photo de mariage. Billy ne pouvait pas se tourner vers elle sans voir le sourire de Clyde Adams.

« Barbara, pourquoi tu vis toujours ici ?

— Et où devrais-je aller ?

— Installe-toi en banlieue. »

Elle fit non de la tête.

« Tu sais très bien qu'on ne part d'ici que les pieds devant, Billy. »

La chanteuse approchait d'une espèce d'orgasme.

« Moins fort, Jodie ! »

La fille ronchonna, mais baissa le volume.

« Qu'est-ce t'as fait de l'argent que je t'envoyais ? »

Il guettait ses yeux. Une vieille habitude de flic.

« Qu'est-ce que tu veux dire ?

— Pourquoi est-ce que tu vis comme ça ? »

Elle détourna le regard pour la première fois.

« Clyde avait des dettes. Il a fallu que je rembourse.

— Des conneries ça, Barbara. J'ai jamais connu un type qu'avait aussi peur des dettes. »

Le sang lui monta aux joues.

« Comment oses-tu venir chez moi me traiter de menteuse ?

— Pourquoi tu me dis pas ce qui se passe vraiment ?

— Tu ferais mieux de partir, Billy.

— Ce n'est pas ce que Clyde aurait voulu.

— Clyde est mort. »

Billy posa ses yeux malgré lui sur la photo de Clyde souriant et sentit la sueur couler comme de l'acide sur les cicatrices de ses côtes. Il regardait la photo, mais revoyait le sourire de Piper quand il avait lâché le couteau plein de sang dans le sable et levé haut les mains comme pour se rendre, là, debout au-dessus du cadavre de Clyde.

Billy avait senti son doigt se crisper sur la gâchette de l'automatique.

Mais il ne l'avait pas pressée.

Il lâcha la photo des yeux lorsque Barbara se leva et quitta la pièce. Trop fière pour pleurer devant lui. Il entendit se fermer une porte de chambre. Il griffonna son numéro de portable au dos de la carte d'embarquement d'Emirates qu'il trouva encore pliée dans sa poche. Il la posa à côté de la photo et s'en alla.

Un garçon de dix ans, en uniforme scolaire, jouait avec une balle de tennis dans le carré de jardin envahi de sable, pied, genou, tête, pied. Billy attendit que la balle touche la tête du gamin, rebondisse trop haut pour qu'il la contrôle et retombe dans le sable.

« Shawn. »

Le gamin le regarda.

« Allons faire un tour, lui dit Billy.

— Pour quoi faire ?

— Je veux te demander quelque chose, voilà pour quoi. »

Le petit haussa les épaules et sortit du jardin derrière lui, sans cesser de jouer avec sa balle. Billy s'adossa à la Hyundai et sentit le soleil brûlant, malgré la couche de poussière.

« Qui vient ici ? Qui vient voir ta maman ? »

Shawn fit rebondir la balle sur son genou, prêt à reprendre son numéro. Billy se redressa, quitta ses tongs et sentit le sable chaud et familier sous ses pieds nus.

Il attendit que le garçon perde la balle, puis ses muscles usés retrouvèrent les mouvements voulus et il lança la balle en l'air d'un coup de pied. Il la reprit d'un petit geste de la tête, la laissa tomber sur son genou, rebondir, la récupéra avec l'autre genou, la laissa à nouveau tomber sur son pied et la renvoya à Shawn, qui s'en empara sans briser le rythme.

Ils continuèrent ainsi quelques minutes, un duo parfait – petit ballet du ghetto – avec la balle qui ne touchait le sol que lorsque Billy faisait semblant de la rater.

« Tu te débrouilles pas trop mal pour un vieux », dit Shawn en riant.

Billy lui donna une bourrade dans la poitrine et le gosse se remit à rire. Billy s'adossa à la voiture.

« Alors ? Qui vient vous voir ? »

Shawn lui montra une femme à la poitrine généreuse qui les observait d'un jardin voisin. Une femme née pour rester accoudée à la palissade et passer ses journées à cancaner, la clope au bec.

« Elle vient, elle. Mme Pool.

— Et encore ?

— Le pasteur. »

Le maigrichon hypocrite qui avait craché la parole de Dieu sur la tombe de Clyde alors même qu'il empochait le fric des gangs.

« Personne d'autre ? »

Le gamin hésita. L'hésitation de la peur.

« Tu sais que j'ai travaillé avec ton papa ?

— Ja, je m'en souviens.

— Il voudrait que tu me le dises. »

Ça lui tordait les tripes de manipuler un gosse en se servant de son père mort.

« Manson. Il vient ici dans son Hummer. »

Billy comprit alors où passait l'argent. Et pourquoi la famille de Clyde vivait toujours dans cette rue sordide.

« Merci, Shawn. Ton père serait fier de toi. »

Le gamin haussa les épaules et lança la balle.

Billy monta dans sa voiture et partit en regardant dans le rétro jusqu'à ce que la poussière avale le gamin.

En fin de compte, Disco posa devant les objectifs avant la tombée du jour.

Il était allé chercher Godwynn et l'argent qu'il lui devait. Il avait trouvé son acolyte dans un bar clandestin de Poppy Street, mais au lieu d'avoir le fric, il avait eu droit à une histoire qui lui avait foutu une trouille bleue : Manson ne lui avait jamais ordonné de revenir en Mercedes, c'était un mensonge. C'était de son propre chef qu'il avait braqué la voiture. Il était ambitieux – il en avait marre de se taper les sales boulots et de risquer ses fesses alors que Manson s'en mettait plein les poches et ne lui filait que des miettes.

« Au cul tout ça ! » avait lancé Goddy remonté à bloc. Cette fois-ci, je me trouve un acheteur et le pognon rentre dans nos poches.

Disco dévisageait l'homme au teint foncé.

Goddy qui lui explique que la veille, après l'avoir déposé chez lui, il a conduit la BM à l'aéroport international du Cap et l'a garée sous un auvent dans le parking en plein air. Une belle bagnole parmi tant d'autres BMW et 4 x 4 qui restent là plusieurs journées d'affilée.

Qui lui raconte qu'il sait faire démarrer les voitures avec les fils de contact, mais qu'il n'y connaît rien en systèmes de détection et encore moins en leur désactivation. Et donc, il prévoit d'y laisser la BM quelques jours en attendant que les choses se calment. Et quand il y retournera, si elle est encore là, il pourra la prendre sans s'inquiéter de se faire serrer par des types en noir armés de fusils à pompe, comme les SWAT[1] de Dallas dans un programme télé à la con.

Disco avait hoché la tête, sa colère se muant rapidement en peur.

« Nom de Dieu, Goddy! Manson va nous massacrer. »

Et là, en plein milieu du bar, sous les yeux de tous, Godwynn avait giflé Disco d'un revers de la main.

« Ta gueule, espèce de froussard. J'sais pas pourquoi je traîne un boulet comme toi, bordel de Dieu! Détends-toi, putain! »

Mais au lieu de se détendre, Disco avait quitté le bar précipitamment, des démangeaisons sur tout le corps, comme des araignées. Impatient de retrouver son *zozo* pour fumer le peu de tik qui lui restait.

En temps normal, il aurait remarqué la voiture banalisée et aurait rapidement pris le large. Mais il n'avait qu'une chose en tête : tirer une taffe sur sa pipe de tik.

Il n'eut pas la moindre chance de s'enfuir. Un premier flic l'empoigna quand il entrait dans la cour et le jeta contre le mur en lui braquant un Z88 9 mm sur la tempe. Un deuxième policier en tenue le fouilla. Un troisième flic en civil – avec une sale gueule pleine de boutons – surveillait la scène. Tout le monde savait que ce flic portait la poisse.

« Qu'est-ce j'ai fait encore? » demanda Disco en voyant un rideau bouger dans la maison.

Cette salope de moucharde y aurait droit.

---

1. Unité de police d'élite. *(Toutes les notes sont de la traductrice.)*

« Comme si tu savais pas ce que t'as fait, sale petite merde, lui
lança le flic en civil tandis que les autres le menottaient et le traînaient dans la voiture. Toi et ton pote le *bushman*. »

Ainsi donc la journée de Disco s'était terminée sous les flashs
d'un appareil photo. Mais il ne se trémoussait pas. Il était chez les
flics de Bellwood South, à l'identité judiciaire.

En garde à vue pour piratage de voiture à main armée.

Et assassinat.

Roxy était nue dans son dressing quand elle entendit la sonnette
du portail. Elle écarta les rangées de robes griffées qui pendaient
aux cintres comme les fantômes de son passé et enfila un short et
un tee-shirt, les cheveux encore mouillés après sa douche.

La personne à l'entrée devait avoir le doigt collé au bouton.
Elle s'approcha de l'Interphone près de la porte de la chambre.

« Oui ?

— C'est Jane. Ouvre-moi. »

Le moment qu'elle redoutait.

Elle déclencha l'ouverture et regarda par la fenêtre la petite
Jeep de sport qui empruntait l'allée en rouspétant. Roxy descendit l'escalier et ouvrit la porte à la fille de Joe.

Jane Palmer, les yeux cachés derrière des lunettes noires Armani,
traversa la cour. Elle avait la mâchoire de son père, ce qui allait
bien à un homme construit comme un mi-lourd empâté, mais
détonnait complètement chez une rousse de dix-huit ans.

Roxy revit Joe prendre la balle en plein front. Et repoussa
l'image.

« Je suis navrée, Jane. »

Elle leva un bras pour l'étreindre, puis le rabattit.

Jane la bouscula et s'avança sur les tomettes italiennes et les
murs décolorés tandis qu'à l'horizon, le soleil transformait l'océan
en une étendue de verre brisé.

« Je suis pas venue chercher ta compassion de merde. »

La mâchoire de son père. Et sa grossièreté.

« Pourquoi es-tu venue alors ?

— Je veux récupérer certains trucs. Des trucs à mon père. Ils nous reviennent, à maman et à moi.

— Quel genre de trucs ?

— Des documents.

— Si c'est son testament que tu cherches, tu perds ton temps. Il est chez son avocat. »

Roxy eut un accès de culpabilité quand Jane ôta ses lunettes de soleil et dévoila des yeux bouffis et rougis.

« On n'est pas toutes des sales croqueuses de diamants. Je veux ses effets personnels. Des vieilles photos, les souvenirs qu'il a gardés de mon enfance. »

Les larmes lui montaient aux yeux.

« Sers-toi, lui dit Roxy en l'invitant d'un geste dans la maison.

— Nous allons organiser les obsèques. Maman et moi. »

Roxy essaya de dissimuler son soulagement.

« Si je peux faire quoi que ce soit…

— Tu peux ne pas venir… »

Elle hocha la tête. Si seulement c'était possible.

« C'était mon mari, Jane.

— Ja, bien sûr. (La mâchoire s'avança.) J'aime autant te prévenir que maman et moi allons contester le testament. Merde alors, il est hors de question que tu récupères tout ça ! »

Jane balaya la propriété de sa main couverte de taches de rousseur, puis elle partit vers le bureau de Joe, ses jambes épaisses sortant comme des troncs d'arbre de son short et ses Birkenstocks claquant sur les tomettes.

Roxy alla chercher une bouteille d'Evian au frigo de la cuisine. Elle n'avait pas tué Joe pour l'argent, mais elle voulait ce qui lui revenait de droit.

Elle l'avait bien mérité.

Le téléphone sonna et elle répondit dans la cuisine. C'était un flic avec un accent épais comme de la glu. Deux suspects étaient en garde à vue au commissariat de Bellwood South.

On avait besoin d'elle au tapissage.

CHAPITRE 6

Piper avait appris la bonne nouvelle dans son bain, où il versait de véritables larmes par-dessus celles qu'il s'était tatouées sous ses yeux maintenant clos (une pour chaque vie qu'il avait ôtée), et nettoyait les dernières traces de sang en plongeant la tête sous l'eau tiède.

Il ajouterait bientôt une nouvelle larme – la dix-neuvième – pour marquer son dernier meurtre. Il avait éventré un homme comme un cochon qu'il était.

Les lumières étaient restées allumées la veille dans la cellule collective du quartier B de haute sécurité de Pollsmoor – où trente métis étaient entassés dans une cellule conçue pour en accueillir dix. Ils étaient tous membres du gang des 28.

Tous condamnés à la prison ferme pour meurtre, voire pire.

Trois chaînes stéréo concurrentes beuglaient le gangsta rap prisé des 28. Quelques prisonniers regardaient un programme nocturne de porno soft à la télé : des Blanches avec des nichons comme des melons qui faisaient semblant de baiser des mecs sans queue qui, eux, avaient l'air de s'emmerder ferme. Les détenus encourageaient les femmes, leur patois de gang hyperrapide – un mélange d'afrikaans et d'anglais soudé par un argot incompréhensible aux non-initiés – rebondissant sur les murs en appels et réponses profanes.

D'autres prisonniers tringlaient pour de bon dans la cellule. Ils y allaient à moitié cachés sous les couvertures des lits superposés, en poussant des grognements et des gémissements en écho à la baise télévisée.

Piper ne regardait rien de tout ça.

Allongé sur son lit, les yeux clos, il fumait une pipe de tik dans un espace de sérénité, le visage flou derrière les nuées de meth. Il avait dans les trente-cinq ans ; il était mince et musclé, avec le teint blême du prisonnier. Des taches grises perçaient sous sa peau brune comme de la viande avariée, balafrée par vingt ans de guerre des gangs.

Il avait la quiétude que procure l'intimité avec la mort.

Piper ne portait qu'un slip et chaque centimètre de sa peau était couvert de tatouages : mains braquées comme des revolvers formant le salut à deux doigts des 28, croissants de lune devenus faucilles, une bougie allumée, les phrases « Je te déteste, maman » et « Crache sur ma tombe » grossièrement dessinées sur le torse. Les étoiles indiquant son rang étaient tatouées sur ses épaules. Le nœud qui pendait sur son bras droit indiquait qu'il avait séjourné dans les couloirs de la mort.

Il avait ouvert les yeux et les avait braqués sur Pig, un costaud atteint d'une maladie de peau qui lui laissait des plaques rose vif de la taille d'une main aux doigts écartés sur le visage et sur le torse. Il se prélassait sur son lit en pantalon de survêtement et regardait le programme porno tandis que son sex-boy, un gamin fragile aux yeux morts, lui glissait des pêches au sirop dans la bouche.

Piper s'était levé et avait ôté son slip pour ne pas le tacher avec le sang de Pig. Le tatouage d'un pénis en érection, noir et sinueux, lui sortait de la toison pubienne, sa gueule borgne s'arrêtant sous le nombril. Il avait fouillé sous la couverture et en avait tiré un surin de prison : une cuiller au manche taillé en pointe.

Les autres détenus de la cellule, les lieutenants de Piper, savaient ce qui allait se passer. Deux d'entre eux s'étaient postés près de la porte pour faire le guet.

Piper, nu, s'était dirigé vers sa cible.

Le boy de Pig l'avait vu arriver et s'était écarté. Pig avalait une pêche en riant des pitreries télévisées et avait mis un certain temps à comprendre ce qui l'attendait.

Piper l'avait bâillonné d'une main et lui avait tranché la gorge. Puis il lui avait plongé le poignard dans l'abdomen et l'avait éventré. Le sang avait éclaboussé ses tatouages. Le vacarme de la télé et des stéréos avait masqué les grognements et les cris d'agonie de Pig.

La dernière image qu'il avait vue avait été les larmes noires sur les joues de son assassin.

Piper avait déjà tué, par avidité, par convoitise, pour l'argent ou le pouvoir. Parfois aussi pour se fendre la gueule. Mais c'était la première fois qu'il tuait par amour. Qu'il mettait un terme à la vie d'un type qui avait tenu des propos obscènes sur les sentiments qu'il avait pour son épouse.

Disco.

Quand Disco était en prison avec lui, personne ne s'indignait : un 28 de son ancienneté avait le droit de choisir la chair fraîche qu'il voulait. Qu'il ait gardé Disco aussi longtemps était certes inhabituel, mais sans grande importance. À ceci près que lorsque Disco avait été remis en liberté, Piper avait refusé de prendre une nouvelle épouse. Il dormait seul.

Et se languissait d'amour.

On avait commencé à murmurer qu'il devenait un peu mou. Qu'il faudrait peut-être songer à élire un nouveau général. Et ça ne pouvait signifier qu'une seule chose : il allait falloir le tuer.

Mais, transi d'amour ou non, Piper n'avait aucune intention de se laisser faire. Il avait élu domicile à la prison de Pollsmoor pour le restant de ses jours et avait l'intention de vivre vieux. Il avait besoin d'une démonstration de force, de quelque chose qui foutrait une trouille bleue à tous ces types et la leur bouclerait. Il avait donc procédé au meurtre rituel du détenu qui avait lancé la campagne de rumeurs, celui qui avait rêvé de porter les étoiles de général sur ses épaules : Pig.

Dégoulinant de sang, Piper s'était éloigné du cadavre et, comme l'exigeait le protocole, avait tendu le poignard à un des jeunes soldats, un ambitieux qui voulait monter dans la hiérarchie des gangs de prison.

« Le sang a salué », avait-il lancé, sa main droite rouge de sang formant le signe du flingue armé des 28.

« Salut, général », avait répondu le soldat en lui rendant le signe.

La peine de mort avait été abolie en même temps que l'apartheid. Le soldat serait donc jugé et écoperait d'une peine de perpétuité qui s'ajouterait à celle qu'il purgeait déjà. Il ne trahirait personne, confiant de sa montée en grade et des privilèges qui en découleraient.

La promotion de Piper au sein des 28 s'était effectuée de la même manière.

Le lendemain matin, les gardiens avaient évacué le cadavre de Pig. Ils avaient tabassé jusqu'à lui faire perdre conscience le soldat qui avait hérité du poignard et de la responsabilité du meurtre. Puis ils l'avaient menotté, enchaîné et conduit au mitard.

Quand Piper avait traversé la cour de gym dans sa combinaison orange fluo, les hommes s'étaient écartés sur son passage. La rumeur s'était déjà répandue. Et les hommes le craignaient à nouveau. Comme il se devait.

Mais Piper avait le cœur lourd. Et avait gagné la buanderie.

Tous les matins à cette heure-là, un vieux condamné à perpète, un 28 du nom de Moonlight, lui préparait un bain dans une machine à laver industrielle, une cuve chromée géante rivée au carrelage. Piper avait quitté sa combinaison carcérale, était monté dans le bassin et s'était glissé dans l'eau.

Il avait effacé les dernières traces du sang de Pig.

Et là, allongé dans l'eau tiède, il s'était mis à pleurer comme ça ne lui était pas arrivé depuis qu'il était bébé.

Il pleurait car il savait que la seule personne qu'il avait aimée, son épouse, lui avait menti.

Avant sa remise en liberté, Disco lui avait juré de commettre un crime dehors. Et un crime assez grave pour qu'il soit arrêté et renvoyé à Pollsmoor, dans les bras de Piper.

Mais les mois avaient passé et il n'avait pas de nouvelles de Disco. Pas de visite. Pas de lettre. Pas de coup de téléphone. Il ne savait même pas où il était. Il avait utilisé son accès au téléphone pour essayer de le trouver. Communiqué un nombre incalculable de messages à des hommes libres leur demandant de le trouver. Sans grand succès.

On l'avait repéré à Paradise Park, du côté de White City. En plein territoire des 26. Les Americans. Un bastion ennemi. Ça, Piper le savait. Ce qu'il ne savait pas, c'était comment faire cesser la douleur de ne plus avoir son épouse.

Il entendit frapper sur le côté de la cuve.

« Ja, viens. »

Une gueule aussi ridée qu'un vieux godillot se pencha sur lui et Moonlight lui chuchota quelque chose à l'oreille, bruit de griffes de rat sur du béton. Tout habitué qu'il était aux puanteurs, Piper dut se détourner en sentant l'haleine pourrie du vieillard. Mais il aurait pu embrasser sa bouche rance quand il comprit ce qu'elle lui disait.

Après une nuit en cellule à Bellwood South, un 28 avait été placé en détention provisoire à Pollsmoor. Il avait un renseignement qui était arrivé jusqu'aux oreilles de Moonlight.

Disco de Lilly avait été arrêté.

« Pour quoi? demanda Piper.

— Braquage de voiture et meurtre, général. »

Son cœur avait bondi dans sa poitrine. Son épouse allait revenir.

Rentrer à la maison.

Pour toujours.

Disco cracha du sang et une incisive. Étendu sur le ventre dans la salle des interrogatoires, il voyait trouble suite au dernier coup de pied qu'il avait reçu. Il leva la tête à temps pour voir la botte prendre un nouvel élan et réussit à se protéger la tête avec le bras, le coup lui arrivant au-dessus du coude.

« Parle-nous, Disco. »

Le flic en civil était assis sur le bord de la table en bois fixée au sol. Il fumait et se grattait un bouton dans le cou.

« Qu'est-ce que vous voulez que je vous dise ? »

Disco se mit à genoux sans cesser de se protéger.

« Dis-nous pourquoi t'as descendu le petit Blanc. Toi ou ton pote.

— Je vous ai d'jà dit. J'comprends rien à cette histoire de coup de feu.

— Mais t'étais dans la voiture ? La Mercedes ?

— J'suis jamais monté dans une Mercedes de toute ma conne de vie. Pas même pour un mariage. »

Il tenta d'user de son charme et fit un grand sourire, qui s'avéra moins séduisant avec une dent en moins.

Le flic en tenue arma un nouveau coup de pied. Celui en civil l'en dissuada d'un hochement de tête, puis se baissa pour s'accroupir juste devant Disco.

« Ton pote dit que c'est toi qu'as tiré. »

Les flics lui racontaient des conneries. Godwynn et lui n'avaient pas eu de contact, ils avaient été incarcérés dans des cellules différentes. Ils n'avaient pas pu se concerter. Mais Goddy n'aurait jamais parlé. À moins que...

Le flic en civil se pencha et prit un journal sur la table. Il l'ouvrit à la page trois et le tint. Disco mit un certain temps à comprendre ce qu'il voyait. Une photo en couleurs d'une blonde. Plutôt canon. Il sentit ses couilles se crisper comme une paire de raisins secs quand il la reconnut. C'était la blonde de la veille, penchée au-dessus d'un mec mort.

Disco ne savait pas très bien lire, mais les mots « braquage » et « meurtre » étaient à son niveau.

Ce gros con de Blanc était mort. Merde. Il réprima sa panique.

Le flic laissa tomber le journal et vit l'air qu'avait pris Disco.

« Parle, Disco, sinon on va encore jeter ton cul de défoncé à Pollsmoor. Tu prendras perpète, mon pote. Et tu pourras te garer un camion dans le cul quand Piper en aura fini avec toi. »

Le flic en tenue ricana. Pas celui en civil. Disco sentit un relent de poulet Kentucky dans son haleine. Il vit un visage se pencher sur lui, un visage aux larmes comme des gouttes de pluie noire...

« Je vous l'ai déjà dit. Je sais rien du tout. »

Le flic en civil le dévisagea, puis il soupira et se leva. Et fit un signe de tête à son collègue qui s'approcha à nouveau.

« Lui esquinte pas trop la gueule ; je veux que la femme puisse reconnaître ce petit con. »

Le flic en tenue ne s'acharna donc que sur le corps de Disco.

CHAPITRE 7

Roxy n'était jamais venue dans les quartiers ouvriers du nord-est de la ville, la zone tampon entre Le Cap et les Flats balayés par le vent. Loin des plages et du Waterfront ultra chic avec son étalage de franchises Paul Smith, Jimmy Choo et Louis Vuitton.

La succession infinie de coins de rues commerçantes, de parcs de voitures d'occasion, de bouibouis et d'appartements bas de gamme défilant sous le soleil qui grillait tout comme au chalumeau lui rappela son enfance dans le sud de la Floride. Sans les voitures qui roulaient du mauvais côté de la route, elle aurait pu se croire de retour chez elle, avec sa mère alcoolique et son incessante procession de papas. Le dernier d'entre eux, un aspirant photographe, avait pris sa photo quand elle avait quatorze ans.

Et sa virginité.

Sa mère avait trouvé les photos, l'avait giflée, puis avait reniflé l'aubaine financière. Elle avait montré quelques clichés parmi les moins pornographiques à une de ses relations qui travaillait au Marché international de marchandises de Miami et Roxy avait obtenu son premier boulot de mannequin. À quatorze ans, elle faisait déjà un mètre soixante-quinze, avait une épaisse chevelure blonde et des jambes interminables. Une agence locale lui avait donné du travail.

Sa première séance professionnelle était une publicité pour une chaîne de hamburger – Miss Double Fromage – mais la situation s'était rapidement améliorée. Quelques mois plus tard, elle travaillait pour l'agence Eileen Ford à New York, puis ç'avait été Milan, Paris, Chanel et Versace.

Elle n'était pas rentrée chez elle et n'avait jamais reparlé à sa mère.

Elle jeta un coup d'œil furtif à la fliquesse qui conduisait. Jeune, métisse – « *colored* » comme ils les appelaient ici –, elle portait un uniforme bleu gris et des bottes noires. Une casquette dissimulait ses cheveux crépus tirés à l'arrière en un chignon, mais Roxy détecta un soupçon de fard à joue sur ses hautes pommettes. Elle avait essayé de discuter avec elle, mais la fille était soit intimidée soit indifférente. À moins qu'elle n'ait eu du mal à comprendre son accent américain.

Roxy se dit que c'était par délicatesse que la police avait offert de lui envoyer une voiture et de choisir une femme pour la conduire. L'appel téléphonique l'avait déstabilisée. Elle avait cru que les deux voleurs métis se fondraient dans les ghettos, sans rien savoir des changements qu'ils avaient apportés à sa vie. Puis elle s'était calmée. Les flics étaient sur la sellette et avaient la responsabilité de cette zone de guerre qu'était Le Cap.

Ils cherchaient donc à sauver la face. Ils avaient dû arrêter deux ou trois types au hasard dans les Cape Flats. Elle les regarderait, ferait non de la tête et les flics s'excuseraient du dérangement. Mais la police aurait démontré qu'elle fonctionnait.

Les politiques seraient satisfaits.

La Volkswagen blanche s'engagea dans la cour d'un affreux immeuble en brique, encerclé de hautes palissades et de barbelés. Roxy ouvrit la portière et suivit l'agent à l'intérieur du commissariat. Elle portait une simple robe noire Prada coupée à hauteur du genou, des sandales plates et aucun maquillage. Son look de veuve pour une séance de tapissage.

En traversant le chaos de la salle de garde à vue – hommes menottés, femmes en pleurs, putes qui la reluquaient –, elle eut le vertige. Elle se vit en train de tendre ses bras bronzés, des menottes se glisser à ses poignets et entendit une de ces voix gutturales lui rappeler ses droits. La femme la mena dans un couloir plus tranquille, Roxy s'arrêta un instant pour s'éponger le front avec un Kleenex. Elle se ressaisit.

La fliquesse la regardait.

« Tout va bien, madame Palmer ?

— Ça va. Excusez-moi.

— Ils ne pourront pas vous voir. C'est une glace sans tain.

— Bien sûr, bien sûr. »

Elle lui tint la porte et lui sourit pour essayer de la réconforter.

« Je vais vous chercher de l'eau », dit-elle.

Roxy entra dans la pièce, quelques flics en civil debout près d'une vitre se tournant pour la dévisager. Et la fouiller des yeux. Ce qui était presque rassurant pour l'heure. Au moins n'étaient-ils pas en train de l'arrêter.

L'un d'entre eux ne se retourna pas, un maigre en jean avec une chemise à carreaux froissée. Il fixait la salle vide avec ses murs aux rayures horizontales que d'innombrables séries télévisées policières avaient rendues familières. Elle aperçut son reflet dans la vitre et sut qu'il l'observait.

Un homme entre deux âges vêtu d'un costume bon marché se présenta, son accent lui sonnant brutalement aux oreilles. Commissaire quoi ? Elle le salua d'un geste de la tête. Rien d'anormal à ce qu'elle ait l'air paumée. Il fallait s'y attendre.

Elle s'installa derrière la vitre et jeta un coup d'œil au type en jean. Il avait la gueule en râpe à fromage grêlée de cicatrices d'acné. Une violente poussée de boutons plus récents lui enflait le cou. Le type en costume donna quelques ordres et dix individus s'alignèrent dans la salle de l'autre côté, dos au mur.

Ils étaient tous jeunes et métis. Le troisième à partir de la gauche était celui qui l'avait forcée à descendre de voiture la veille.

Celui qui avait une belle gueule.

CHAPITRE 8

Les types en costume regardèrent la garce américaine quitter la salle comme s'ils voulaient la violer tous ensemble. L'inspecteur Ernie Maggott les observait dans la glace en leur tournant le dos et tripotant l'éruption dans son cou. Ses boutons bouillonnaient et brûlaient, aggravant son humeur déjà maussade.

Le commissaire était à côté de lui.

« Bon, on les relâche ?

— Elle a reconnu Disco. »

Maggott regarda le beau gosse et son pote le *bushman* sortir en traînant les pieds avec les autres.

« Qu'est-ce qui vous fait dire ça ?

— C'est le seul qu'elle a pas regardé.

— Ja ?

— Ja.

— Et comment le savez-vous ?

— J'ai suivi son regard.

— Allons, Maggott, lui dit le commissaire en riant. Pourquoi est-ce qu'elle mentirait ?

— Pourquoi ne le lui demandez-vous pas ? »

Le gros abruti rejeta l'idée d'un signe de tête.

« Relâchez-les, d'accord ?

— Sa propriétaire dit qu'elle l'a vu avec son pote dans une Mercedes.

— Elle dirait que sa mère conduit une Mercedes si on lui glissait un billet de vingt dans la poche.

— Laissez-moi de Lilly jusqu'à ce soir. Je peux le faire craquer.

— Écoutez, j'ai déjà les militants des droits de l'homme qui me font chier, alors vous allez me faire le plaisir de les remettre en liberté tous les deux, inspecteur. C'est compris?

— C'est vous le patron, patron, répondit Maggott en haussant les épaules.

Connard.

Barbara Adams glissa l'étoffe dans la machine à coudre, les doigts agiles, le pied expert sur la pédale. Une robe pour une voisine qui allait à l'église. Quelques sous pour subvenir aux besoins de sa famille. Et de l'ouvrage pour se changer les esprits; elle avait les nerfs à vif en ce moment.

Voir Billy Afrika avait rouvert une porte qu'elle s'efforçait de garder fermée depuis deux ans. Elle avait eu du mal à s'entretenir avec le vivant sans penser au mort. Ils avaient été inséparables. Billy était comme un membre de la famille.

Mais ce n'était pas le bon qui était mort.

Shawn passa devant la table de la salle à manger en jouant avec une balle de tennis.

Barbara éleva la voix pour couvrir le bruit de la machine.

« T'as fini tes devoirs?

— Ja, je suis fini.

— J'ai fini.

— Si ça t'amuse. »

Il s'avachit devant la porte d'entrée; ce garçon avait un grand besoin d'autorité paternelle.

Elle s'étira et se frotta les yeux, sentit monter un mal de tête. Elle resta immobile un instant, les yeux clos, jusqu'à ce qu'elle entende les percussions sourdes du hip-hop dans la rue. Musique lancinante. Primitive. Qu'elle avait bannie de chez elle. Elle n'arrivait pas à comprendre comment « enculé de ta mère » et « salope » avaient remplacé les mots d'amour et de tendresse des chansons avec lesquelles Clyde l'avait courtisée.

La musique continuait son vacarme.

Elle s'approcha de la fenêtre et écarta le rideau en dentelle.

Le hip-hop provenait d'une grande voiture noire aux vitres teintées, presque un véhicule militaire, garée sur le trottoir. À travers la vitre arrière baissée, elle aperçut Manson, le chef des Americans de Paradise Park, avachi sur la banquette. Elle s'y attendait. Elle savait qu'il reviendrait lui soutirer l'argent qu'elle n'avait pas.

Puis elle vit sa fille assise à côté de lui.

Elle se rua sur la porte d'entrée, la déverrouilla maladroitement et courut jusqu'à la voiture.

« Jodie ! »

Sa fille la toisa comme si elle la dérangeait.

« Sors de cette voiture », dit-elle en ouvrant la lourde portière.

Jodie, vêtue d'un débardeur minuscule et d'un short qui accentuait ses formes naissantes au lieu de les dissimuler – une tenue qu'elle était seulement autorisée à porter à l'intérieur de la maison –, était assise tout contre Manson, presque sur ses genoux.

« Qu'est-ce que tu fais avec ma fille ? » demanda-t-elle d'une voix tendue et essoufflée.

Manson sourit, une belle dentition dans son visage légèrement basané. Il n'avait pas une tête de gangster, on aurait plutôt dit un athlète à la retraite dans son survêt de marque. Jusqu'à ce qu'on remarque ses yeux, sombres et morts comme une mare d'eau croupie.

« Elle était aux magasins, je l'ai juste raccompagnée. Les rues sont dangereuses. »

Il avait posé une main juste au-dessus du genou de Jodie, ses doigts fins taquinant gentiment sa peau nue.

« Sors de là, Jodie. (Sa fille fit une moue qui la transforma immédiatement de femme en petite fille.) Tu m'entends ? Sors tout de suite ! »

Se dégageant au ralenti, sa fille se déplia sur la banquette, parfaitement consciente du regard de Manson sur son corps. Elle se retourna et lui décocha un sourire.

Barbara la prit par les épaules et la secoua.

« Qu'est-ce que tu fabriques avec eux ? »

Jodie haussa les épaules et réprima un sourire narquois. Barbara lui tira le bras en arrière et la gifla. Violemment. C'était la première fois qu'elle levait la main sur sa fille. Jodie porta les doigts à sa joue, les yeux remplis de larmes.

« À la maison ! cria Barbara. Allez ! »

Jodie rentra en sanglotant et claqua la porte derrière elle. Manson avait suivi la scène le sourire aux lèvres.

« Elle est bien foutue, cette fille.

— C'est une enfant, espèce de gros dégueulasse ! »

Manson leva les mains comme s'il la suppliait.

« Du calme, sœur Barbara.

— Tu m'avais promis que vous vous approcheriez pas d'elle, toi et tes mecs.

— Tant que tu me payais tous les mois. C'était le marché.

— Je reçois plus d'argent, dit-elle, bien droite, les bras croisés sur la poitrine.

— Je sais, je sais. Je surveille les comptes, t'en fais pas. Détends-toi un peu, assieds-toi. (Elle resta debout.) Je t'ai dit de t'asseoir. »

Le ton sec.

Barbara lui obéit, elle monta dans la voiture haute et s'installa à côté de lui. Raide. Les mains sur les genoux. Deux types étaient avachis dans les sièges à l'avant et sautillaient en cadence avec la musique. Le balèze au volant l'ignora, mais le petit se retourna et lui fit un grand sourire édenté.

Manson l'observait.

« Il paraît qu'il est venu te voir ce matin ?

— Qui ça ?

— Billy Afrika. (Elle acquiesça.) Qu'est-ce t'y as dit ? Pour expliquer où passait l'argent ?

— Je lui ai dit que Clyde avait des dettes.

— Il va jamais avaler ça. »

Elle regarda droit devant elle. Silencieuse.

« Il t'a expliqué pourquoi il versait plus de fric ? »

Elle fit non de la tête.

« Je veux ce fric. (Il lui attrapa le visage et la força à le regarder. La fausse cordialité avait complètement disparu.) Tu m'entends, bordel de Dieu ?

— Oui, je t'entends.

— Tu vas trouver pourquoi il a arrêté de le verser. Et quand il va recommencer. Compris ?

— Oui.

— Barre-toi. »

Elle s'exécuta, il referma la portière. Se pencha pour lui parler par la vitre ouverte.

« Ta petite est mûre, sœur Barbara. Si tu me donnes pas le fric, je m'occupe de la cueillir », dit-il avec un grand sourire.

Elle essaya de passer la main à l'intérieur pour lui griffer le visage, mais il remonta la vitre automatique en riant. La voiture partit dans un grondement. Barbara se retourna et vit que deux de ses voisines, Mme Pool et une autre, cancanaient près de la clôture en la dévisageant.

Elle les fixa droit dans les yeux.

« Allez vous faire foutre ! »

Elles hochèrent la tête et la regardèrent rentrer chez elle et fermer la porte à clé. Puis elles se rapprochèrent et reprirent leurs chuchotements comme bruits d'ongles sur du tissu.

Elle gagna la chambre à coucher que se partageaient ses enfants. Elle frappa. Pas de réponse. La porte était verrouillée. Elle appela sa fille. Entendit des sanglots étouffés. Entra dans la chambre et trouva le papier que Billy Afrika lui avait laissé.

Les doigts tremblants, elle composa son numéro.

« C'est c'te salope de Blanche qu'a fait le coup. »

Goddy tournait en rond dans la cahute *zozo* et tirait comme un pompier sur sa Lucky, sa sale gueule ridée par la concentration.

« Raconte pas de conneries, Goddy. »

Assis sur le lit, Disco se préparait une pipe de tik tout en se passant la langue dans les creux de ses gencives. Il perdait les pédales. Toutes ces heures sans meth. L'interrogatoire et le passage à tabac.

« Alors, c'est toi qu'as flingué ce gros con ? » lui demanda Godwynn en se penchant sur lui.

Disco leva les yeux vers lui, troublé.

« Tu sais bien que non.

— Et moi, j'y ai tiré une seule fois dessus. Dans la jambe. Alors qui l'a flingué la deuxième fois, bordel ? Et en pleine tête, nom de Dieu ? »

Goddy balança son mégot qui virevolta par terre, encore allumé.

Disco alluma la pipe et tira une taffe. Il resta un moment immobile, les yeux clos, tandis que le rush le frappait entre les deux yeux comme un merlin d'abattoir. Puis ses oreilles arrêtèrent de sonner et ses muscles se détendirent de ses épaules jusqu'au bas de son corps. Il sentit un picotement lui tourner autour des couilles et lui remonter dans les fesses, un peu comme s'il allait jouir.

Putain de mère de Dieu, que c'était bon.

Il souffla lentement un nuage de fumée et rouvrit les yeux. Godwynn était toujours penché sur lui et le dévisageait. Disco lui tendit la pipe.

Godwynn prit une bouffée et toussa en rejetant la fumée.

« Réponds-moi, mon frère. Si c'est pas nous qui l'avons descendu, alors qui c'est ? »

Maintenant que les araignées s'étaient enfuies de sa peau et avaient regagné leurs abris, Disco était bien obligé d'admettre que Goddy n'avait pas tort.

« Et pourquoi qu'elle a rien dit, la blonde ? » demanda Goddy.

Il n'avait pas été bien difficile de soudoyer un flic de Bellwood pour savoir ce qui s'était passé de l'autre côté de la vitre sans tain.

Disco haussa les épaules.

« Parce qu'elle veut pas d'ennuis, voilà pourquoi, poursuivit Godwynn. Si elle nous avait identifiés, ça serait passé au tribunal, y aurait eu des questions et tout le bordel. Non, non. Trop risqué pour elle.

— À moins qu'elle nous ait pas reconnus », suggéra Disco en prenant une autre taffe.

Goddy rit.

« Mais t'es con ou quoi ? Moi, elle m'a peut-être pas reconnu. Mais toi ? Avec la gueule que t'as ? »

Disco se regarda dans la glace brisée. Goddy avait raison. Son visage était inoubliable. Pourquoi n'était-il pas né avec la gueule de tout le monde, pourquoi ne ressemblait-il pas à son père plutôt qu'à sa mère ? Quand on pensait où ça l'avait menée ! Il écarta les lèvres et vit sa bouche édentée. Un vrai paysan.

Mais beau comme un dieu.

Goddy s'était remis à arpenter la pièce.

« On devrait pouvoir tirer quelque chose de cette situation, mon frère.

— Ja ? Comme quoi ? demanda Disco, la pipe à la bouche.

— Réfléchis un peu, espèce d'abruti. Pense à la maison de la blonde. Y a du fric là-haut, mon pote. »

Disco n'aimait pas la tournure que ça prenait.

« Laisse tomber, Goddy. C'est trop dangereux.

— Moins dangereux que le con de ta mère. »

Disco vit sa mère sur le mur, elle les observait.

« Ah ! Dis pas des trucs pareils, mec.

— On monte tout de suite à c'te putain de villa de rêve sur la colline et on va dire à la blonde comment que ça va se passer. Tu m'entends ? »

Disco acquiesça, sans pouvoir quitter le visage de sa mère des yeux. Il entendit sa voix : « Tu vas tout droit en enfer, mon garçon. »

« Non, maman, j'y suis déjà. Je te jure. »

CHAPITRE 9

Roxy courait.

Elle piquait un sprint vers l'océan, son crucifix se balançant avec légèreté d'une clavicule à l'autre. Tandis qu'elle piétinait sur place près de Saunders Rock en attendant que passe un car de luxe – le guide articulait sans qu'elle l'entende, comme un poisson rouge derrière la bulle du pare-brise –, ses doigts cherchèrent la croix en argent. Le car continua sa route en grondant et laissant une traînée de diesel derrière lui. Roxy la dépassa et ses Reeboks touchèrent le front de mer de Sea Point, où une rangée d'appartements de grand standing se dressait face à l'Atlantique.

Roxy n'était pas catholique et qu'elle ait ressorti cette croix ternie par les années de placard et se la soit passée autour du cou dans l'espoir primitif qu'elle la protège en disait long sur son état mental. Elle craignait que ça ne suffise pas à contenir l'horrible merde dans laquelle elle s'était foutue en descendant Joe.

Mais bon, qu'est-ce qu'elle voulait? Un fétiche fait en os et organes humains séchés embrochés sur un bout de barbelé rouillé? Trouvable, elle en était sûre, quelque part dans le dédale infini de huttes qui couvrait les dunes comme une éruption de boutons à côté de l'autoroute de l'aéroport.

Elle avait beau se trouver au Cap, elle n'en était pas moins en Afrique.

Le crucifix lui avait été donné quand elle avait quatorze ans, par une voisine de Miami : Mama Esmeralda, une *marielita*[1] de Cuba qui lisait l'avenir dans les feuilles de thé et tirait le tarot. À l'époque où le beau-papa porno prenait des photos d'elle tous les jours, Mama avait prédit à Roxy que sa vie était sur le point de changer. Qu'elle quitterait la Floride et n'y reviendrait jamais.

Elle avait vu juste.

Des années plus tard à New York (Mama Esmeralda était morte depuis longtemps), alors que sa carrière de mannequin était en chute libre et que son compte en banque dégringolait à zéro, Roxy était allée voir une Haïtienne de Fordham Road qui pratiquait la santeria[2]. Toutes les nuits, selon ses instructions, elle avait gribouillé ses rêves sur une feuille de papier blanc, puis fait brûler une bougie jaune au-dessus pour observer les taches de cire sur son écriture en sirotant une vodka.

Est-ce que ça avait marché ? Elle avait demandé une vie loin des défilés de mode. Une vie sans soucis financiers. Elle était venue au Cap et avait rencontré Joe.

Prières exaucées.

Et voilà qu'elle se tournait à nouveau vers la superstition. Elle avait sacrément besoin d'aide.

Elle était en état de choc depuis qu'elle avait vu le type qui l'avait braquée. Impossible de se tromper. Il faisait partie du tapissage et avait l'aura des gens qui naissent beaux, à en croire qu'il attendait qu'une maquilleuse vienne lui retoucher son nez trop brillant.

Elle avait senti le regard du flic moche, celui qui était infesté de boutons, quand elle avait reconnu l'agresseur. Avait-elle laissé paraître une quelconque émotion ? Elle n'en savait rien. Elle avait évité M. Beau Gosse des yeux et s'était concentrée sur les autres.

1. Réfugiée de Cuba expédiée par Fidel Castro aux États-Unis avec tout un tas de repris de justice.
2. Religion des Caraïbes qui mêle le catholicisme et des croyances africaines.

Si celui qui avait tiré sur Joe faisait partie du tapissage, elle ne l'avait pas reconnu.

C'était au moins un point sur lequel elle n'avait pas besoin de mentir.

Elle avait étudié tous les types, en évitant soigneusement le beau mec, et avait fait non de la tête. Le flic en costume l'avait rejointe. En était-elle certaine ? Elle avait acquiescé. S'était excusée. Elle aurait aimé pouvoir aider plus.

Et elle était retournée à la voiture avec la femme flic, impatiente de s'échapper.

Elle se dit que les agresseurs profiteraient de leur bonne fortune pour se fondre dans la vaste étendue des Flats. Dans quelques jours, plus personne ne se souviendrait d'elle ni de Joe, leur histoire serait enterrée sous une pile de crimes plus récents, plus sanglants, plus sensationnels.

Mais la peur ne la quittait pas.

Elle allongea le pas, encouragée par Nirvana déversé par l'ipod rose accroché au Velcro autour de son biceps. La musique lui rappelait sa première année de mannequin en Europe, quand tout lui semblait possible dans un monde nouveau.

Elle suivit le front de mer, sur la digue en pierre où l'Atlantique se fracassait et vaporisait des embruns rafraîchissants dans la chaleur du soir. Les petites plages rocailleuses de Sea Point étaient dissimulées en contrebas, mais la puanteur des algues pourrissant au soleil empestait l'air. Elle évita d'autres joggeurs, les rollers, les employées de maison noires avec les enfants pâles dont elles s'occupaient, les clochards – tous les indésirables de la société échoués sur la côte qui affichait l'immobilier le plus cher d'Afrique.

Après être passée à toute vitesse devant le golf miniature, d'où elle aperçut le phare rayé de rouge et de blanc comme un pansement plein de sang, elle se sentit à bout de forces. Elle s'arrêta, le souffle court, posa les fesses sur le dossier d'un banc et de là, vit une salle de gym dans un grand immeuble. Un homme grassouillet apparaissait à travers la vitre, sa poitrine se soulevant et s'abaissant tandis qu'il avançait sur le tapis qui n'allait nulle part.

Il ressemblait à Joe.

Elle se redressa et traversa la rue pour gagner le café qui faisait face à l'océan et Robben Island à l'horizon. Elle prit une table avec un parasol, commanda une Evian et reprit peu à peu son souffle.

Son haut gris était noir de sueur entre ses seins et sa queue-de-cheval lui dégoulinait dans le dos. Elle était en bonne forme physique, mais là, la panique lui avait fait parcourir plus de six kilomètres à toute allure.

On la servit, elle but lentement son eau en sentant une brise la rafraîchir.

Quelqu'un avait laissé le *Cape Times* sur la table. Elle le feuilleta, heureuse de la distraction que lui fournissait un monde en proie à des problèmes plus importants que le sien. Jusqu'à ce qu'elle voie son image en page trois.

Elle avait l'habitude de se voir en photo, mais pas enveloppée dans une couverture de secours, le cadavre de son mari gisant à ses pieds dans une flaque de sang. Si elle avait été nue en talons aiguilles, ç'aurait pu passer pour un cliché d'Helmut Newton. Elle se souvint du type qui prenait des photos la veille. Elle l'avait pris pour un flic. Pas pour un paparazzo.

Elle fut sensible à l'ironie de la situation. Elle s'était écartée des appareils photo après y avoir consacré la moitié de sa vie, lasse du crépitement des flashs qui lui dérobaient son âme. Mais elle n'avait pas réussi à leur échapper.

Il y avait une légende sous la photo. Quelques lignes d'explication simples. Pas de scandale. Les faits. Un homme d'affaires du Cap tué lors d'un braquage de voiture. Le nom de Joe était publié. Pas le sien. Elle n'était qu'une belle frimousse.

Le sexe et la mort faisaient vendre les journaux.

La photo la troubla, comme si sa culpabilité s'affichait sur son visage et devenait visible, Dieu sait comment, aux yeux du monde entier. Elle savait que c'était idiot et irrationnel, mais elle la déchira tant elle voulait qu'elle disparaisse. Comme elle n'avait pas de poche dans son survêt, elle garda la coupure au creux de sa main.

Elle remarqua les sourires de deux hommes d'âge moyen, le teint mat, qui venaient de s'installer à la table voisine. Ils portaient des mocassins sans chaussettes et des chaînes en or pendaient dans les poils gris de leur torse. Détritus de l'Europe qui cherchaient un bon coup. Elle finit son verre, laissa de l'argent sur la table et repartit en sentant les yeux des hommes – comme des olives *kalamata* huileuses – collés à son cul.

Elle reprenait sa course pour rentrer chez elle, la photo froissée toujours dans le creux de sa main, lorsqu'elle sursauta en entendant un Klaxon déchaîné. Une Noire, aussi carrée qu'un arrière de foot américain sous ses couches de haillons, la fixait du regard, plantée au milieu de la route, elle ne se souciait pas de la circulation qui s'agglutinait autour de son caddie rouillé. Les parois en fer étaient couvertes de saloperies : miroirs brisés, plumes et os, une poupée rose sans tête.

Roxy entendit un cri derrière elle et se retourna. Ce n'était qu'un chauffeur de taxi qui appelait ses passagers par la vitre ouverte d'un minibus rouge complètement cabossé. Il partit vers Sea Point dans un bruit de ferraille, ne laissant que des gaz d'échappement et des notes de hip-hop dans l'air épais.

Quand Roxy se retourna, la femme était partie. Volatilisée. Roxy se dit qu'elle l'avait imaginée – c'était un tour que lui jouaient le manque de sommeil et la paranoïa – jusqu'à ce qu'elle la voie descendre la rampe qui menait à Three Anchor Bay en boitant.

Elle fut traversée d'une peur primitive. Elle était entourée de trop de trucs négatifs. M. Beau Gosse au tapissage. Sa photo dans le journal. Et maintenant cette femme qui la transperçait du regard, comme pour lui scanner le fond de l'âme.

« C'est des superstitions à la con, se raisonna-t-elle. Garde la tête sur les épaules, nom de Dieu ! »

Il n'empêche. Elle sentit les doigts de sa main gauche se tendre vers le crucifix. Sa main droite était serrée en un poing. Quand elle l'ouvrit, elle s'aperçut que l'encre du journal avait déteint sur sa peau. Elle roula le journal en boule et le lança dans une poubelle.

Elle rentra chez elle.

Il était temps d'arrêter de courir.

CHAPITRE 10

Disco conduisait. Goddy était à la place du mort, une main sur le Colt, l'autre sur la poignée de portière, il attendait le bon moment pour bondir sur la blonde. Elle courait devant eux dans Victoria Road avec sa queue-de-cheval qui rebondissait et son cul serré qui dansait un slow sous le Lycra noir.

« Va pas trop vite. »

La chaleur et la tension faisaient transpirer Goddy. Il puait l'oignon et la pisse de chat.

« Si je ralentis encore, je m'arrête, bordel. »

Disco n'aimait pas conduire ; la Toyota volée chauffait et comme il restait en première, elle avançait par petits bonds et l'embrayage patinait. Les voitures klaxonnaient pour protester contre leur allure de tortue qui ralentissait la circulation. La blonde courait d'un pas léger et facile. Comme si elle pouvait tenir des heures. Disco ne pouvait s'en empêcher : il se voyait sans cesse chevaucher son corps ferme.

Ils avaient piqué la Toyota une heure plus tôt du côté de Goodwood et étaient montés dans la maison sur la colline, là où ils avaient piraté la Mercedes. Goddy avait aligné des arguments peu convaincants et Disco, comme toujours, s'était laissé convaincre et dominer avec la passivité d'une paille dans le courant.

Ils s'étaient garés en face de chez elle. Et ils avaient attendu.

« Pourquoi on reste ici comme des cons ? » avait demandé Disco.

Comme Goddy ne lui répondait pas, il avait écrasé un autre comprimé de Mandrax dans le goulot brisé qui lui servait de pipe. Des images de Piper s'infiltraient dans sa conscience et ses tatouages le démangeaient et le brûlaient comme quand on les lui avait labourés dans la peau. Il n'y avait qu'une façon de supporter la peur : se défoncer la gueule avec un cocktail de meth et de Mandrax.

Goddy l'avait aperçue, la blonde, elle marchait à l'étage de la villa, il l'avait montrée d'un doigt crasseux.

« La voilà, cette salope. On va attendre qu'elle sorte. Faut qu'on la chope loin d'ici pour qu'elle puisse pas activer l'alarme.

— Et si elle sort pas ?

— Ferme ta gueule et attends. »

Disco avait allumé sa pipe, tiré une grosse bouffée, retenu sa respiration comme s'il s'agissait d'une compétition olympique, puis recraché un nuage de fumée. Il avait offert la pipe à Goddy qui l'avait refusée en hochant la tête, ses yeux porcins collés au portail en bois. Qui s'était enfin ouvert en coulissant et avait révélé la blonde en débardeur collant et en pantalon qui lui moulait le cul et la raie.

« Suis cette salope », avait-il lancé.

Disco ne se l'était pas fait dire deux fois.

Ils l'avaient suivie sur le front de mer, suant dans la Toyota pendant qu'elle buvait un pot, attendant le moment opportun. Ils étaient maintenant juste derrière elle et prêts à bondir. Le concert de klaxons devenant assourdissant, Disco sortit son bras tatoué par la vitre et fit signe aux voitures de les doubler. Un Blanc au visage écarlate déboîta brusquement dans son 4 × 4 et faillit rentrer droit dans un camion.

Disco, que la pipe avait décontracté, ne put s'empêcher de ricaner.

« Elle tourne, connard ! » cria Goddy en lui tapant l'épaule du canon de son Colt.

Disco réussit de justesse à braquer et à suivre la blonde dans une impasse qui s'arrêtait aux marches d'un raccourci la menant au niveau supérieur de la rue, puis chez elle.

« Accélère ! »

Disco obéit, la Toyota dépassa Roxy, arriva aux marches avant elle et Goddy descendit de voiture avant son arrêt complet. Il braqua le Colt sur le visage de la blonde, l'agrippa par la queue-de-cheval et la tira vers la voiture. Disco se pencha et ouvrit la portière à temps pour que Goddy la jette à l'intérieur, par terre, puis ce dernier la suivit, le revolver sorti.

« Si tu bouges, je te descends, connasse. »

Goddy avait un genou sur sa poitrine et elle aurait presque pu sucer le Colt.

Disco enclencha la marche arrière, recula brusquement, trouva la première et repartit à toute allure d'où ils venaient. Il entendit la respiration saccadée de la femme. Et sentit son parfum, un doux parfum fleuri mêlé à sa sueur de fille. Puis une odeur amère et forte.

Celle de la peur.

CHAPITRE 11

Billy Afrika était de retour à Protea Street, les ombres de cette fin de journée écrasant la petite maison de Barbara Adams. Elle en sortit et verrouilla la porte de sécurité derrière elle. Billy lui ouvrit la portière de la Hyundai et elle s'assit à côté de lui. Referma la portière. La verrouilla.

Et lui raconta l'histoire de Manson et de ses menaces. Elle parlait vite, ses doigts s'acharnant sur une petite déchirure de sa robe. Elle jetait des coups d'œil inquiets dans la rue et sur sa maison. Elle regardait tout sauf Billy.

« Il ne plaisante pas. Il va la violer, dit-elle d'une voix serrée, comme si on l'étranglait.

— Ça ne se passera pas comme ça, dit Billy d'un ton qui se voulait persuasif. »

Elle évita encore son regard.

« La semaine dernière, ils ont attrapé une fille de Marigold Street. Douze ans, qu'elle avait. Sa maman l'avait envoyée acheter du pain et ils l'ont eue sur le chemin du retour, dans le parc. C'était l'après-midi, il faisait même pas nuit. Ils l'ont violée à six. Les voisins savaient très bien ce qui se passait, ils ont fermé la porte et monté le volume de leur télé. »

Billy remarqua un mouvement et aperçut Jodie à la porte, elle les observait à travers les barreaux de la grille de sécurité. Barbara la vit aussi. Jodie fit demi-tour et disparut dans la maison.

Barbara regarda enfin Billy.

« Je ne veux pas que ça arrive à mon enfant.

— Ça n'arrivera pas, Barbara.

— Il faut que je donne de l'argent à Manson. Tu comprends?

— Je comprends. Je m'en occupe. C'est lui qui a touché tout ce que je déposais? »

Elle acquiesça.

« Jusqu'au dernier sou.

— Pourquoi tu m'en as pas parlé, Barbara? Qu'est-ce qui se passait?

— T'en parler? Comment? Je savais même pas où tu étais. Tu as disparu du jour au lendemain. Puis les versements sont apparus sur mon compte tous les mois.

— Je suis désolé. Je croyais t'aider.

— Ça ressemblait plus à une malédiction, dit-elle en hochant la tête. »

Il avait du mal à trouver ses mots.

« Je vais garder Jodie quelques jours à la maison, elle n'ira pas à l'école. Mais je peux pas l'enfermer indéfiniment.

— Je sais. On me doit du fric. Je vais régler tout ça.

— Je n'ai plus que toi, Billy, dit-elle comme si elle était maudite.

— Il arrivera rien à Jodie. Je te le promets. »

Barbara était sur le point de répondre. Puis elle changea d'avis. Elle sortit de la voiture, traversa le trottoir où son mari était mort. Déverrouilla le portail et hésita en regardant Billy. Puis elle ferma le portail à clé et tira la porte.

Deux ans plus tôt, pile à cet endroit, Billy Afrika s'était penché sur le corps éventré de Clyde Adams et avait fait une autre promesse. Il avait juré qu'il s'occuperait de la famille de son ami. Il avait rendu son insigne de policier et s'était engagé comme mercenaire, personne ne prononçant le mot, naturellement. Mieux valait être un « contractuel spécialisé dans la protection rapprochée ».

L'entreprise de Joe Palmer, la Strategic Solutions, fournissait des gardes du corps et du personnel de sécurité dans les points chauds du monde entier. L'Irak absorbait la majeure partie de ces hommes qui se chargeaient souvent des tâches que les forces de la coalition ne pouvaient pas se permettre de mener ouvertement. Dans le cadre d'un accord négocié par la SS, Billy et plusieurs de ses collègues sud-africains avaient donc travaillé pour une société américaine à Bagdad.

Il voulait quitter Le Cap. S'éloigner le plus possible de l'imposante montagne de la Table, de la mer et de l'étendue venteuse des Flats. Être loin de Piper incarcéré à Pollsmoor et des tourbillons de poussière qui dansaient sur la tombe toute fraîche de Clyde Adams.

Il se fichait du lieu de son affectation, du moment qu'il était payé en dollars. Et les envoyait à la veuve et aux enfants de Clyde. Mais il n'avait réussi qu'à les rendre vulnérables aux vautours : ses cargaisons d'argent avaient fait une proie de la famille Adams.

Quel connard il avait été !

Il démarra, conscient du poids du Glock dans sa ceinture. Il dut résister à la tentation de se rendre chez Manson.

Il aurait pu braver directement le gangster, l'affronter en duel de western dans une rue poussiéreuse de White City. Avec un peu de chance, il serait parvenu à le tuer. Il risquait aussi d'y laisser sa vie. Et même… l'élimination de Manson ne résoudrait rien. Un autre sale type tatoué, clone d'une vidéo de MTV, tortillerait sa gueule de maquereau en haut de la chaîne alimentaire.

Et la famille de Clyde n'en serait que plus vulnérable.

Billy devait absolument évacuer Barbara et ses enfants de Paradise Park, les éloigner des gangs. Les installer dans un paisible petit village de pêcheurs le long de la côte, où ils pourraient repartir de zéro. Ce qui coûterait de l'argent.

Il prit Main Road en direction de la ville. Le Cap se donnait encore en spectacle, le soleil couchant badigeonnant de rose pâle la montagne de la Table à l'arrière-plan.

Il sortit son portable et appela son contact chez les flics en priant le ciel de ne pas tomber encore sur un message. Le type répondit.

« Tu m'as trouvé l'adresse de Joe Palmer?

— Ja, répondit le flic en riant. Il réside à la morgue de Salt River.

— Qu'est-ce tu racontes, bordel? »

Il sentit ses mains se crisper sur le volant.

Le flic lui parla du braquage de voiture qui s'était terminé en meurtre. Et lui dit où il pouvait trouver la veuve de Joe Palmer. Sur les hauteurs de Bantry Bay, où le soleil se couchait derrière Lion's Head en projetant des rayons aussi dorés que la Lumière sainte elle-même.

Étendue sur le dos, piégée entre les sièges avant et arrière, Roxy était écrasée par l'affreux qui lui enfonçait le canon de l'arme dans la bouche. Il puait. Une goutte de sueur dégoulina de son front et tomba sur la joue de la femme, où elle coula comme une larme.

Coincée comme elle l'était, elle n'arrivait pas à voir le conducteur, mais elle l'avait aperçu quand l'autre l'avait attrapée et tirée dans la voiture. Le beau gosse du tapissage. Ce qui voulait dire que la sale gueule de troll était celui qui avait tiré sur Joe.

Et le troll parlait.

« File-moi les clés. »

Il parlait trop vite pour qu'elle le comprenne, on aurait dit les aboiements d'un chien enragé. Comme elle ne réagissait pas, il lui vrilla le canon dans la bouche et elle sentit le goût du sang.

« Donne-moi tes putains de clés, je te dis. »

Elle le comprit cette fois-ci et détacha le trousseau de la cordelette autour de son cou. Il s'en empara et les brandit. Un bras tatoué passa par-dessus le siège et le conducteur les prit. Une télécommande accrochée au trousseau pouvait déclencher l'alarme dans un rayon de près de un kilomètre de la maison. L'idée de l'activer n'était même pas venue à l'esprit de Roxy.

Elle ne savait pas du tout où ils allaient. Peut-être aux Cape Flats, le vaste ghetto qu'elle avait survolé et dont elle connaissait les statistiques criminelles par le biais de la télé. Elle ne voyait que le bleu du ciel qui s'assombrissait. Elle entendait la circulation autour d'eux : le sifflement des freins hydrauliques d'un camion, les coups de Klaxon incessants d'un taxibus – le hurlement du contrôleur : « Caaaaaape Teeeeuuun » – et le gémissement lointain d'une sirène qui volait au secours de quelqu'un d'autre.

Ils s'engagèrent dans une rue plus calme et pendant une minute, elle n'entendit plus que le souffle rauque de l'homme au-dessus d'elle et les efforts du moteur pour grimper une côte. En apercevant Lion's Head par la vitre arrière, elle comprit qu'ils la ramenaient chez elle.

La voiture ralentit et le trapu lui parla de nouveau.

« Faut appuyer sur quelle couleur pour ouvrir le portail ? »

Le canon du Colt lui sortit tout mouillé de la bouche.

« Vert. C'est le bouton vert. »

Il braqua l'arme sur son front, en poussant assez pour marquer la peau.

« Si c'est l'alarme, je te descends. »

Il regarda par la vitre, son corps tendu sur celui de la fille. Sa puanteur la suffoquait presque. Elle entendit le cliquetis des roulettes tandis que le portail coulissait et l'homme se détendit. La voiture entra et s'arrêta dans un grincement de freins.

M. Beau Gosse ouvrit la portière arrière et le troll sortit à reculons. L'arme restait braquée sur elle. Le tee-shirt du type lui collait à la panse. Elle lut les mots « Maître nageur » dessinés sur sa poitrine flasque. Elle se redressa, glissa de la voiture et posa le pied dans un de ces superbes soirs d'été dont Le Cap a le secret. Le bel homme la reluquait, ses yeux parcouraient son corps comme des mains empressées.

Le petit l'attrapa par la queue-de-cheval et tira dessus pour la ramener à son niveau. Il lui colla le Colt sur la nuque.

« Y a quelqu'un dans la maison ?

— Non.

— L'alarme est activée ?

— Oui.

« — Bien. Tu ouvres la porte et tu fais le code. À la première connerie, t'es morte, c'est compris ?

— Oui. C'est compris. »

Il lui lâcha les cheveux et la poussa vers l'entrée. L'autre type lui tendit les clés et la regarda ouvrir la porte, les mains tremblantes. L'alarme fit un bruit d'avertissement. Elle avait trente secondes pour composer le code dans le boîtier près de la porte avant qu'elle se déclenche.

Elle fit les cinq chiffres. Les bips continuèrent. Le troll s'approcha d'elle. Elle les refit. Sans se tromper, cette fois-ci, les bips cessèrent.

M. Beau Gosse examina les lieux.

« C'est pas mal, chez toi », dit-il comme s'il était invité.

Le petit ne la lâchait pas.

« Où est ta chambre ? »

Roxy lui montra l'étage. Il la poussa, elle les précéda jusqu'à sa chambre à coucher en passant devant la chambre rose.

« T'as une fille ? » demanda le troll.

Elle crut d'abord qu'il lui demandait si elle avait une enfant. Puis elle se rendit compte qu'il parlait d'une domestique. Elle fit non de la tête.

« Elle est en vacances.

— Ça se voit », dit le beau gosse en riant.

La chambre était en désordre, le lit défait, des habits éparpillés un peu partout. Elle n'avait jamais été une fée du logis.

Le petit prit un collant sur le dossier d'une chaise et le lança à son copain.

« Attache-lui les pieds et les mains.

— Faut que je fasse pipi, dit-elle.

— Pisse dans ton froc.

— S'il vous plaît. Laissez-moi aller aux toilettes. »

Beau Gosse lui sourit en s'approchant d'elle, le collant à la main.

« Laisse-la pisser, mec. Je la surveille. »

Son sourire avait quelque chose de dégueulasse.

« Je l'accompagne, trancha le petit. Commence à fouiller les placards. »

Il la poussa dans la salle de bains attenante. Et resta à la porte sans la quitter des yeux. Roxy savait qu'il ne partirait pas. Elle s'assit sur le siège et baissa son pantalon en Lycra. En essayant de ne rien montrer. Il l'observait sans grand intérêt.

« Magne-toi le cul. »

Elle crut d'abord qu'elle ne parviendrait pas à uriner tant qu'il la regarderait, mais elle finit par se lâcher. Soulagée, elle s'essuya, ils ressortirent.

Le bel homme avait vidé les tiroirs de la coiffeuse et trouvé ses bijoux : bagues, bracelets, boucles d'oreilles. Le butin de ses cinq années de mariage avec Joe Palmer.

« C'est des vrais ? » demanda-t-il, les doigts plongés dans du Cartier, du Van Cleef et du Arpels.

— Oui. »

Elle le regarda s'en remplir les poches.

Le troll la poussa sur la moquette.

« Attache-la. Dépêche-toi ! »

M. Beau Gosse s'acquitta de sa mission avec plaisir, eut les mains baladeuses en lui attachant les poignets dans le dos et les chevilles.

Sale gueule s'assit sur le lit. Il la dévisagea, puis il sourit en dévoilant des dents noires et irrégulières.

« On sait ce que t'as fait. »

Elle le regarda, puis elle fit non de la tête.

« T'as tué ton con de mari et t'as dit aux flics que c'était nous. »

Elle soutint son regard.

« Qu'est-ce que vous voulez ?

— On veut... des "compensations", disons », répondit-il en haussant les épaules.

Le mot lui plaisant assez, il le répéta.

« Des "compensations". »

Puis il éclata de rire. Beau Gosse l'imita.

Le troll se leva.

« Surveille-la. Je vais faire le tour de la maison. »

Dès qu'ils furent seuls, M. Beau Gosse revint vers elle, lui prit le menton dans sa main tatouée et la força à le regarder dans les yeux. Il avait un visage terrifiant. Tous les ingrédients de la beauté y figuraient : des yeux en amande, un nez finement dessiné, des lèvres charnues et des pommettes hautes. Ses cheveux légèrement ondulés lui tombaient sur le front. Mais c'était aussi un visage dépourvu d'humanité. Les yeux étaient vides et voilés. Un visage d'ange déchu. Elle sentit la drogue sur sa peau.

Il lui sourit. Sourire parfait gâché par une dent manquante. Il s'accroupit à côté d'elle et caressa du doigt la peau nue de son bras. Son fin duvet blond se hérissa de dégoût et de peur tandis qu'il lui glissait la main sur l'épaule et suivait la ligne de ses seins à travers le linge humide. Elle sentit son haleine putride.

Sa main descendit, lui caressa l'intérieur de la cuisse pendant qu'il souriait. Séducteur. Il croyait l'attirer. Il se pencha en avant pour qu'elle puisse le sentir bander contre son genou.

« On pourrait faire de beaux bébés, tous les deux. »

Elle se dégagea en se tortillant, essaya de lui donner un coup de ses pieds liés et ne parvint qu'à se renverser sur le côté. Le visage contre la moquette, elle vit le petit revenir.

« Laisse-la tranquille. T'auras tout le temps pour ça. »

Il s'approcha d'elle, lui attrapa le bras et la remit debout. Lui tapota le menton avec le canon du Colt.

« Où est le coffre-fort ?

— Il n'y a pas de coffre, répondit-elle en hochant la tête. »

C'était la vérité. S'il y en avait eu un, elle se serait déjà chargée de le vider.

« J'ai dit : où est ce putain de coffre ? »

Le canon de l'arme sur sa joue.

Elle hocha encore la tête.

Il la prit par les cheveux et la força en avant jusqu'à ce qu'elle soit à genoux, le menton pas loin de la moquette. Il lui poussa le Colt sur la nuque.

« Si tu me le dis pas, je tire.

— Il n'y a pas de coffre. »

Roxy l'entendit armer le flingue. Elle fixa la moquette des yeux en se demandant si cette petite pile de nœuds de laine serait la dernière chose qu'elle verrait. Lorsqu'elle ferma les yeux, elle sut que non. Parce qu'elle vit Joe, son visage se tordant sous l'impact de la balle. Elle n'avait pas d'opinion arrêtée sur ce qui se passait après la mort, mais se dit que Joe en faisait partie. Qu'il l'attendait.

Qu'elle n'était qu'à une pression de détente de lui.

Puis le canon s'écarta d'elle. Elle s'aperçut qu'elle retenait son souffle et expira. Elle relâcha la tension dans les muscles de son cou. Le troll lui glissa une chaussure sous le menton, une Adidas éculée qui puait la sueur et la mycose du pied. Il la poussa jusqu'à ce qu'elle se retrouve sur le dos, les yeux sur lui. Il braqua l'arme sur elle, la tint sans trembler pour une éternité, puis baissa le bras.

« Bon, je vais t'expliquer comment on va faire. Tu vas trouver cent mille rands. En liquide. Pour demain. Tu m'entends ? (Elle acquiesça, pour jouer le jeu.) Tu vas nous donner ton numéro de portable et on t'appellera pour te dire où déposer le fric. D'accord ? (Elle acquiesça une nouvelle fois.) Et t'iras pas chez les flics, parce que tu risquerais de te retrouver le cul en taule. Pour longtemps. Je vais te dire un truc, Miss America : les salopes de prison aimeraient bien s'amuser avec toi. Tu vois ce que je veux dire ?

— Je vois. Je le ferai.

— Si tu le fais pas, on revient te descendre. Mais d'abord, je laisserais mon copain passer un bon moment avec toi. Tu me suis ? »

Elle acquiesça, consciente du regard dépravé du bel homme, le souvenir de ses mains sur elle encore frais.

« Bon, en attendant on va prélever un acompte. J'espère que ça te dérange pas », dit-il en riant.

Elle les regarda piller la chambre. Ses bijoux. L'appareil photo de Joe. Des jeans de marque. Sans doute pour les métisses des Flats. Puis elle les entendit s'activer dans le reste de la maison. Elle ne supportait pas l'idée de leurs mains sales dans la chambre rose. Elle perdit la notion du temps, mais chaque seconde était une seconde de vie supplémentaire. Elle s'estimait heureuse que sa cervelle ne fasse pas partie du motif de la moquette.

M. Beau Gosse revint, l'ordinateur portable de Joe en bandoulière et un lecteur de DVD sous le bras.

« On se revoit demain, d'accord ?

— Oui.

— Reste belle, tu m'entends ? lui lança-t-il avec un clin d'œil avant de s'en aller. »

Le moche revint et se campa à côté d'elle, l'arme à la main. Elle leva les yeux à temps pour le voir changer de position, lever le bras et abattre la crosse du Colt sur elle. Le coup l'atteignit au-dessus de l'oreille droite, elle se roula en boule, le sang gicla sur la moquette.

Étourdie, elle gisait, en sang.

Elle entendit des portes claquer et la voiture s'éloigner.

Tandis que le long crépuscule du Cap revêtait peu à peu le ciel de velours, Billy Afrika se gara en face de la maison accrochée comme une chiure d'oiseau à la colline de Bantry Bay. Il remarqua la hauteur des murs, la clôture électrique et le portail en bois ouvert sur une allée en brique. L'essentiel de la bâtisse se trouvait en contrebas de la falaise, mais il avait pu jeter un coup d'œil à la maison en suivant la route qui montait le long de la côte, là-bas, tout en bas.

Joe Palmer avait bien réussi avec son commerce de sang.

Le contact de Billy chez les flics de Bellwood South lui avait donné plus que cette adresse. Il lui avait aussi dit que la veuve, Roxanne Palmer, avait été convoquée dans la matinée pour un tapissage. Ernie Maggott avait ramené deux voyous de White

City : l'un du gang des 26 et un junkie. La femme ne les avait pas reconnus et les hommes avaient été relâchés.

La veuve éplorée se trouvait donc sans doute chez elle en ce moment.

Billy Afrika avait entendu parler de la femme trophée de Joe Palmer. Le mannequin américain. Mais il ne l'avait jamais rencontrée. L'heure était venue de changer ça.

Il n'y avait aucun signe de vie dans la maison et aucune lumière n'essayait de chasser la nuit qui envahissait la colline. Mais le portail était ouvert. Billy gara sa voiture et traversa la route. Près du portail coulissant, il entendit le ronronnement et le cliquetis de son mécanisme qui essayait de se fermer ; les deux portes se rapprochaient et reculaient dans un petit pas de danse nerveux.

Il gagna la porte d'entrée et frappa. Et frappa encore. Tendit la main et essaya d'ouvrir la porte. Avec succès. Il entra. Il avait été flic assez longtemps pour reconnaître les signes d'un cambriolage. Dans la lumière faiblissante, il distingua un mélange de câbles à l'emplacement de la télé et la chaîne hi-fi. Des étagères vides. Des livres, des CD et des DVD étaient éparpillés par terre.

Il avait le Glock à la main.

« Madame Palmer ? »

Pas de réponse. Il vérifia le rez-de-chaussée, puis il suivit le canon de son Glock dans l'escalier. Quelques portes fermées. Une ouverte au fond du couloir. Il marqua une pause dans l'encadrement de la porte, vit la chaise renversée, les placards ouverts et les tiroirs tirés et jetés par terre. Il vit une blonde étendue à côté du lit, les mains et les jambes liées dans le dos. Il y avait du sang dans ses cheveux et sur la moquette près de sa tête.

Elle avait les yeux clos et ne bougeait pas.

Il faillit tourner les talons et se barrer à toute vitesse. Il s'arrêta.

S'accroupit et s'apprêtait à vérifier son pouls quand elle battit des paupières et ouvrit les yeux.

CHAPITRE 12

Un homme armé se penchait sur elle.

Encore un métis, encore un flingue.

« Si vous êtes venu me dépouiller, vous arrivez trop tard ! »

Sa tentative de bravade était minée par le tremblement de sa voix.

Billy fit disparaître l'arme dans la ceinture de son jean.

« Pas d'affolement. Je travaillais pour votre mari. »

L'accent local, mais atténué. Et il avait un débit raisonnable, contrairement à tous ces gens qui s'exprimaient comme des marteaux-piqueurs sous amphés.

Il lui libéra les poignets et les chevilles.

« Ça va ?

— Super, grande forme ! »

Elle se leva, se sentit mal et s'assit sur le lit. Le métis tendit le bras et alluma la lampe de chevet. Elle vit qu'il avait des yeux d'un vert émeraude pâle. De beaux yeux.

« Vous voulez que j'appelle une ambulance ?

— Non. »

Elle regardait les yeux verts, mais elle n'y vit que les ambulanciers autour du corps de Joe, leurs visages figés dans une expression de sympathie professionnelle, le latex claquant tandis qu'ils ôtaient leurs gants couverts de sang.

Elle essaya quelque chose qui ressemblait à un sourire.

« Vous voulez bien m'attendre en bas pendant que je fais un brin de toilette ?

— Bien sûr. »

Il lui jeta un dernier regard avant de se tourner vers la porte. Il était mince, vêtu d'un Levi's, d'une chemise de sport en coton et chaussé de Havaianas. Il avait une allure de boxeur, assez bon pour ne pas s'être fait réaligner le portrait. Comme un jeune Sugar Ray Leonard.

Billy regardait la lune se lever sur l'océan derrière le mur de verre. Une vedette fonçait sur les vagues dans le lointain ; il pouvait presque entendre son impact sur l'eau.

La veuve, la blonde américaine, se nettoyait à l'étage.

Il se foutait royalement d'elle et de ses ennuis. Il avait assez des siens. Mais elle représentait une solution potentielle à son problème d'argent. Il fallait donc qu'il gère la situation présente, même s'il aurait préféré partir, s'éloigner d'ici et tout oublier de son existence.

Il se retourna. Elle descendait l'escalier ; elle avait gardé son pantalon en Lycra, mais enfilé un tee-shirt propre. Elle était grande et mince sans être squelettique, athlétique dans sa tenue de gym moulante.

Pieds nus. Une de ces femmes qui peuvent porter un sac mortuaire comme de la haute couture.

« Ça va mieux ? »

Elle acquiesça.

« J'ai juste un peu mal à la tête. »

L'accent américain.

« Vous devriez voir un médecin.

— Non, ça ira. Honnêtement. »

Elle s'assit sur le canapé en repliant les jambes sous elle.

« Vous ne m'avez pas dit comment vous vous appelez. »

Elle le regardait avec ses yeux bleus. Les restes de sang séché dans ses cheveux blonds lui faisaient des reflets roux au-dessus de l'oreille gauche.

« Billy Afrika.

— Monsieur Afrika… (Elle s'interrompit et rit en se couvrant la bouche.) Excusez-moi.

— Qu'est-ce que c'est ?

— Rien. J'ai l'impression d'annoncer le gagnant d'un concours de muscu, c'est tout. (Elle lui adressa un sourire conçu pour faire fondre un cœur d'homme. Il le laissa complètement froid.) Veuillez m'excuser, je dois avoir le vertige. Et je me sens un peu stressée.

— C'est naturel. Appelez-moi Billy.

— Et moi Roxy. Que faites-vous ici, Billy ? (Elle leva une main aux longs doigts élégants. Il remarqua qu'elle ne portait pas d'alliance.) Non, attendez. Laissez-moi deviner. Joe vous devait de l'argent. (Il acquiesça.) Vous savez, vous n'êtes pas le seul. Le téléphone n'a pas arrêté de sonner aujourd'hui. Des gens qui font semblant de compatir, mais me posent des questions polies pour savoir qui gère ses dettes. Je dois vous prévenir que je ne connais rien aux affaires de Joe. »

Il haussa les épaules.

« Qu'est-ce qui s'est passé, ici ?

— Je suis allée courir. Deux types m'ont enlevée, jetée dans une voiture sous la menace d'une arme et ramenée ici. Ligotée. Puis ils se sont servis.

— Ils savaient où vous habitiez ?

— Non, c'est moi qui leur ai dit. (Elle afficha un nouveau sourire ravageur.) J'avais un flingue dans la bouche. Ça m'a délié la langue.

— Ces types étaient de la même couleur que moi ? »

Elle hésita avant de répondre.

« Un oui, l'autre était beaucoup plus foncé. Pourquoi ?

— J'essaie seulement de me représenter la scène. Vous avez remarqué quelque chose de particulier ?

— En dehors du fait qu'ils me braquaient une arme sur la tempe, qu'ils m'ont ligotée et cambriolée ? »

Elle avait tourné sa question en dérision.

Il y avait quelque chose de louche. Billy avait assez d'expérience des traumatismes pour savoir que tout le monde réagit différemment. Des gros durs peuvent se mettre à chialer et à trembler tandis que des femmes fragiles restent stoïques. L'attitude de Roxy Palmer n'était peut-être qu'un mécanisme de défense. Il n'empêche… elle aurait dû réclamer la police à grands cris plutôt que de balancer des vannes.

« C'est dur. Surtout après ce qui s'est passé hier soir.

— Ouais, votre ville est vraiment super, Billy. »

Elle lui souriait comme une prostituée.

Il la cloua d'un regard qui lui ôta l'envie de sourire.

« On devrait avertir les flics.

— J'aimerais mieux pas. Vous comprendrez que j'ai une confiance limitée dans les forces de l'ordre sud-africaines. »

Comme si on pouvait dire le contraire ! Mais quelque chose flottait et planait dans l'air. Quelque chose qui lui échappait.

« Ces deux types, ont-ils menacé de revenir ?

— Non, dit-elle en hochant la tête.

— Ou essayé de vous faire peur ? De vous empêcher d'appeler les flics ? »

Elle continuait à faire non de la tête, mais ses yeux s'embuèrent.

« Vous avez assisté à un tapissage cet après-midi, n'est-ce pas ? »

Elle eut l'air surpris.

« Comment le savez-vous ?

— Je suis un ancien flic. J'ai encore mes entrées.

— Oui. Je suis allée dans un coin qui s'appelle Bellwood South.

— Mais vous n'avez pas reconnu les hommes ?

— Non. J'en avais vu aucun avant. »

Il fut sûr qu'elle mentait. Quelque chose bougea dans sa tête, très peu, mais certains trucs se mirent en place. Pas tout. Assez quand même pour qu'il sache ce qu'il allait faire.

Elle posa ses yeux bleus sur lui.

« Qu'est-ce que vous faisiez pour Joe ?

— Contractuel de sécurité. En Irak. J'ai pas reçu de salaire depuis deux mois.

— Je suis navrée. Peut-être qu'après les obsèques, quand j'aurai eu le temps de consulter les avocats... »

« Ben voyons, pensa-t-il. Tu vas consulter tes avocats et ils vont te farcir la tête de tous les moyens d'éviter de payer les dettes de Joe. Hors de question. »

Il se leva.

« Je reprendrai contact. »

Elle déplia ses jambes interminables et se leva, comme si elle avait répété ce mouvement plus d'une fois avant. C'était sans doute le cas. Pieds nus, elle était presque aussi grande que lui.

« Merci. De m'avoir sauvée.

— Oh, je ne vous ai pas sauvée, madame Palmer. Je vous ai seulement détachée. »

Il se dirigea vers la porte.

Elle l'accompagna. Il sentit qu'elle continuait à le regarder marcher jusqu'à sa Hyundai.

Il se retourna et vit qu'elle activait le portail. Les battants refusaient de bouger, ils bourdonnaient et ronflaient comme des insectes piégés dans une bouteille. Elle appuya à nouveau sur le bouton. Cette fois-ci le portail s'ébranla et se ferma bruyamment, l'isolant du reste du monde.

CHAPITRE 13

Allongé sur son lit de la prison de Pollsmoor, Piper essayait de trouver l'oubli dans un mélange d'herbe et de Mandrax. Penché sur lui, un jeune soldat 28 lui taillait une nouvelle larme sur le visage avec une aiguille et du cirage noir.

La dix-neuvième larme. En l'honneur de Pig. De Pig mort.

Le soldat leva l'aiguille et nettoya le sang avec un morceau de papier journal. Piper prit une autre bouffée de la pipe blanche, le goulot rougissant dans sa main. Il retint la fumée dans ses poumons, puis la laissa tourbillonner par le nez et la bouche, en attendant l'engourdissement et le soulagement, en attendant que la douleur quitte son cœur sur le nuage de fumée.

En vain.

La nouvelle de la remise en liberté de Disco lui était arrivée avec le chariot du dîner. Les poursuites avaient été abandonnées. L'exaltation qu'il avait ressentie ces dernières vingt-quatre heures s'écoulait de son corps comme de la vieille pisse dans un urinoir plein.

Le braillement du générique d'*Amour, gloire et beauté* interrompit la rêverie que la pipe blanche lui procurait. Les assassins et les violeurs s'agglutinant autour de la télé, le ton monta et les opinions s'opposèrent violemment sur ce que la famille Forrester allait retirer de cet épisode. C'était le feuilleton préféré de Disco. Ils l'avaient regardé, allongés ensemble chaque soir dans son lit, Disco lui donnant à manger ou lui coupant les ongles.

La musique familière lui était insupportable.

Il était bien trop à vif.

Il posa la pipe et tendit le bras vers le lourd cadenas qui pendait de sa malle en fer. D'un seul geste, il s'assit et lança le cadenas sur l'écran.

Le tube cathodique défoncé grésilla et étincela. Silence.

Les hommes se tournèrent et le dévisagèrent, mais aucun d'entre eux n'osa le défier.

Piper remit de l'herbe et un autre comprimé blanc dans sa pipe, la bourra et l'alluma. Il tira dessus pendant que le jeune se remettait à travailler sur le tatouage.

La larme terminée, il s'allongea et fuma pipe sur pipe, sans avoir conscience des ronflements et des gémissements, de la puanteur des corps sales et des bruits d'hommes baisant comme des chiens.

Mais la drogue ne lui procurait aucun répit.

Elle lui ramenait des images du corps de Disco. Sa bouche. Ses yeux. Il revit ses mains sur le garçon qu'il était en train de marquer. Il y avait eu le moment de la reddition alors qu'allongé sur lui en face à face il le possédait.

Il ne savait pas pourquoi il aimait ce garçon. Il ne comprenait pas comment cette émotion avait pu germer dans le terreau stérile de son cœur noir. Mais il savait qu'elle y était parvenue, et que ça l'avait changé.

Il ne pensait qu'à lui. Seul là-bas dehors.

Piper était un homme des Quatre Coins. Pollsmoor était son univers. Le monde extérieur lui était étranger et terrifiant.

Il avait d'abord était emprisonné dans l'Afrique du Sud de l'apartheid. À une époque où l'homme blanc réduisait le métis à rien. À moins que de la merde. La ségrégation touchait le système carcéral, comme tout le reste. Mais Piper avait vite compris qu'en prison, on pouvait être roi et régner sur d'autres métis plus faibles en intégrant le système des gangs. Rien de plus facile pour un homme né dans la brutalité.

La première fois qu'il allait être remis en liberté conditionnelle, il avait tué un autre prisonnier dans la cour, sous les yeux des gardiens. On lui avait ajouté des années de détention. Mais les vies métisses comptaient peu et quelques années plus tard, sa libération avait été à nouveau à l'ordre du jour. Il avait donc tué un maton.

Blanc.

Ça lui avait valu la peine de mort. Condamnation commuée en perpétuité quand Nelson Mandela était sorti de sa cellule pour diriger le pays. Lui et ses négros. Ils avaient aboli la peine de mort. C'était la seule fleur qu'un négro lui avait jamais faite.

Il avait alors eu la certitude qu'il finirait ses jours dans les Quatre Coins.

Jusqu'à deux ans plus tôt.

Ces salopards en tenue étaient venus le voir pour lui dire qu'il était libre de partir.

Il avait hoché la tête, ils devaient déconner. Mais ils lui avaient montré le papier. Amnistie générale : des détenus avaient été sélectionnés pour être remis en liberté afin de réduire la surpopulation carcérale.

Il avait vu son nom sur le document et compris qu'il y avait erreur. L'erreur avait été confirmée plus tard : il avait été libéré à la place d'un type qui avait le même nom que lui. Un petit voleur qui crevait du sida à l'hôpital de la prison.

Mais le lendemain, ils lui avaient repris sa combinaison orange, rendu ses vêtements et l'avaient laissé devant la porte de la prison, un sac en toile à la main et cent rands en poche.

Piper était rentré à Paradise Park, du côté de Dark City, parce que c'était le seul endroit qu'il connaissait.

Il était descendu du taxibus avec des vêtements qui dataient de vingt ans et un nouveau couteau Okapi. Il avait vu des tatoués dans la rue. Ils n'avaient jamais connu Pollsmoor, mais se faisaient appeler des 28. L'un d'eux avait été assez stupide pour le suivre et s'adresser à lui dans un argot des prisons faussé et massacré.

Piper l'avait sodomisé dans un terrain vague jonché de pneus lisses, de moellons et d'ordures pourries, avec des lambeaux de plastique qui sifflaient dans le vent. Puis il lui avait tranché la gorge et l'avait laissé au milieu des ordures, son jean et son caleçon en tas autour de ses chevilles.

Piper savait qu'il ne pourrait pas rester dans ce monde-là.

Il voulait rentrer chez lui.

Il s'était alors souvenu du flic qui l'avait arrêté vingt ans auparavant : Clyde Adams. Ça lui avait donné une orientation. L'idée de l'assassiner flattait son sens de l'équilibre.

Ce n'était pas de la vengeance.

Il avait trouvé l'adresse de Clyde, qui était marié et avait des enfants. Du côté de White City. Piper n'avait eu peur de rien en traversant Main Road et en arrivant en territoire ennemi, où ses tatouages de gang le rendaient aussi repérable qu'un léopard au milieu d'un troupeau de daims.

Il avait gagné la maison du flic, attendu et observé.

Il était tard et les ombres ternissaient le sable blanc et aveuglant des Flats.

Il s'était laissé happer par une ombre, immobile. Il se sentait invisible. Il avait perdu la notion du temps. Puis une voiture s'était arrêtée et Clyde en était descendu. Vingt ans de plus. Il avait épaissi et il était en civil. Ses cheveux noirs étaient toujours raides et drus comme du chaume.

Une femme et deux enfants – un garçon et une fille – étaient dans la voiture avec lui. Ils avaient sorti des sacs de courses du coffre. Piper avait entendu la fille rire, comme un brin de musique dans le vent. Clyde portait un sac et tenait la femme par la taille en entrant dans la cour.

Piper s'était dégagé de l'ombre et avait traversé la route, le couteau Okapi prêt à frapper.

Le flic avait senti la présence de Piper et s'était retourné. Il l'avait reconnu, mais la main avec laquelle il tirait était pleine de courses. Piper s'était avancé, lui avait enfoncé la lame dans le ventre et l'avait entendu grogner. Le sac était tombé, des saucisses roses et des tomates rouges avaient roulé sur le sable.

La femme avait hurlé.

Piper avait éventré le flic en lui remontant le couteau jusqu'au sternum, sur lequel il avait senti buter la lame. Clyde s'était effondré et avait essayé de contenir ses entrailles, tandis que son sang se répandait dans le sable. Piper lui avait tranché la gorge en forme de sourire. Puis il avait vu une autre voiture s'approcher à toute allure. Un autre homme surgi de son passé fondait sur lui, l'arme à la main.

Billy Afrika.

Un froussard qu'il aurait dû liquider vingt ans auparavant.

Piper avait souri, levé les mains, laissé son couteau glisser de ses doigts et, sans quitter Billy des yeux, avait aperçu le dur éclat de la lame dans le sang du flic.

Billy le tenait en joue et le canon de son arme ne tremblait pas beaucoup. Piper avait vu son doigt se crisper sur la détente. Et la sueur sur son visage.

Il avait attendu.

Et Billy avait baissé son arme, fait tourner Piper pour le menotter et l'avait poussé dans le sable.

Piper y était resté et avait regardé la vie suinter lentement du corps du flic. Son pied qui battait comme le sabot du mouton à l'abattoir en soulevant de la poussière.

La femme berçait la tête du flic mort. En disant encore et encore « Clyde, Clyde, Clyde » comme si ces mots pouvaient inverser le sort.

Piper avait senti une grande paix en lui quand il avait entendu les sirènes de police.

Il allait rentrer chez lui.

Il était agité maintenant, là, allongé dans le lit de sa cellule, et les pipes blanches ne faisaient rien pour le calmer ou apaiser le désir dans son cœur. Il savait qu'il n'avait pas d'autre moyen. Si Disco ne lui revenait pas, il serait obligé de repartir dans le monde.

Pour ramener son épouse à la maison.

CHAPITRE 14

Billy Afrika traversa White City et tourna dans Lilac Road, sous les rares lampadaires qui pleuraient des larmes jaunâtres dans le nuage de poussière qui recouvrait les Flats. Le vent s'était levé et tous ceux qui possédaient une moitié de cervelle et une maison s'étaient réfugiés à l'intérieur. Les sans-abri trouvaient des entrées ou des trous, et se protégeaient du sable en s'enveloppant le visage dans des sacs en plastique, comme des Bédouins urbains. Ou alors ils se grillaient les neurones avec un cubi de tord-boyaux et laissaient les grains de sable, comme de la chevrotine, plomber leurs silhouettes allongées.

Billy aimait le vent. Il aimait sa démonstration de force naturelle et savait que quand il s'épuiserait en fin de matinée, même les Flats auraient une journée paisible et propre sous un ciel d'un bleu impeccable.

Les coups sourds avaient recommencé, là, dans le coffre, comme si quelqu'un essayait d'en sortir à coups de pied en délogeant la banquette arrière. Il vit un gros nid-de-poule sur la route mal pavée et accéléra pour le prendre à toute allure – il s'en foutait, c'était une voiture de location –, et entendit un claquement métallique et un cri étouffé. Il rit, mit le clignotant et ralentit devant la maison à un étage qui écrasait ses voisines trapues, comme une tour de garde. La villa était entourée par un grand mur et une clôture électrique. Un lourd portail en fer en bloquait l'accès. Billy resta dans la voiture. Et donna du Klaxon.

Il aperçut un visage à l'une des fenêtres du haut, saisit une bribe de juron, et le portail s'ouvrit d'un coup. Deux hommes se présentèrent, en tee-shirt et jean taille basse qui flottaient dans le vent du sud-est. Le petit maigre avait un Uzi. L'autre était un gros balèze avec un Smith & Wesson calibre 22 à canon court ; comme il portait l'arme sur le côté, elle était presque invisible dans sa grosse patte. Le genre de type qui aime tuer gentiment et de façon intime.

« Qu'est-ce tu veux, connard ? » demanda celui avec l'Uzi en s'avançant vers lui.

Billy baissa à peine la vitre, juste assez pour recevoir du sable dans les yeux.

« J'ai quelque chose pour Manson. »

Un éclat traversa le visage de l'homme quand il le reconnut.

« Quoi ?

— Ouvre-moi, mec. Sinon il te bottera le cul. »

Les deux types se hurlèrent quelques questions, puis ils poussèrent contre le vent et forcèrent le portail à s'ouvrir juste assez pour qu'il puisse entrer. Accompagné par le canon de l'Uzi.

Un projecteur couplé à un détecteur de mouvements s'activa quand Billy se gara à côté d'un Hummer noir. Il sortit de la Hyundai et ne sentit rien de plus qu'une brise dans l'abri de la cour.

L'Uzi se collant à lui, il leva les mains. L'homme au 22 le fouilla comme un pro. Billy avait coincé le Glock sous le siège du conducteur et le type se retrouva bredouille.

Manson sortit de la maison par une porte de côté ; survêt blanc de grand luxe, casquette à visière, couvert de marques comme un sportif célèbre.

« Qu'est-ce que tu viens faire ici, Barbie ?

— J'ai quelque chose qui t'appartient.

— Ja ? »

Billy s'approcha du coffre.

« Je vais l'ouvrir, d'accord ? »

Manson acquiesça, l'œil noir de l'Uzi restant braqué sur Billy.

Ce dernier ouvrit le couvercle et Godwynn MacIntosh, qui saignait du nez, des oreilles et de la bouche, en bondit comme un diable à ressort.

« Qu'est-ce que c'est que ce bordel ? » demanda Manson.

Un autre coup de fil à son contact de Bellwood South – et la promesse d'argent supplémentaire – avait permis à Billy d'avoir les noms des deux génies. Et l'adresse de Disco de Lilly. Le flic lui avait aussi fourni un renseignement qui l'avait laissé songeur : Disco avait été l'épouse de Piper quand il était incarcéré à Pollsmoor.

Dès qu'on tirait un fil dans la tapisserie des Flats, il se déroulait et remontait jusqu'à Piper.

Quelque chose déconnait dans cette histoire de Bantry Bay. La blonde n'était pas claire et Billy était persuadé que les deux abrutis du tapissage étaient impliqués. Il se fichait de Roxanne Palmer, mais il y avait un 26 dans le coup. Un des mecs de Manson. Et Billy voulait avoir de quoi marchander avec le chef de gang.

Il savait qu'il aurait de meilleures chances d'apprendre la vérité en terrifiant le sex-boy. Être l'épouse de Piper aurait attendri la viande la plus coriace.

Il avait trouvé Disco assis sur le seuil de son *zozo*, où il se protégeait du vent, son torse nu couvert d'encre de prison, la tête perdue dans une nuée de tik. Billy l'avait attrapé par les cheveux, lui avait arraché la pipe des dents et l'avait jeté dans la hutte. Puis il avait claqué la porte derrière lui. Une ampoule nue pendait au plafond, balayant le *zozo* de sa lumière jaune pisse.

Disco était mignon. Une loque, un moins-que-rien, un détritus de la vie. Mais mignon.

Il semblait avoir une petite vingtaine d'années, mais faisait partie de ces hommes qui ont encore l'air de gamins quand ils atteignent l'âge mûr. S'il vivait jusque-là. Disco essayait de se relever, de rassembler les différents morceaux de sa journée. Billy l'avait giflé et projeté brutalement contre le mur, où il s'était effondré sous la photo d'une femme qui lui ressemblait tellement qu'elle ne pouvait être que sa mère.

Le cadre était resté bancal.

« C'est ta maman ? » avait demandé Billy en le montrant.

Disco avait acquiescé, le souffle court. Billy s'en était approché et avait tendu la main.

« S'il vous plaît, ne le cassez pas ! »

Sa voix rauque et plaintive se frayait un chemin entre la fumée de tik et la peur.

« Je vais pas le casser. Tu me prends pour qui ? lui avait renvoyé Billy en remettant le cadre d'aplomb. Elle est morte, ta maman ? »

Le joli gamin avait fait oui de la tête.

« Ça fait quinze ans maintenant. »

Billy s'était accroupi devant Disco et lui avait montré le Glock dans sa ceinture en se disant qu'il était inutile de le sortir.

« Bon, je vais t'expliquer comment ça va se passer. (Le regard de Disco était passé du flingue à Billy.) Je vais te poser quelques questions et tu vas me jurer de dire la vérité… sur la tombe de ta mère. Tu comprends ?

— Ja.

— Alors dis-le.

— Dis quoi ?

— Nom de Dieu. Dis : "Je jure de dire la vérité sur la tombe de ma mère."

— Je jure de dire la vérité sur la tombe de ma mère.

— À la bonne heure. Maintenant écoute-moi bien, je suis plus flic et j'ai aucune intention de te coffrer. Mais si jamais tu me mens, je suis prêt à te tuer. Tu comprends ?

— Ja. Je comprends, avait répondu Disco en hochant la tête.

— Toi et ton pote Godwynn avez volé une voiture la nuit dernière. Du côté de Bantry Bay. Une Mercedes. C'est exact ? »

Disco avait hésité. Billy lui avait montré le flingue, puis la photo. Le garçon avait acquiescé.

« Un homme a été abattu. Un Blanc. C'est toi qui as tiré ?

— Pas moi. Il a essayé de se débattre, alors Goddy lui a tiré dans la jambe. Mais c'est pas nous qu'on l'a tué. »

Billy avait pris le temps de réfléchir.

« Combien de fois Godwynn a-t-il tiré ?

— Une seule. Puis il est monté en voiture et on s'est barrés.

— Où est le flingue ?

— Il l'a laissé sur place. Goddy. »

Billy dévisageait ce garçon faible et mignon et voyait à travers lui. Il voyait un autre visage avec de grands yeux bleus. Il voyait la vérité.

En attendant, il foutait la trouille de sa vie au junkie. Il avait recentré son attention sur lui et avait vu qu'il avait remonté les genoux et se couvrait le visage avec les bras.

« C'est la vérité, je le jure sur la tête de ma mère.

— Relax. Je te crois. Goddy et toi êtes retournés à la maison aujourd'hui. Pas vrai ? (Il sentait le mensonge arriver.) Tu t'en es bien tiré jusqu'à maintenant, Disco. Fous pas tout en l'air. »

Disco avait haussé les épaules.

« Ja. On a pris des trucs.

— Qu'est-ce que vous avez dit à la blonde ?

— Qu'on reviendrait demain pour le fric. Et que si elle nous le file pas, on dira aux flics que c'est elle qu'a descendu son mari.

— Et elle vous a crus ? avait demandé Billy en riant.

— C'était l'idée de Goddy.

— Une idée de merde. (Billy avait regardé autour de lui.) Où sont les trucs ?

— C'est Goddy qui les a.

— Et ce Goddy, c'est un des types de Manson ? Un 26 ? American ?

— Ja.

— Manson est au courant de votre petite visite chez elle ? (Disco avait fait non de la tête.) Et donc vous avez fait ça en freelance, c'est ça ? »

Le garçon avait acquiescé, puis demandé :

« Vous bossez pour Manson ? »

Billy l'avait frappé assez fort pour que sa tête heurte à nouveau le mur.

« C'est moi qui pose les questions. Toi, tu réponds, d'accord ? »

Disco avait cligné des yeux.

« D'accord. »

Billy s'était levé. Avait attrapé le garçon par ses beaux cheveux ondulés et l'avait remis debout.

« Maintenant, amène-moi chez Goddy. »

La tête de Disco vacillait comme celle des chiens en peluche sur la plage arrière des voitures de vieux.

« Il va me tuer, mec.

— Ça m'étonnerait. (Billy avait poussé le garçon vers l'armoire.) Allez, enfile une chemise, ça couvrira tes photos de mariage. »

Roxy resta dans la pièce pillée longtemps après le départ de Billy Afrika. Paumée. Vidée. Se demandant quel cycle infernal elle avait déclenché en levant le flingue et pressant la détente.

Elle se força à se lever du canapé.

Pensa aux deux métis, se surprit à s'essuyer comme si elle pouvait se débarrasser d'eux. Regarda le chaos autour d'elle. Ils l'avaient non seulement cambriolée, mais ils avaient pris plaisir à mettre la maison à sac.

Et ils reviendraient le lendemain.

Elle pouvait supporter l'agression dont elle avait été victime, se fichait des dégâts qu'ils avaient faits dans le reste de la maison, mais elle savait qu'elle craquerait s'ils avaient profané la chambre rose.

Il fallait qu'elle sache. Qu'elle ouvre la porte.

Elle monta l'escalier. S'arrêta devant la porte close. Approcha la main de la poignée. Hésita. Finit par la tourner et par entrer. Resta dans le noir à s'écouter respirer. Puis elle trouva l'interrupteur mural et une lumière douce se répandit dans la pièce.

La chambre rose. Papier peint dans les tons de rose, papillons suspendus au plafond, un berceau, un trotteur et une moquette encombrée de jouets. Une chambre d'enfant. Prévue pour sa fille, qui était morte en elle.

Ils n'avaient pas touché la pièce.

Elle aurait pu refermer la porte, redescendre et se bourrer la gueule à la vodka. Mais elle ressentait le besoin de rester ; c'était là qu'elle parviendrait à cautériser sa douleur, son chagrin et les barbilles de culpabilité qui la tiraillaient en pensant à ce qu'elle avait fait à Joe Palmer.

Elle s'assit par terre à côté du berceau et laissa remonter les souvenirs.

Elle se revit dans cette chambre un mois plus tôt. Sa grossesse avancée, son bonheur absurde.

Comme la plupart des choses dans sa vie, elle était tombée enceinte par accident. Un an ou deux après leur mariage, les exigences sexuelles de Joe s'étaient apaisées. Elle s'était dit qu'il avait recours à la sous-traitance pour gérer ses besoins, comme il aurait dit. Il aimait se promener avec Roxy au bras, mais il avait des tendances plus hardcore entre les draps.

Elle n'y voyait pas d'inconvénient.

Comme elle avait l'intention de se faire poser un stérilet – ce qu'elle n'avait d'ailleurs jamais fait –, elle avait arrêté la pilule. Quelques semaines plus tard, après un rapport aussi inattendu que hâtif et suffocant – Joe était assez ivre pour la désirer –, Roxy s'était retrouvée à uriner sur un test de grossesse et avait vu une petite ligne bleue se dessiner dans le cadre. Sur le coup, elle avait décidé sans hésiter d'aller dans une clinique privée pour se débarrasser du truc.

Puis une idée avait germé en elle : et si elle le gardait ? Si c'était plus qu'un truc ? Si c'était un bébé, un enfant. Elle avait soudain compris qu'elle désirait un enfant plus que tout. Elle ne s'en était tout simplement jamais aperçue avant.

Elle avait ressenti de l'amour pour la première fois de sa vie. Pour elle-même et pour l'enfant en elle.

Les hormones et le bonheur lui avaient fait ignorer le fait que Joe Palmer était un père loin d'être parfait. Quand elle lui avait annoncé qu'elle était enceinte, il l'avait regardée en haussant les épaules. Il était rarement resté à la maison les mois suivants, tandis que le ventre de Roxy gonflait. Elle était trop heureuse pour remarquer que son habituel air suffisant était devenu tourmenté et qu'il buvait encore plus que de coutume, comme s'il vendait son âme en même temps que des hommes et des armes.

Son bonheur la rendait aveugle aux signes avant-coureurs.

L'échographie avait montré qu'elle portait une fille, elle lui avait donc aménagé une chambre. Qui comprenait tout ce dont elle avait manqué quand elle était petite.

Un conte de fée.

Une fantaisie.

La chambre rose.

Roxy y était le soir de l'accident. Elle accrochait un mobile au-dessus du berceau, un papillon avec des antennes mobiles à ressorts. Elle avait entendu l'ouverture du portail et avait vu l'éclat des phares de Joe sur la fenêtre. Quelque chose – peut-être le temps qu'il lui avait fallu pour descendre de voiture – l'avait alertée et elle s'était crispée en entendant la clé tourner dans la serrure.

Elle avait entendu sa voix :

« Roxanne ? »

Il ne l'appelait Roxanne que lorsqu'il était d'humeur cruelle. Il l'avait un peu frappée les premières années, jusqu'à ce qu'elle menace de le quitter. Il avait maîtrisé ses poings, mais pas sa bouche : il continuait à déverser du fiel quand il était ivre et furieux.

« Roxanne ! »

Elle n'avait pas répondu. Elle l'avait entendu monter en haletant, ses pas lourds et mal assurés sur les marches. Elle était sortie de la chambre rose et avait fermé la porte. Elle ne voulait pas le laisser vicier l'air de cette pièce. Elle l'avait rejoint sur le seuil. Il empestait la sueur et l'alcool, sa chemise en lin lui collait à la panse. Ses yeux étaient de petits cailloux noirs, sa langue glissait sur ses gencives et il avait les joues de l'anguille en train de se nourrir.

Elle avait alors compris pourquoi il avait mis si longtemps à descendre de voiture : il venait de sniffer une ligne. Il restait même des traces de poudre blanche sur sa moustache mal rasée.

Elle avait essayé de l'éviter, de regagner sa chambre et de s'y enfermer.

Il l'avait agrippée par le bras.

« Où tu vas, bordel de merde ?

— Tu me fais mal, Joe. »

Elle avait dégagé son bras, mais il l'avait poussée contre le mur à côté de l'escalier et s'était mis à l'embrasser, en lui enfonçant sa langue dans la bouche. Son haleine était aigre et sa langue aussi rêche que celle d'un chat. Sa graisse se moulait contre le ventre dur de Roxy.

Elle l'avait repoussé, laissé en équilibre un instant et avait failli lui échapper. Mais ses cheveux étaient défaits et son mouvement brusque les avait lancés près de la main de Joe. Il les avait attrapés et tirés, la forçant à se mettre à genoux, les yeux brouillés par des larmes de douleur.

Il avait défait sa braguette de sa main libre.

« Taille-moi une pipe, bébé. »

Il bandait, excité de la faire souffrir.

Elle avait saisi son membre et y avait plongé les ongles.

Erreur.

La douleur l'avait rendu fou de rage et quand elle s'était redressée, il lui avait flanqué un coup de poing dans la figure. Elle était dos à l'escalier et s'était sentie perdre pied sur le palier. Dans les heures qu'elle avait mis à tomber en arrière, à flotter comme suspendue hors du temps, elle avait d'abord cru que tout allait s'arranger, qu'elle et sa fille parviendraient à amortir la chute.

Jusqu'à l'impact.

Son ventre avait heurté l'angle dur d'une marche, à mi-hauteur de l'escalier.

Elle avait roulé jusqu'en bas, incapable de s'arrêter, et avait atterri sur le carrelage, l'air chassé de ses poumons. Elle s'était évanouie et avait su que la fille qu'elle portait en elle était morte.

Quand elle avait repris conscience, elle était étendue par terre, entourée d'infirmiers. Elle avait senti le sang s'échapper entre ses jambes. Joe s'était ressaisi et tournait autour d'elle en jouant les maris inquiets. Il racontait qu'elle avait glissé et chuté dans l'escalier.

Elle était trop abasourdie pour penser à contredire ses balivernes. Les jours suivants s'étaient réduits à une succession floue de chambres d'hôpital et de sédatifs. Elle était rentrée quelques jours plus tard avec du lait dans les seins, le ventre encore gonflé, mais l'utérus vide.

Un utérus qui, d'après les docteurs, n'accueillerait plus jamais de bébé.

Le néant s'étendait au-delà de son utérus. Elle était devenue insensible. Pas de douleur. Pas de chagrin. Pas de colère. Juste un néant qui avalait tout.

Désir de mort.

Assise dans la chambre rose, les genoux serrés contre elle, elle s'autorisa à pleurer pour la première fois. C'était seulement la veille, au moment où elle avait levé l'arme, que le mur avait éclaté et que, submergée de rage et de chagrin, elle avait compris que ce désir de mort ne s'appliquait pas à elle.

C'était Joe qu'elle voulait voir mourir.

CHAPITRE 15

Billy et Disco roulaient dans Paradise Park, à la recherche de Godwynn. D'après Disco, il n'avait pas de résidence permanente et se faisait héberger par les parents et amis qui acceptaient de le supporter. Ils s'étaient arrêtés devant un immeuble pour parler à une fille avec un bec-de-lièvre ; elle en mouillait pour Disco et lui avait dit que Goddy était au Five Star.

Un bar clandestin de White City.

Billy s'était garé plus loin dans la rue, loin de la lueur tiède d'un lampadaire solitaire, au milieu d'une rangée de vieilles voitures bouffées par la rouille. Le Five Star se trouvait dans une petite maison entourée d'un mur de roues de chariot en béton, une guirlande d'ampoules colorées pendouillant tristement au-dessus de l'entrée. Une ligne de basse de hip-hop frénétique martelait à l'intérieur, comme un ivrogne qui se cogne la tête contre les murs.

Il était hors de question que Billy entre au Five Star. Il n'avait pas la force de feu nécessaire. L'époque où les gangsters réglaient tout au couteau était révolue. L'époque de Piper. Celle des durs qui aimaient tuer de près, en toute intimité. Maintenant, n'importe quel petit voyou boutonneux avec un dollar en poche pouvait s'acheter un flingue. Les morgues étaient pleines de métis troués de balles.

Avant d'aller en Irak, Billy avait rencontré des médecins de l'armée américaine qui apprenaient à soigner les blessures par balle en faisant du bénévolat dans les Flats. C'était ce qui ressemblait le plus à une zone de guerre pour se préparer à l'opération Choc et Stupeur.

« Je peux vous poser une question ? avait demandé Disco.

— Vas-y.

— Qu'est-ce que vous allez faire de moi ?

— Trouve-moi Goddy et on verra. »

Disco avait vu comment Billy le regardait.

« Quoi ?

— C'est vrai ce qu'on m'a dit ? T'étais l'épouse de Piper ? »

La réponse se lisait sur son visage.

« Je n'aime pas en parler, avait répondu Disco.

— D'accord. Je respecte.

— Vous connaissez Piper ? lui avait demandé Disco.

— Oh ja. Piper et moi, on remonte au Déluge, avait-il expliqué en sentant que ses cicatrices le démangeaient. Il a encore beaucoup d'autorité à Pollsmoor ?

— Ja. Il est général. C'est lui qui fait la loi. (Disco s'était approché de lui.) Vous auriez pas une cigarette ?

— Je fume pas, avait répondu Billy en regardant un vieil alcoolo tituber près de la voiture, s'arrêter sous le lampadaire et se pisser sur les chaussures. Dis-moi, pourquoi on t'appelle Disco ?

— Parce que j'ai la danse dans la peau.

— C'est quoi ton vrai nom, alors ?

— Ferdinand. (Billy avait fait une drôle de tête.) En l'honneur de mon grand-père. Un Français.

— Continue à te faire appeler Disco, lui avait conseillé Billy en riant. »

Puis le garçon s'était enfoncé sur son siège quand un type trapu, la vingtaine et foncé de peau, était sorti du bar. Il avait échangé quelques mots avec des gars qui traînaient dans le jardin, rigolé, puis il avait descendu la rue, dans la direction opposée à la voiture. Il avait la démarche d'un homme avec de l'alcool dans le sang et de l'argent en poche.

« C'est lui, Goddy ?

— Ja.

— Armé ?

— La plupart du temps. Un Colt. »

Billy avait eu pitié du personnage lamentable assis à côté de lui. Il s'était dit qu'après des mois comme sex-boy de Piper, le pauvre avait assez souffert.

« Tu peux partir, lui avait-il dit. (Disco avait du mal à y croire et hésitait.) Magne-toi le cul avant que je change d'avis. »

La portière s'était ouverte et Disco s'était laissé porter par le vent dans la direction opposée à celle de son ami. Billy avait démarré la voiture et suivi Godwynn. Taille réduite et avenir encore plus réduit.

Le regard de Manson passa de Godwynn, qui saignait dans le coffre, à Billy.

« Qu'est-ce que c'est que ce bordel, Barbie ?

— Ton mec a fait du free-lance aujourd'hui, du côté du Cap. Du genre cambriolage. Il a déjà revendu le butin. »

Manson regarda dans le coffre en plissant les yeux.

« C'est vrai ? »

Godwynn hocha vigoureusement sa tête pleine de sang. Ça devait lui faire un mal de chien, car ça ne dura pas.

« Il ment, ce connard.

— Pourquoi tu lui fais pas les poches ? » demanda Billy.

Manson fit un signe de tête, le balèze rengaina son arme et s'avança. Et fouilla Goddy. Et trouva près de deux mille rands en liquide qu'il tendit à Manson. Billy ne pouvait qu'imaginer la valeur véritable des objets qu'avait vendus cet abruti.

Manson gifla Goddy.

« T'as trouvé ça où ? »

Godwynn essayait de parler plus vite que ses lèvres enflées le lui permettaient.

« Je te jure, sur ma vie, Manson. C'est pas vrai. »

Billy fit taire l'imbécile en lui claquant le couvercle du coffre sur la tête. Il résuma ce qui s'était passé à Bantry Bay. Le gangster le crut. Manson n'était pas du genre à se laisser rouler dans la farine.

Quand Billy se retourna, une fille de treize ou quatorze ans apparut dans l'encadrement de la porte. Elle regardait la scène avec attention.

« Rentre, ma puce. Papa a du boulot, lui dit Manson.

— Je veux voir.

— Bianca, dépêche-toi de rentrer. »

Il la congédia d'un signe de main. La fille rentra dans la maison à contrecœur et le maigrichon avec l'Uzi ferma la porte.

Manson se tourna vers Billy.

« Et comment tu t'es retrouvé impliqué dans cette affaire, Barbie?

— C'est ma cliente qu'ils ont cambriolée. Je suis son garde du corps.

— Un garde du corps de merde, oui, fit observer Manson en riant. Pour laisser entrer un truc pareil, ajouta-t-il en montrant le type dans le coffre d'un signe de tête.

— Elle m'a embauché après leur opération. Mais j'ai quelque chose à te demander en échange de ce service.

— Ja? Et qu'est-ce que c'est?

— Je veux que tu laisses la fille de Clyde Adams tranquille. »

Il vit quelque chose passer sur le visage de Manson, comme la lune derrière un nuage. Tout pouvait basculer. Les gardes étaient comme des chiens reniflant le changement d'humeur de leur maître ; ils se concentraient tous sur Billy.

Il poursuivit.

« J'ai repris le boulot et je verserai bientôt de l'argent sur le compte. En attendant, lâche-la un peu. »

Manson le dévisageait.

« Tu manques pas de couilles, Barbie. Pour débouler chez moi avec ça !

— Je te parle d'homme à homme, répondit-il avec un haussement d'épaules.

— D'accord. Alors d'homme à homme, je lui fous la paix une semaine. Le temps que tu règles tes problèmes de cash.

— Bien.

— Ton fric, Barbie, c'est pas comme si j'en avais besoin, tu comprends ?

— Je comprends.

— C'est juste que j'en ai envie. Envie, voilà tout, expliqua-t-il en riant et haussant les épaules.

— C'est bon. Je pige.

— Ja, tu ferais mieux. Sinon... »

Il s'attrapa les burnes gonflées sous le survêt et fit une de ses danses obscènes, toute en déhanchement, où il agitait la bite et les couilles en chantant d'une voix de fausset et de maquereau.

« Oh Jodie, Jodie, Jo–diiiiie. »

Ses hommes se marraient. Même Goddy, qui saignait dans le coffre, essaya de forcer un sourire. Il avait perçu le changement d'humeur. Cela se solda par un revers de Manson en pleine tête.

« Sors de là, free-lance.

— S'il te plaît, Manson. »

Tout d'un coup, Godwynn fondit en pleurs, ses larmes délayant le sang sur ses joues, à croire qu'il souffrait d'un stigmate des Flats.

« Sors. Ouste. »

Godwynn s'extirpa du coffre, trébucha et essaya de retrouver l'équilibre en se tenant à la voiture. Manson le fit tomber en lui décochant un coup de pied dans les jambes, puis il tendit la main vers le balèze, qui lui fit passer le 22 par la crosse.

Godwynn se pissa dessus, une flaque apparut à son entrejambe, dégoulina au fond de son pantalon et sur ses baskets.

« S'il te plaît, Manson, je t'en prie... »

Billy repéra un mouvement à l'étage de la maison : la fille de Manson épiait la scène entre les rideaux. Manson arma le 22, en colla le canon sur la nuque de Godwynn et prit assez de recul pour ne pas être éclaboussé en pressant la détente.

Barbara Adams descendait Protea Street en longeant la rangée de maisons minables identiques à la sienne. La nuit était chaude et les taquineries du vent ne faisaient rien pour la rafraîchir. Elle entendit des bribes de hip-hop, un bébé qui pleurait, un homme et une femme qui se disputaient, leurs voix chargées d'alcool et de désespoir. Elle s'arrêta à côté d'un terrain vague couvert de détritus et de décombres de chantier, sans quitter des yeux la maison où dormaient ses deux enfants.

Elle sortit un paquet de Vogue filtre satin de sa poche. Elle ne fumait jamais devant eux. Comment aurait-elle pu le leur interdire s'ils la voyaient le faire ? Elle tourna le dos au vent, alluma une cigarette et envoya la bouffée tout au fond de ses poumons. Dieu, que c'était bon...

Barbara s'autorisait deux clopes par jour. Elle habitait dans les Flats, mourir d'un cancer du poumon était le dernier de ses soucis. Elle se sentait parfois totalement démunie. Si elle avait eu de l'argent, elle aurait emmené ses enfants loin de là, dans un endroit où ils ne seraient ni violés ni assassinés et où les garçons ne considéreraient pas une vie de crime comme un choix de carrière acceptable.

Elle entendit un bruit et se crispa. Quelque chose s'approchait d'elle. Il n'était pas prudent pour une femme seule de se promener à cet endroit. Elle rit en soufflant la fumée quand elle vit qu'il ne s'agissait que d'un chien famélique. Tout en couilles et côtes, il fouillait dans les ordures. Il la vit et s'éloigna en se recroquevillant, la queue recourbée entre les jambes comme une virgule.

Quelque chose dans ce chien lui rappela Billy Afrika. Le regard qu'il avait posé sur elle quand il était venu la voir. Vaincu. Elle l'avait supplié de l'aider parce qu'elle n'avait personne d'autre vers qui se tourner. Certainement pas la police. Les ripoux s'étaient réjouis de la mort de Clyde et les quelques flics honnêtes qui restaient n'étaient pas cons au point de s'en prendre à Manson.

Il ne lui restait que cet homme qui avait laissé libre l'assassin de son mari.

Billy Afrika l'avait appelé une demi-heure auparavant. Pour lui dire qu'il avait parlé à Manson et que tout était réglé. Il avait sa parole. Il n'était pas rentré dans les détails, mais lui avait annoncé qu'il avait un plan pour elle et ses enfants. Il lui donnerait des précisions en temps voulu.

Point final.

Dieu sait qu'elle avait envie de le croire. Mais quoi qu'il lui promette, elle ne pouvait pas lui faire confiance. C'était un faible et on ne peut pas compter sur un faible.

Elle tira une dernière et longue bouffée sur sa cigarette, écrasa le mégot du talon et rentra chez elle. Elle trouva un bonbon à la menthe dans la poche de sa robe et le croqua pour couvrir l'odeur du tabac.

Elle traversa les pavés de son entrée en essayant d'éviter les souvenirs que cet endroit lui rappelait toujours. En vain. En entrant, elle entendit le vent faire claquer un bardeau mal fixé sur le toit. La maison tombait en ruine.

Elle eut un accès de colère. Comment Clyde avait-il pu l'abandonner ainsi ?

La colère se tarit et laissa place à la solitude et au désespoir.

Elle ouvrit la porte de la chambre où dormaient ses deux enfants, la fille était trop grande pour avoir à écouter les ronflements de son frère. Dans la lumière du dehors, elle vit Jodie dormir en serrant une de ses peluches dans ses bras. Ce n'était plus une petite fille, mais ce n'était pas une femme.

Pas encore.

Elle songea à Manson et à ses menaces. Revit Jodie à côté de lui dans la voiture, son air excité, comme si elle avait envie de ses sales pattes sur son corps.

C'était une image qu'elle ne pouvait pas oublier.

Elle se surprit à prier en fermant la porte de la chambre.

Billy Afrika revint chez Roxy sans prévenir, un sac en toile à la main.

Elle venait de se laver les cheveux, ils lui tombaient sur les épaules. Elle portait un blue-jean et un débardeur blanc à bretelles spaghetti qui soulignait joliment son bronzage. Pas de chaussures. Le crucifix autour de son cou lui donnait un air vertueux, du moins elle l'espérait. Elle était beaucoup plus calme à présent, il ne restait aucune trace de sa crise de pleurs dans la chambre rose.

« Monsieur Afrika. Vous revoilà. »

Elle voulait garder un ton léger, comme toujours. Essayer de ne pas lui montrer qu'il la rendait nerveuse. Cette manière qu'il avait de la regarder en passant la porte d'entrée.

« Les types qui étaient ici avant... Ils ne viendront plus vous inquiéter. »

Elle tenta de froncer les sourcils d'un air perplexe, mais son pouls était aussi affolé qu'à la fin d'une séance d'aérobic.

« D'accord. Vous feriez peut-être bien de vous expliquer.

— J'ai retrouvé leur trace. On a discuté.

— Comment les avez-vous retrouvés ?

— Je vous l'ai déjà dit, madame, je suis un ancien flic.

— Et vous leur avez parlé ?

— Ja. On parle la même langue. (Il lui adressa un sourire crispé.) C'est réglé. Je vous épargne les détails. (Il la fixa du regard. Fort.) Quoi qu'il en soit, vous avez d'autres soucis.

— Comme quoi ?

— Comme d'avoir buté votre mari. »

Elle contint sa surprise, fit mine d'être déroutée.

« Qu'est-ce que vous racontez ? Je ne comprends pas. Ce sont les braqueurs qui ont tiré sur Joe.

— Ces junkies lui ont tiré dans la jambe. Ils ont paniqué. Laissé tomber le flingue et se sont barrés. C'est vous qui l'avez achevé. »

Il la fixait de ses yeux verts, sans ciller.

Eh bien voilà, elle s'était fait prendre. Sa main se posa sur le crucifix. Il n'avait pas été d'un grand secours.

« Vous allez me livrer à la police ?

— Non.

— Pourquoi ?

— Parce que je veux récupérer ce qui m'est dû. Trente mille dollars. Ce qui représente deux cent dix mille rands au taux de change actuel. »

Elle hocha la tête.

« Je n'ai pas accès à une telle somme. Tout est bloqué jusqu'à ce que la succession soit réglée. L'avocat m'a dit que ça pouvait prendre assez longtemps.

— C'est combien, "assez longtemps" ?

— Quelques semaines, au mieux, répondit-elle en haussant les épaules.

— Je ne dispose pas de plusieurs semaines.

— Ça ne dépend pas de moi. Si ces types ne m'avaient pas cambriolée, j'aurais pu vendre quelques bijoux pour vous donner au moins une partie de la somme. Mais, regardez-moi ça... »

Elle lui montra la maison pillée.

« Et l'avocat ? C'était un proche de Joe ?

— Sans doute. Ils ont fait l'armée ensemble, y a longtemps.

— Écoutez, Joe avait planqué du liquide. Les types comme lui ont toujours des planques. Au cas où les choses tournent mal. Je parie que votre avocat peut sortir ce fric, au cas où il aurait eu besoin de le faire pour payer une caution. Il vous suffira de le lui demander gentiment, d'accord ?

— Entendu. Je l'appellerai demain matin pour le rencontrer. »

Elle songea aux vingt mille dollars que Dick Richardson lui avait promis. Hors de question qu'elle les donne à cet homme. C'était son fonds d'urgence. Celui qui lui permettrait de s'enfuir.

« Je voudrais vous faire comprendre quelque chose, madame. Je me fous complètement que vous ayez descendu votre mari. Connaissant Joe, il le méritait. Mais moi, ce fric, j'en ai besoin. Et si je ne peux pas l'obtenir, je ne peux pas vous garantir de la fermer.

— Vous me faites du chantage ?

— Non, madame. J'essaie de booster votre motivation. »

La nervosité la fit rire.

« Que dois-je faire pour que vous arrêtiez de m'appeler "madame" ? (Il haussa les épaules et posa son sac sur le carrelage. Elle le suivit des yeux.) Et ça ?

— J'emménage.

— Ça va pas ?

— Jusqu'à ce que je récupère mon argent. Je compte surveiller mon actif : vous.

— Et si je refuse ?

— Comme je vois les choses, vous n'avez pas le choix. »

Roxy prit le temps d'assimiler ce renversement de situation et se demanda dans quel genre de marché elle s'était fourrée.

Puis elle sourit, haussa les épaules et décida de la jouer cool pour masquer sa peur.

« Vous préférez une vue sur la montagne ou sur l'océan ?

— Donnez-moi une chambre avec vue sur le portail.

— Montagne, alors. »

La blonde le devança dans l'escalier qui montait aux chambres, lui faisant profiter d'une vue d'un autre genre. Il n'avait jamais vu de femme aussi belle. Il n'allait pas se risquer à le lui faire savoir. Elle le laissa seul dans une chambre blanche aseptisée, dont la fenêtre encadrait Lion's Head au clair de lune. Il ferma les rideaux.

En déballant sa brosse à dents et son short du sac en toile, il s'interrogea sur les gens qui attirent toujours la poisse : les aimants à emmerdes. Pour certains, c'est de naissance : les Disco et Godwynn de ce monde. D'autres deviennent comme ça au gré des circonstances. Comme Roxy. Les gens parlent de malchance. Mais il ne croyait pas à la malchance. Il ne croyait qu'aux mauvais choix.

Roxanne Palmer avait ouvert une porte en tuant Joe et était entrée dans un monde d'emmerdes. Quand on supprime une vie, on perd une protection dont on n'avait même pas conscience avant. On se retrouve alors dans le genre d'endroit où des sales types se mettent à capter votre fréquence.

Les emmerdes ne faisaient que commencer pour Roxy. Et il n'avait aucune envie d'y être mêlé. Mais il devait s'occuper d'elle jusqu'à ce qu'il récupère son argent. Après, elle pourrait fonder une usine à emmerdes, il n'en aurait plus rien à faire.

Ses cris le réveillèrent. C'était le genre de cris qui vous transpercent, comme la lame qui tranche l'os. Par réflexe, il se mit à courir avant même d'être complètement éveillé, le Glock à la main.

CHAPITRE 16

Billy défonça la porte de la chambre, alluma la lumière et entra en roulé-boulé en balayant la pièce de son Glock.

Roxy était seule, recroquevillée dans le coin où les rideaux rejoignaient le placard. Nue. Les yeux dans le vide, les cheveux foncés par la sueur, elle haletait. Un autre cri montait en elle. Elle l'étouffa en se tournant vers lui.

Il se releva, conscient d'être vêtu d'un simple short. Il vit son regard sur ses cicatrices.

Il éteignit la lumière et posa le Glock sur la table de chevet. Les rideaux étaient ouverts et le clair de lune lui suffisait pour la voir.

« Ça va ?

— Un cauchemar. Excusez-moi. »

Elle avait la voix lourde de peur et de sommeil.

Il vit, sur une chaise, un morceau de tissu imprimé, le genre de chose qu'elle devait porter à la plage. Il le prit et le laissa flotter vers elle. Elle s'en enveloppa.

Quand elle se leva, il sentit la chaleur de son corps. Il recula. Elle alla s'asseoir sur le lit.

« J'y vais, maintenant, dit-il en se dirigeant vers la porte.

— Bien sûr. Merci. »

Il reprit le flingue et sortit. La porte se referma derrière lui.

Elle tendit le bras et alluma la lampe de chevet; la terreur recula, au-delà de la lumière au moins.

Elle s'était réveillée avec l'impression de lutter pour sortir d'un abîme, comme si une présence essayait de la suffoquer. Elle avait puisé ses cris tout au fond de ses poumons et s'était retrouvée par terre. À se cacher. Et n'avait repris pleinement conscience que lorsque Billy Afrika avait fait irruption dans sa chambre. Il avait laissé la lumière allumée assez longtemps pour qu'elle aperçoive la peau plissée et cicatrisée, d'un blanc mort, qui marbrait son corps brun.

Elle s'approcha de la fenêtre et regarda la grosse lune africaine qui pendait au-dessus de l'océan. Elle entendit le claquement des vagues en contrebas, suivi du sifflement et du bruit de succion de l'eau qui se retirait. Le rêve qui l'avait prise en embuscade était comme un puisard obstrué : sombre, engorgé et sale.

Joe était venu dans sa chambre, sur son lit, les mains tendues vers sa gorge. Vêtu du costume dans lequel il était mort, du sang noir dégoulinant sur son visage et tachant sa chemise blanche.

C'est alors qu'elle avait hurlé.

Même maintenant, elle continuait à le sentir, mélange chimique d'alcool, de cigarette et de sueur rance. Comme s'il continuait à l'observer.

En attendant de se venger.

CHAPITRE 17

L'inspecteur Ernie Maggott regardait le corps jeté à ses pieds comme une ordure au bord du dépotoir. En été, l'aube se levait tôt au Cap, il faisait jour et chaud à sept heures du matin. Le corps enflé de Godwynn MacIntosh commençait déjà à puer et une énorme quantité de mouches grouillait sur son crâne fracassé qui ressemblait à une cagoule de ski noire.

Il avait reçu une balle dans la nuque, style exécution. Il n'y avait pas de blessure de sortie, ce qui signifiait qu'il y avait une balle sous son crâne dur et épais. Après ce que lui avait dit le flic en tenue qui, adossé au fourgon, faisait circuler quelques gamins curieux, Maggott était tenté de l'extraire de sa cervelle de *bushman* et de l'envoyer au labo. Bon Dieu, il aurait été heureux de glisser le doigt dedans et de la récupérer lui-même. Mais ç'aurait été perdre son temps. Même pour les crimes importants, la liste d'attente était de cinq mois au labo.

Et Godwynn avait moins d'importance qu'un peu de chiure sur une chaussure.

Maggott se foutait bien de Godwynn MacIntosh, mais il était convaincu que sa bidoche de basané était liée au braquage et à l'Américaine blonde. Son supérieur pouvait aller se faire foutre, cette affaire le faisait toujours bander. Il savait que ça pouvait lui ouvrir les portes d'un avenir meilleur.

Il retourna vers sa Ford et le garçon de six ans qui le regardait par la vitre baissée du passager. Son fils Roberto. Nommé ainsi en l'honneur de la vedette de foot brésilienne. Une idée de sa femme, qui trouvait le défenseur trapu sexy. Maggott, lui, trouvait qu'il avait la même gueule que les autres connards chauves des Flats.

Sa garce de femme, séparée de lui ces derniers mois, lui avait laissé le gamin sur les bras la veille en prétextant que sa mère était souffrante et qu'elle devait aller lui rendre visite à l'hôpital. Mon œil! Elle allait se faire sauter et ne voulait pas du môme dans ses pattes.

Le gamin avait donc passé la nuit avec Maggott dans la pièce exiguë qu'il louait dans Dark City, à Paradise Park. Il l'avait nourri de poisson pané et de glace et au petit matin, le gamin avait dégobillé tripes et boyaux, de quoi lui assurer un rôle dans un remake de *L'Exorciste*.

Maggott se pencha à la fenêtre.

« Ça va, Robbie?

— Je veux aller chez maman. »

Il reniflait et des larmes s'étaient mises à couler.

« Ja, plus tard. D'accord? »

Cette salope était sans doute en train de sortir son sale cul du lit d'un autre. Après, elle irait bosser aux abattoirs de Maitland.

Maggott s'approcha du flic en tenue, qui flirtait avec deux lycéennes court-vêtues et les faisait ricaner en se tortillant. Il entraîna le flic – qui se prenait pour un Casanova des Flats, non mais! – loin des mineures. Il était plus âgé que Maggott, mais il n'était qu'un agent. Qui vivait de pots-de-vin et de faveurs.

« Redis-moi tout ça, lui demanda Maggott.

— Sur Barbie?

— Non, sur ta mère. (Il le toisa.) Ja. Sur Billy Afrika. Répète-moi tout.

— Comme je vous l'ai dit, il m'a téléphoné hier. Pour savoir qui on avait arrêté pour le braquage de Bantry Bay.

— Et toi, tu lui as tout raconté?

— De toute façon, il aurait pu le lire dans les pages du *Sun*. Je vois pas où est le problème. »

Le *Sun* : le quotidien à sensation, plein de récits juteux de meurtres, viols et incestes, le reflet des Flats dans un miroir déformant.

« Combien il t'a donné ?

— Rien, inspecteur. Honnêtement.

— C'est ta mère qu'est honnête ! Il t'a demandé autre chose ? »

Le gros nul fit non de la tête. Maggott savait qu'il lui mentait. Il enfonça un doigt dans la poitrine de l'agent.

« Si Billy Afrika reprend contact avec toi, je veux être le premier au courant, compris ?

— Ja, inspecteur », promit-il en souriant comme s'ils étaient potes.

Maggott attrapa le connard par le plastron et le secoua.

« Je rigole pas, ducon. Tu m'avertis tout de suite si tu veux pas faire une semaine de patrouille de nuit au camp de squatters. »

Le sourire disparut. Les flics noirs tombaient comme des mouches dans le campement nègre de l'autre côté de l'autoroute. Un métis n'y aurait pas duré une heure. Maggott relâcha l'agent et repartit vers sa voiture. Au moment où il allait se glisser au volant, il s'aperçut que le gosse avait encore gerbé sur le siège du conducteur.

Il essayait de nettoyer les saletés avec l'édition du *Sun* de la veille lorsqu'il revit la traînée de sang qui partait du corps étendu dans les détritus.

Elle menait à Roxy Palmer.

Et à Billy Afrika, le froussard qui avait épargné l'assassin de son coéquipier.

Il faisait jour quand Roxy s'éveilla. Elle avait mal à la tête, là où le petit trapu l'avait frappée avec le flingue. Rien d'extraordinaire. Pas pire qu'une gueule de bois. Des bribes de la nuit passée lui revinrent à l'esprit. Le rêve. Comment elle s'était dénudée devant Billy Afrika. Pas seulement physiquement, même s'il devait avoir vu tout ce qu'il y avait à voir. Elle l'avait aussi laissé voir sa trouille et sa vulnérabilité, et ça la mettait mal à l'aise.

Il était temps de se réveiller. Elle était vulnérable. Un homme s'était installé chez elle pour la rançonner. Tout ce qu'elle savait de lui, c'est qu'il était différent des deux crapules qui l'avaient menacée. Il était bien plus rusé. Il avait plus de sang-froid. Il était plus dangereux.

Qu'avait-il fait de ces deux minables ? Les avait-il tués ? Il avait un comportement, un certain air, qui lui faisaient penser que c'était possible. Quand il était entré dans sa chambre l'arme au poing, elle avait vu la violence confinée dans son corps balafré.

Elle aurait bien aimé pouvoir lui filer un peu d'argent pour le calmer et s'assurer qu'il n'aille pas discuter avec ses amis flics. Mais la veille, elle avait vérifié l'état du seul compte bancaire auquel Joe lui avait donné accès.

Dans le rouge.

Et le plafond de sa carte de crédit avait explosé.

Elle était condamnée à attendre l'argent de Dick Richardson. Elle savait qu'elle devait prendre les vingt mille dollars et la fuite. Partir pour l'Europe. Faire ce qu'elle avait toujours fait : rencontrer un riche.

Elle avait encore ce qu'il fallait pour.

Mais elle n'avait pas envie de revivre ce cycle infernal. Elle voulait sa liberté. Si elle attendait, elle hériterait d'assez d'argent pour être financièrement indépendante pour la première fois de sa vie. Elle devait donc s'occuper de Billy Afrika. Le garder de son côté. Lui plaire.

Elle s'épaissit les cheveux dans la glace et adressa un sourire amer à son reflet. Merde alors, elle n'avait jamais eu de problème à se faire aimer d'un homme. Elle avait eu plus de problèmes à les repousser.

Elle remplaça le sourire tordu par celui qui avait séduit les objectifs pendant des années. Sain mais séduisant. Avec un soupçon de vulnérabilité.

Voilà qui était mieux.

En enfilant un chemisier et un short, elle sentit une odeur de cuisine. Œufs au bacon. Elle se passa une dernière fois les doigts dans les cheveux et descendit à la cuisine.

Planté devant la cuisinière, Billy retournait des œufs avec une spatule. Vêtu d'un tee-shirt blanc tout propre et d'un bas de survêt. Chaussé de tongs.

Plus aucun signe de ses cicatrices.

« Bonjour, dit-elle. Excusez-moi pour la nuit dernière… »

Il haussa les épaules, les yeux sur la poêle.

« N'y pensez plus. (Il retourna les œufs avant de la regarder.) J'imagine que mon petit déjeuner ne vous tente pas ?

— Pourquoi ?

— J'sais pas. Ça mange pas, les mannequins, si ?

— Je ne suis plus mannequin. (Elle sortit deux assiettes d'un tiroir et les posa sur le bar.) De toute façon, je peux toujours vomir plus tard. »

Il lui adressa un regard vide d'expression.

« C'est une plaisanterie », précisa-t-elle.

Elle prit des couverts et les posa sur la table. Elle vit qu'il avait trouvé le café, il suintait en crachotant du percolateur. Un débrouillard.

Elle lui servit une tasse.

« Vous allez être obligé de le prendre noir. Nous n'avons plus de lait.

— Ça me va. »

Elle sortit une bouteille d'Evian du frigo et s'assit. Il apporta les deux assiettes, en plaça une devant lui et s'assit à l'autre bout de la table. Elle ne mangeait pas d'œufs au bacon normalement, mais elle avait envie de le mettre à l'aise, de trouver ce qui se cachait sous cette carapace balafrée. D'entrer dans le bonhomme et de l'adoucir un peu.

« C'est bon », dit-elle la bouche pleine.

Il acquiesça en se concentrant sur son assiette.

Ils prirent le petit déjeuner en silence. Elle lui jetait des regards de côté. Il mangeait proprement, en se servant de son couteau et de sa fourchette et en s'essuyant la bouche avec une serviette en papier après presque toutes les bouchées. Elle eut l'impression d'être une cochonne en se servant de sa fourchette et en prenant le bacon entre les doigts, les coudes sur la table.

Il termina avant elle, apporta son assiette dans l'évier et se mit à faire la vaisselle.

« Laissez ça, je m'en occuperai, lui dit-elle.

— C'est bon.

— Alors comment ça va marcher ? Votre présence ici ? »

Elle s'approcha de lui avec son assiette ; il avait les mains plongées dans l'eau savonneuse. Elle fit attention de ne pas trop s'approcher. Il n'avait pas l'air d'apprécier la proximité.

« Si vous sortez, je vous accompagne. Si vous restez ici, je reste.

— Vingt-quatre heures sur vingt-quatre, sept jours sur sept ?

— Ja.

— Et si je veux faire un jogging au bord de l'océan ?

— Moi aussi, je sais courir, répondit-il en rinçant une assiette et la plaçant sur l'égouttoir.

— Je suis donc votre prisonnière ?

— C'est ça ou une vraie prison, madame. Vous avez le choix. »

Il s'essuya les mains sur un torchon et sortit.

Poussées par le vent et la poussière, les rumeurs se propagent vite dans les Flats.

Une heure après la découverte du cadavre de Godwynn, le gros cul de sa propriétaire bloquait la porte de chez Disco, le bâtard noir grondant entre ses jambes. Disco était encore au lit, les aboiements le tirèrent de son sommeil.

« Tiens, ils ont descendu ton pote bas-du-cul. Le foncé, dit la proprio. (Il plissa les yeux.) Des gamins l'ont retrouvé près du dépotoir. »

Disco crut qu'il allait être violemment malade et lutta contre la remontée de bile.

Goddy était mort. Il le savait, putain. Il savait qu'il serait le prochain sur la liste.

Il sortit du lit ; la grosse pouffiasse lui mata le cul pendant qu'il enfilait un jean. Il mit des affaires dans un sac en plastique. Il n'avait pas un sou et pas la moindre idée où aller, mais il savait qu'il devait s'enfuir. Il aurait dû le faire la veille au soir, quand Billy Afrika l'avait rattrapé, mais il était à bout de nerfs et il avait eu besoin d'une pipe blanche pour se calmer.

Et après il était tombé dans les pommes.

« Où tu vas ? demanda la grosse.

— En vacances », répondit-il en fourrant son linge sale dans le sac.

Elle rit à travers les trous de ses dents.

« En vacances ? Où ça, bordel ?

— Saldanha. »

C'était le premier endroit qui lui était venu à l'esprit. La baie de Saldanha, sur la côte ouest. Il n'était jamais sorti du Cap, mais il y avait toujours une première fois.

« Merde alors, si tu peux t'offrir des vacances, pourquoi que tu payes pas ton loyer ?

— Je le paierai avant de partir, tantine, c'est promis. »

Il devait maintenant emballer son bien le plus cher. Alors qu'il s'approchait de la photo de sa maman, la grosse garce le bloqua. Elle prit la photo et la décrocha du clou.

« Oh que non, mon petit. Tu me prends pour une demeurée ou quoi ? Je garde ça jusqu'à ce que tu m'apportes l'argent, d'accord ? »

Il s'empara du cadre et essaya de le lui arracher des mains. Elle leva la main et le gifla sur le côté de la tête. Cette salope frappait comme un poids lourd et il tomba sur un genou, les oreilles bourdonnantes. Le chien dansait sur ses pattes minuscules, aboyait et essayait de lui mordre le visage, les yeux exorbités.

« Allez, viens, Zuma. Viens, mon chou. »

La grosse fit trembler tout le *zozo* en se dirigeant vers la porte.

Disco se remit sur pied et la vit se dandiner dans le jardin, le portrait de sa mère dans sa grosse main, le petit chien puant derrière elle.

Maggott traversa Paradise Park et se dirigea vers la décharge. Il roulait toutes vitres baissées ; malgré la poussière et le sable charriés par le vent, la voiture empestait encore le vomi. Avec de forts relents de poisson pané et de glace.

On le traitait d'enculé de première, de salaud et de sale con guignard. Mais personne ne l'aurait qualifié de ripou. C'était un flic intègre. Une espèce rare dans les Flats, où les salaires étaient bas, le boulot dangereux et les tentations incessantes. Il était facile de fermer les yeux pour quelques dollars. Ou de se mouiller plus profondément en portant l'insigne mais en se mettant au service des gangs.

Dieu sait que les mauvais exemples abondaient autour de lui. Le ministre de la police, chef des flics du pays – et à la tête d'Interpol quand il avait été arrêté –, était jugé pour racket. Pour avoir accepté des pots-de-vin de gangsters et de tueurs à gages.

L'épouse de Maggott, cette salope, n'avait jamais compris. Pourquoi devaient-ils vivre dans une location de merde alors que les autres femmes de flics portaient des habits neufs et se vantaient de leurs cuisines sur mesure ? C'était quoi, son problème, nom de Dieu ? Mais Maggott refusait d'être acheté. Il se croyait au-dessus des autres flics corrompus. Il lui fallait seulement une belle affaire qui ferait la une des journaux pour assurer sa promotion.

C'est pour ça qu'il se mettait dans un tel état, surchauffé et gluant, en pensant à la blonde américaine. Et à Billy Afrika qui, Dieu sait comment, trempait dans cette affaire. Le problème, c'est qu'il ne savait pas du tout où trouver le cul cramé de Barbie.

Il l'avait connu à l'époque où il était encore flic, proche de Clyde Adams comme un furoncle sur un cul. Maggott respectait le capitaine Clyde Adams. Il espérait que son aîné voie en lui une âme sœur et le prenne sous son aile. Au lieu de ça, Clyde avait préféré chouchouter Barbie, le faire discrètement pistonner et accélérer son passage éclair d'agent en tenue à la brigade criminelle.

Et qu'est-ce que ça lui avait valu côté remerciements ?

Celui à qui Maggott voulait vraiment parler – non, au cul les bavardages, il voulait lui fourrer son Z88 dans la gorge jusqu'à ce qu'il obtienne la vérité –, c'était Manson. Pour savoir si Billy Afrika trempait dans la mort du 26, Godwynn MacIntosh, et ce que la blonde américaine avait à voir avec tout ça.

Mais Manson était protégé. Intouchable. Un bout du pipeline qui déversait l'argent du tik dans les poches des policiers de haut rang et des hommes politiques locaux.

Maggott devait donc se contenter de bosser avec ce qu'il avait sous la main.

Il était passé chez Disco. Cette tête de con n'était pas dans son *zozo* et la grosse propriétaire, qui avait la même odeur que les poissons panés, lui avait appris que le junkie avait fait son sac. Comme s'il voulait se barrer.

Maggott avait regardé par la fenêtre crasseuse du *zozo* et vu un sac en plastique débordant de vêtements posé par terre. Il avait dit à la grosse garce de l'appeler dès que Disco reviendrait.

« Et qu'est-ce que j'ai à y gagner, moi ? avait-elle demandé.

— Comme d'habitude. Cinquante rands.

— Va jusqu'à cent, mon chou. Le temps d'antenne vaut de l'or. »

Maggott jura dans sa barbe en lui tendant un billet. C'était son budget de cigarettes pour la semaine. Il entendit un rire et vit Robbie ; assis par terre, il jouait avec le petit bâtard maigrichon de la grosse. Pour la première fois depuis des jours et des jours, le gamin avait l'air heureux.

Maggott n'avait toujours pas réussi à contacter sa salope d'épouse. Il n'avait pas les moyens de payer une baby-sitter. Il était orphelin et avait coupé tous les liens avec les débris que sa femme qualifiait de famille. Il était donc obligé de garder le gamin assis devant à côté de lui, alors qu'il descendait Main Road.

Maggott le regarda furtivement et, comme toujours, se demanda comment il avait pu engendrer un machin pareil. Il n'avait rien de commun avec cet enfant. Vu comment sa femme faisait la grue dans tout Paradise Park, c'était sans doute la progéniture d'un autre connard.

« Je veux un toutou, dit Robbie.

— Ja? Quel genre de toutou?

— Comme celui-là.

— C'est pas un chien, ça, c'est un rat. »

Le garçon hocha vigoureusement la tête.

« Même pas vrai. C'est un chien.

— Comment tu le sais?

— J'ai vu ses couilles.

— Et les rats, ça a pas de couilles, peut-être? lui renvoya Maggott en ricanant.

— Pas si grosses.

— J'en parlerai à ta maman et elle t'achètera un putain de chien. »

Le garçon lui décocha un regard méfiant, habitué qu'il était aux promesses non tenues.

« Ja?

— Ja, à condition que tu sois sage, d'accord? »

Le gamin acquiesça. Ils s'arrêtèrent devant chez Doc. On aurait dit que sa cahute s'intégrait progressivement au dépotoir qui la dominait. Elle puait plus que dix putes junkies dans des chiottes publiques.

« Attends-moi ici, j'en ai pas pour longtemps », dit Maggott en descendant de voiture.

Le gamin se mit à gémir, mais son père était déjà parti.

Le flic frappa à la porte du vieil alcoolo et finit par se faire ouvrir.

« Qu'est-ce qui se passe encore? » demanda Doc, les yeux injectés de sang, dans l'entrebâillement de la porte.

Maggott le fit reculer dans sa porcherie. Comme toujours, la télé à écran géant projetait des images tremblotantes d'hommes en blanc qui passaient leur vie à expédier une balle rouge au milieu de nulle part.

« Qu'est-ce qu'il te voulait, hier, Billy Afrika ?

— Il est passé me dire bonjour. Qu'est-ce que ça peut faire ?

— Je te le redemande : qu'est-ce qu'il voulait, bordel de Dieu ?

— Rien. Simple visite, en souvenir des vieux jours. On a regardé un peu de cricket. »

Le regard de Doc était attiré par l'écran, où un lanceur sautait en l'air et se faisait étreindre par ses coéquipiers. Puis ses yeux se tournèrent vers Robbie, qui venait d'entrer et examinait le désordre sordide avec beaucoup d'intérêt.

« Qu'est-ce que c'est que ça ? demanda Doc.

— Mon fils. T'occupe pas de lui. (Il remarqua le regard inquisiteur de Doc.) Sa salope de mère me l'a foutu sur les bras. Tu veux faire du baby-sitting ?

— Non merci. Me suis jamais approché de ces bêtes-là sans un cintre à la main », répondit Doc en riant.

Maggott ne rit pas.

« Barbie t'a acheté un flingue ?

— Pas question. »

Maggott montra Robbie du doigt.

« Pose ton cul et regarde le cricket, tu m'entends ? »

Le gamin fit oui de la tête et Maggott se dirigea vers la cuisine. Doc le suivit en boitant.

« Où tu vas là ? »

La cuisine était aussi crasseuse que le reste de la maison. Cuisinière pleine de casseroles sales, évier débordant d'assiettes dégueulasses. La pièce était dominée par un énorme congélateur que Doc avait acheté au rabais à un marchand de poisson en faillite. Un vieil autocollant se détachait sur le côté :

POISSONNÉMENT.

Il devait puer autant que la matinée de Maggott.

Il l'ouvrit et se pencha. Une odeur putride envahit la pièce et se mesura à celle du dépotoir. Doc tira la chemise de Maggott de ses doigts mous et tremblants.

« Hé ! Mais qu'est-ce que tu fais ? »

Maggott sortit un sac poubelle noir. Il le traîna jusqu'à la table, en défit le nœud et en sortit un bras humain, tranché au-dessus du coude. Un bras de Noir. Congelé. Il fit un bruit sec en tombant sur le bois.

« Dis-moi ce que voulait Billy Afrika, sinon je téléphone au *Sun*. Tu sais qu'ils sont friands de ce genre de merdes. »

Un sujet pareil ferait la une, à tous les coups – avec des titres énormes et d'épouvantables photos en couleurs –, et fuir les fournisseurs de Doc en membres humains.

L'ivrogne hocha sa tête crépue, la respiration sifflante.

Maggott remarqua un mouvement et vit Robbie à la porte, il fixait le bras. Fasciné.

« T'es sourd ou quoi ? Je t'ai dit de regarder le cricket, nom de Dieu. Dégage, maintenant ! »

Robbie jeta un dernier regard au bras avant de s'enfuir. Maggott avait déjà sorti son portable et cherchait un numéro.

Doc leva une main tremblante.

« C'est bon, c'est bon. Calme-toi. Ja, écoute, je lui ai donné un Glock 17, à Barbie.

— Il t'a dit pourquoi il le voulait ?

— Non. »

Maggott empocha son téléphone.

« Tu sais où il habite ?

— Non. Il m'a rien dit, rien de rien. »

Maggott dévisagea Doc et s'aperçut qu'il n'y avait plus rien à tirer du vieux poivrot.

« Si tu revois Billy Afrika, dis-lui que je le cherche. »

Maggott se dirigea vers l'entrée et empoigna son fils par le tee-shirt au passage. Le gamin caressait l'espèce de fourrure de bouffe moisie dans une assiette abandonnée depuis longtemps comme si c'était un chaton.

CHAPITRE 18

En courant, Billy sentait la friction du Glock contre ses cicatrices et savait qu'il aurait une ampoule en revenant à la maison de Bantry Bay. Les prestations de Doc ne comprenaient pas les étuis et Billy avait dû improviser. Il portait la ceinture qu'il utilisait en Irak pour y mettre l'argent, bien serrée autour de la taille et dissimulée par son pantalon de survêt et son tee-shirt. Il avait glissé le Glock sous la ceinture, contre la peau. Pas idéal, mais il ne pouvait pas faire mieux. Il était hors de question de sortir sans flingue.

« Ça va ? lui demanda Roxy sans briser sa cadence.

— Ça va. »

Merde alors, il n'allait quand même pas lui avouer qu'il en bavait.

« Dites-le-moi si je vous pousse trop. »

Elle parlait d'une voix facile, pas essoufflée. Avec un soupçon d'amusement.

Pour toute réponse, il accéléra en essayant de vaincre la douleur. Elle le rejoignit tranquillement et s'aligna sur son pas.

Il s'était attendu à un petit jogging, celui que les femmes font semblant de confondre avec une vraie séance d'exercice, mais elle l'avait surpris. Elle courait dur, en portant ses vêtements tachés de sueur de la même manière qu'elle avait dû porter des tenues de haute couture dans les défilés. Elle était mignonne, c'était indéniable. Belle, même. Et il avait vu un peu trop de son corps la nuit précédente. Il en écarta l'image.

Nom de Dieu, c'était elle, son actif. Un morceau de bidoche qu'il devait garder en vie jusqu'à ce qu'il touche son fric. Rien d'autre.

Il se mit à penser à son propre corps, plutôt qu'à celui de Roxy.

Enfant, il était assez bon sprinter – une nécessité là où il avait grandi –, mais maintenant il s'entraînait en salle. Il n'avait donc pas l'habitude de courir de cette façon et quand ils arrivèrent à la plage, il avait les muscles des jambes tendus et un point de côté qui le poignardait juste sous la cage thoracique.

Il essaya de s'en débarrasser en respirant.

Il entendit d'abord la musique, le boucan frénétique et le banjo des Cape Flats. Puis il vit un groupe d'hommes en costume satin de couleur vive, le visage grimé, en canotier et haut-de-forme, qui jouait devant un petit attroupement au bord de l'eau. Les musiciens terminèrent la chanson sous des applaudissements enthousiastes. Un homme ôta son canotier et le fit passer pour récolter des pièces, avant d'enchaîner sur un autre air.

« Qu'est-ce qu'ils font ? demanda Roxy en s'arrêtant, même pas essoufflée.

— Ce sont des minstrels, ils sont partout à cette époque de l'année. Il y en a des milliers dans les Flats, ils organisent des compétitions, des défilés. Ils appelaient ça le Carnaval négro dans le temps, mais c'est plus politiquement correct de nos jours.

— On dirait des oncles Tom grimés en noir.

— Ja. Il y a un rapport. Écoutez ce qu'ils chantent. »

Il jouait la montre, voulait se donner le temps de chasser la douleur en respirant.

Elle tenta de saisir quelques paroles.

« Une histoire d'Ali Baba ?

— Pas loin, répondit-il en riant. Allie-bama. *Alabama*, quoi.

— L'État d'Alabama ?

— Non, c'est le nom d'un navire de guerre américain qui a mouillé ici il y a plus de cent ans. Pendant votre guerre de Sécession. Il y avait apparemment des ménestrels noirs, des "minstrels", à bord. Et leur allure, avec les costumes et tout, c'est devenu une espèce de tradition ici. »

Les banjos se déchaînant comme des coqs de combat, Billy crut sentir dans sa gorge la poussière qu'il avait avalée en courant à côté des minstrels dans une rue de Paradise Park, quand il avait dix ans, en laissant la musique, les couleurs vives et les danses le transporter loin de l'appartement de ghetto qui empestait les pipes blanches et les fluides corporels de sa mère.

Quand il revint au présent, il remarqua que Roxy le dévisageait en joggant sur place, sa queue-de-cheval marquant la mesure.

« J'imagine que vous avez grandi avec ça ?

— Ja. Certains des clients de ma mère étaient des minstrels.

— Qu'est-ce qu'elle faisait, votre mère ?

— C'était une pute. »

Il cherchait à la choquer.

Roxy cessa de trotter et lui lança un regard indifférent.

« Elle, elle se faisait payer, au moins. La mienne le faisait gratis. »

Elle rit et il se joignit à elle.

« Où elle est maintenant, votre mère ? demanda-t-elle.

— Morte.

— Désolée.

— Inutile. Je ne le suis pas. Et la vôtre ? Morte aussi ?

— Non, pire. Aux dernières nouvelles, elle vit à Daytona Beach en Floride, avec un taxidermiste. »

Elle se remit à courir, attendit qu'il la rejoigne puis accéléra. Ils passèrent devant la piscine, vers le phare. La douleur sous sa cage thoracique était comme une lame brûlante et les muscles de ses mollets commençaient à hurler. Il vit qu'elle le regardait, un éclat amusé dans ses yeux bleus. Il y alla encore plus fort, poussa dans la douleur. La douleur, il comprenait. La douleur, il pouvait lui faire confiance.

Ils s'approchaient de Rocklands Beach. Un attroupement s'était formé autour de la balustrade et les gens regardaient le sable en contrebas. La plage était fermée par un ruban de scène de crime qui bourdonnait dans le vent et les flics essayaient de repousser les badauds bronzés.

Billy ralentit.

« Attendez-moi ici, dit-il. Je vais voir ce qui se passe. »

Trop heureux de pouvoir reprendre son souffle.

Elle le vit rejoindre les flics en tenue. Elle savait qu'il en bavait. Sa balafre devait le démanger et brûler comme pas possible, et elle l'avait vu ajuster le pistolet à sa ceinture.

Elle avait pris plaisir à le voir souffrir. À savoir qu'elle le poussait. Elle voulait faire éclater sa bulle de sang-froid. La certitude qu'il avait de pouvoir envahir son monde sans lui laisser d'autre choix que de la fermer.

Il était différent de la plupart des hommes qu'elle avait rencontrés. De ceux qui la voyaient et la désiraient aussitôt. Elle, ou ce que leur imagination limitée voyait en elle. Une belle toile sur laquelle projeter leurs fantasmes. Pendant près de vingt ans, elle avait peuplé sa vie des Joe Palmer et Dick Richardson de ce monde. D'hommes riches, toujours plus âgés qu'elle et qui utilisaient l'appât de leur argent pour la glisser à leur bras et dans leur lit.

Mais Billy Afrika s'en foutait complètement. Il ne l'avait pas draguée et quand il l'avait regardée, ses yeux n'avaient pas eu le réflexe de calculer sa « baisabilité », comme disait Joe. Tout ce qu'il voulait, c'était son argent. Il n'avait pas cillé en lui annonçant qu'il savait qu'elle avait tué Joe. L'aiguille n'avait pas bougé au compteur. Il était resté calme, détaché.

Elle le vit discuter avec deux flics métis. Ils rigolaient tous les trois en regardant la plage par-dessus la rampe.

Elle fut saisie d'une terreur soudaine et primitive, le fin duvet sur sa nuque se redressant comme des antennes. Elle se retourna et vit la sans-abri de la veille avec son caddie de supermarché qui l'observait sous un arbre maigrichon. Roxy essaya de soutenir son regard pour lui faire baisser les yeux, mais la Noire ne céda pas.

« C'est juste une folle avec un caddie enguirlandé », se dit-elle. Mais sa manière de l'embrocher du regard lui donnait la chair de poule.

« Y a eu un meurtre. »

Roxy se retourna, soulagée de voir Billy arriver.

« Que s'est-il passé ? »

Il haussa les épaules et rit à moitié.

« Écoutez, on dirait une blague d'un goût douteux, mais ils ont retrouvé le corps d'une blonde. Sauf qu'il lui manque la tête. »

CHAPITRE 19

Maggott roulait dans Paradise Park lorsque le crâne écrabouillé de Godwynn MacIntosh lui revint à l'esprit. Il se représenta Billy Afrika avec un Glock 17. Il y avait forcément un lien. Il pesta de ne pas avoir accès à la police scientifique.

« Putain de république bananière dirigée par des macaques ! »

Cela signifiait que lui aussi devait passer en mode primitif, s'accrocher aux arbres et les secouer comme un taré. Pour voir ce qu'il en tomberait. Il s'arrêta devant une maison de Hippo Street, du côté de Dark City. Rien de clinquant, mais elle se démarquait des autres : une BM neuve était garée dans l'allée et une parabole se dressait sur le toit. La peinture de la maison était fraîche et la clôture barbelée ne s'affaissait pas comme une paire de vieux nichons.

Manson bénéficiait de la protection de la police, mais pas son ennemi des 28, Shorty Andrews. Le grand chef des 28, un musulman avec une énorme villa à Constantia – vignes, chevaux et de l'argent si vieux qu'il puait –, avait fini par être trahi par un sous-fifre ambitieux. Le musulman attendait son procès à Pollsmoor et aucun deal de protection n'avait encore été conclu avec son successeur.

Il y avait une faille et Maggott comptait bien s'y faufiler.

Il entrouvrit la portière et agita un doigt sous le nez de Robbie.

« Attends-moi ici. Et t'as intérêt à m'obéir. »

Robbie hocha la tête, tout en observant un gamin de son âge en maillot de bain jaune qui sautait dans une petite piscine gonflable dans le bazar du jardin. Maggott franchit le portail et s'approcha de la porte. Elle s'ouvrit avant qu'il ait le temps de frapper. Il se fit zieuter par un voyou d'une petite vingtaine d'années en débardeur et jean baggy qui ne tenait que par le gonflement de ses couilles. Ses bras maigrichons affichaient fièrement de nouveaux tatouages des 28. Tatouages de rue, pas de prison. Il n'était pas encore diplômé.

On l'appelait Teeth, « Dents ». Parce qu'il ne lui en restait pas une.

Teeth le reconnut et ses petits yeux rendus vitreux par le tik glissèrent sur lui.

« Ja?

— Va dire à Shorty que je suis là.

— Si je veux. »

Maggott était un de ces maigrichons qui frappaient bien au-delà de leur poids. On apprenait ça jeune dans les Flats. Quand il plongea son poing dans l'abdomen de Teeth, il le fit avec conviction. Le voyou s'effondra, Maggott l'écarta et entra.

Shorty Andrews et deux autres types étaient avachis devant un écran LCD de la taille d'un panneau d'affichage, sur lequel ils regardaient des rediffusions de matchs de foot anglais. Un nuage de fumée flottait dans la pièce. Un jeune enfant sur les genoux, Shorty se bourrait une pipe d'herbe et de Mandrax. Le bambin tenait une fausse pipe dans son petit poing serré et imitait son père.

Shorty leva les yeux de sa préparation.

« Bordel, mais qu'est-ce tu veux, Maggott?

— Viens me parler dehors. »

Maggott ressortit. Il remarqua que la portière passager de sa Ford était ouverte et que la voiture était vide. Il se tourna vers la piscine et il lui fallut un moment avant de comprendre et d'accourir. Le gamin en maillot tenait la tête de Robbie sous l'eau et les pieds de son fils battaient comme des fous.

Maggott poussa le gamin de côté et sortit son fils de la piscine. Il toussait et crachait en suffoquant. Maggott leva la main pour flanquer une bonne claque sur l'oreille du petit merdeux en maillot.

« Tu touches à mon fils et je te descends », lui lança Shorty du haut de son un mètre quatre-vingt et plus en traversant la cour.

Maggott baissa la main. Il poussa Robbie.

« Va m'attendre dans la voiture. »

Le gamin dégoulinant traversa la pelouse pelée en toussant et pleurant.

Shorty saisit son fils et le tint sous un bras. Et embrassa la petite brute sur le front.

« Dépêche-toi de parler, Maggott, puis barre-toi d'ici.

— T'as vu Billy Afrika depuis hier ? »

Shorty fit non d'un signe de tête.

« Qu'est-ce que j'en ai à chier, de lui ?

— Il a traîné dans White City avec un Glock, il cherchait un 26 et l'épouse de ton pote Piper.

— Piper n'est pas mon pote. Et pourquoi je m'intéresserais à un 26 ?

— Trop tard, de toute façon. Il est cuit.

— Et l'épouse ?

— Elle planque son cul élastique. »

Shorty haussa les épaules.

Maggott leva les yeux sur le balèze.

« Le cessez-le-feu que t'as négocié avec Manson…

— Ja ?

— Réfléchis, Shorty. Combien de temps tu crois qu'il va durer avec un 26 qui porte sa cervelle comme un béret et cet enculé de Barbie qui se balade avec un flingue pour remuer tout le bordel du passé ? »

Shorty le regardait, impassible comme un bouddha. Mais il écoutait. Maggott tendit le pouce et le petit doigt pour lui faire signe de lui téléphoner et regagna la voiture. Robbie pleurnichait sur le siège passager, la morve lui dégoulinant du nez en stalactites.

Maggott démarra le moteur.

« Ah, ta gueule ! C'était qu'un peu d'eau. »

En partant, il jeta un coup d'œil dans le rétroviseur et vit Shorty. Son fils dans les bras, il regardait partir la Ford.

Maggott commençait à semer la pagaille.

Lui et le vent dans la poussière.

Piper portait des menottes et des fers aux pieds, les chaînes traînant derrière lui et chuchotant sur le béton comme une légion de morts.

Deux gardiens en tenue marron l'accompagnaient ; un autre les suivait. Leurs grosses godasses tambourinaient tandis qu'ils guidaient Piper dans l'énorme prison conçue pour quatre mille détenus et qui en abritait deux fois plus. Chaque fois qu'ils arrivaient à une porte, le gardien de gauche la déverrouillait avec une clé de son trousseau, laissait passer le cortège et refermait derrière eux.

Il était plus de seize heures, après la fermeture, les couloirs étaient donc vides. Mais les bruits et la puanteur suintaient à travers les portes en acier massif des cellules communes. Du rap. De la côte Est en territoire 28. De la côte Ouest dans les cellules des 26. Cris, gémissements, rires. Les télés branchées sur Oprah. La puanteur de la mauvaise bouffe et des corps sales. L'odeur aigre-douce du Mandrax, du tik et de l'herbe. Les gardiens se fichaient que les détenus se droguent. Le temps qu'ils ouvrent la cellule et tout serait planqué. Sous des matelas, dans des vêtements. À l'intérieur même du corps des hommes.

Ils quittèrent l'aile de haute sécurité et pénétrèrent dans un couloir de l'administration. Un garde frappa à l'une des portes, l'ouvrit et fit signe à Piper d'entrer.

Un homme était assis au bureau d'une pièce anonyme, sans autre décoration qu'un calendrier montrant des fleurs sauvages du Cap. L'homme portait le même uniforme que ceux qui escortaient Piper. Mais il était plus âgé et avait plus d'ancienneté.

Il leva les yeux sur Piper.

« Johnson. »

Rashied Johnson. Son nom presque oublié. Piper ne répondit rien, se contenta de fixer l'homme couleur bouse dans son uniforme couleur bouse.

« J'ai le devoir de vous informer que vous êtes cité à comparaître au tribunal demain. Pour témoigner dans l'affaire Bruinders. »

Bruinders : un gardien stagiaire tué à coups de poignard dans la cour de gym. Piper n'avait pas joué un rôle direct dans l'affaire, mais il l'avait orchestrée. Un jeune se faisant initier par le sang chez les 28, il lui avait ordonné de poignarder le gardien. Il ne pensait pas que ce serait fatal, simple blessure pour faire couler le sang de l'initiation. Mais le jeune avait perdu les pédales et tué le gardien. Il était maintenant jugé pour meurtre.

« J'ai rien vu, dit Piper.

— Tu pourras le dire au tribunal.

— Je leur dirai rien. »

D'un geste désabusé, le gardien chef fit signe à Piper de s'en aller, les autres ouvrirent la porte, il reprit la longue route du retour. Un retour dans les longs couloirs sombres et sonores, les fenêtres perchées comme des meurtrières offrant des fragments de la lointaine montagne de la Table resplendissante sous la chaleur du soleil.

Piper savait que ces hommes se fichaient que les flics le traînent au tribunal du Cap comme un animal enchaîné alors qu'il resterait silencieux au banc des témoins. C'était déjà arrivé avant. Mais cette fois-ci, il n'irait même pas jusqu'au tribunal.

On venait juste de donner à Piper la possibilité de s'évader.

CHAPITRE 20

Roxy se tenait sur la terrasse, le vent chaud jouait avec les pointes de ses cheveux. Bantry Bay était abritée, mais des rafales du sud-est parvenaient à passer. Elle baissa les yeux sur la piscine, qui avait viré au vert marécageux, la ligne où l'eau était censée se fondre dans le ciel n'ayant plus rien de flou. Il ne manquait plus que quelques alligators en train de prendre le soleil sur les marches. L'agent d'entretien qui avait l'habitude de venir une fois par semaine n'était pas passé et il n'y avait plus Joe, le soir, pour traîner sa bedaine autour du bassin en balançant des produits chimiques dans l'eau.

Billy apparut entre les portes coulissantes.

« Y a un Dick qui voudrait vous voir », dit-il sans la moindre expression.

Il rentra. Roxy le suivit et trouva Dick Richardson dans le salon à regarder le désordre que Roxy n'avait pas encore pris le temps de nettoyer.

« On change la déco ? »

Il lui décocha un sourire, mais il avait les traits tirés. Il y avait une tache de nourriture sur sa cravate Armani.

Roxy l'avait appelé un peu plus tôt et pressé de lui procurer de l'argent. Il l'avait assurée que c'était sa priorité, mais d'un ton distrait. Pourtant il était venu.

« Quelle surprise, Dick », lui dit-elle en le gratifiant de son plus beau sourire.

S'il apportait l'argent, il le méritait.

Billy montait l'escalier qui menait à sa chambre. Dick le suivit des yeux.

« Qui est ce type ?

— Un des employés de Joe. Un garde du corps. Il reste ici.

— Bonne idée. (Il releva sa manchette et consulta sa Rolex.) Ça vous dit d'aller manger un morceau à Camps Bay ? »

Ce bon vieux Dick, il ne ratait jamais une occasion de tenter sa chance. Mais le cœur n'y était pas.

« Merci, mais je suis fatiguée.

— Bien sûr. (Il hésita, tira sur son col.) Il y a une chose que je voulais vous demander, Rox…

— Quoi ?

— L'ordinateur portable de Joe… Vous pensez que je pourrais l'emprunter pendant un ou deux jours ? J'ai besoin de recopier certains renseignements pour sa succession.

— Désolée, mais il a été volé. »

Il eut l'air secoué.

« Quand ça ? »

Elle lui donna une version épurée du cambriolage. Il la dévisagea.

« Punaise, Roxanne. Quelles journées terribles !

— Ben oui, mais qu'est-ce qu'on dit déjà : "À la guerre comme à la guerre" ? »

Elle adopta une intonation un peu campagnarde, écorcha un peu son accent. Puis elle lui prit le bras et l'accompagna vers la porte en inspirant un relent de son après-rasage assassin.

Une fois dehors, elle s'approcha de sa Range Rover, se pencha vers lui et lui demanda d'une voix douce :

« Dick, où en est-on avec l'argent ?

— Je n'ai pas oublié, Rox. Donnez-moi un ou deux jours, d'accord ? »

Il sourit. D'un sourire qui n'arriva pas jusqu'à ses yeux. Elle eut un mauvais pressentiment.

« Faut que je file. (Il joua avec des pièces de monnaie dans sa poche.) Bon, à demain, je vous verrai aux obsèques. (Il remarqua son expression.) Vous n'étiez pas au courant ? »

Elle hocha la tête.

« Personne ne m'a avertie. »

Il eut l'air embarrassé.

« Eh bien, c'est à l'église catholique de Claremont. À trois plombes.

— Merci. »

Le sentant sur le point de lui planter une bise sur la joue, elle recula. Il monta dans sa voiture et partit. Elle attendit que le portail se referme, après quelques ratés, puis elle traversa la maison et ressortit sur la terrasse. Elle entendit Billy derrière elle.

« Vous vous y connaissez en piscine ? lui demanda-t-elle avec un sourire hésitant.

— J'ai grandi dans les Flats, madame. Notre idée d'une piscine, c'était une grosse flaque d'eau sale. »

C'était reparti pour les « madame ».

« Arrêtez de m'appeler "madame", bon sang. J'ai horreur de ça. Appelez-moi Roxy.

— D'accord. (Une pause.) Mais je préfère Roxanne.

— Si ça peut vous faire plaisir… (Agacée par le vent qui lui fouettait les cheveux dans les yeux, elle essaya de les écarter de son visage.) Au fait, je peux savoir pourquoi vous n'aimez pas Roxy ?

— Ça fait… J'sais pas. Commun.

— Merci. (Amusée, malgré elle.) Bon, si on veut faire plus distingués, je devrais peut-être vous appeler William.

— Vous pouvez. Mais c'est pas mon nom.

— Billy n'est pas le diminutif de William ?

— Pas sur mon extrait de naissance, en tout cas. J'y suis inscrit comme Billy Afrika. Point final. »

Elle s'en alla en haussant les épaules. Elle fut arrêtée par sa voix.

« Le type en costard… il vous a parlé de l'argent ?

— Joe a peut-être de l'argent planqué quelque part. Je le saurai dans un ou deux jours. »

Il l'observait attentivement.

« J'aimerais pas penser que vous me racontez des conneries, Roxanne.

— Je ne vous en raconte pas, d'accord? (Elle s'éloigna pour échapper aux rayons X de ses yeux verts.) Dick m'a dit que l'enterrement de Joe est prévu demain. Je ne sais pas si je peux y aller. Étant donné les circonstances…

— Vous y allez. (Il la fixa.) Quand un homme meurt, sa veuve va à l'enterrement. Si elle y va pas, les gens se mettent à poser des questions. Et on n'a pas besoin de ça. Compris?

— Oui, je comprends. »

Billy repartit dans la maison.

Le vent mourut subitement et dans le calme qui suivit, Roxy entendit le grondement de moteurs à réaction. Dans le ciel obscurci, elle vit une trace blanche qui s'étalait et se dissipait tandis que l'avion disparaissait vers le nord.

Elle aurait voulu être à bord.

Disco se rongeait les sangs. Il était tellement flippé que le simple geste de placer la meth dans la pipe devenait une mission périlleuse. Ses mains tremblaient, pas seulement à cause du manque, mais aussi sous l'effet de la peur qui baise le cerveau. Il était dans son *zozo*, dans le noir, porte verrouillée, lumières éteintes. Il se terrait sous l'emplacement vide de la photo de sa mère et forçait ses doigts à lui obéir pour essayer de fourrer la poudre dans la pipe, à l'aveuglette.

Il avait traîné les rues et réussi à soutirer trente billets pour acheter une paille de tik dans Sunflower Street. Le dealer, Popeye, menait ses opérations dans une caravane rouillée posée sur ses axes dans la poussière d'un terrain vague. Peinture qui s'écaille, balafrée de graffitis de gang, comme des tatouages sur la peau d'un vieillard.

Popeye avait un faible pour son produit et il était aussi maigre qu'un supermodèle brésilien, ses pommettes ratatinées sur des gencives qui claquaient, ses dents depuis longtemps sacrifiées au tik. Dans la caravane, une radio était branchée sur une station de hip-hop et là, en tortillant du cul, il avait empoché le fric de Disco et lui avait tendu la paille remplie de meth, le plastique fondu scellant les deux bouts.

« Il paraît que Manson te cherche, frangin. »

Comme beaucoup de ce côté de Paradise Park, Popeye avait vendu son âme aux Americans.

« Ja ? Il sait où me trouver. »

La tentative de bravade de Disco était tombée à l'eau.

Popeye avait ri.

« Je te conseille de pas attendre qu'il vienne te chercher. Sinon il risque de te donner un baiser d'adieu comme celui qu'il a donné à ton pote Godwynn. »

Popeye avait fait un bruit de baiser humide avec sa bouche édentée. Il avait ri, encore, et balancé un glaviot à côté des baskets Chuck Taylor de Disco.

« Montre un peu de respect. Va lui parler. »

Disco avait pris sa paille et s'était empressé de rentrer chez lui au crépuscule en se félicitant que la plupart des réverbères de White City soient cassés, l'intérieur éventré pour y récupérer le cuivre. Les phares des voitures défilaient comme des viseurs de revolver sur son dos.

Mais il était en sécurité maintenant, dans son *zozo*. Dès qu'il aurait fumé, son esprit redeviendrait vif et serein, il saurait comment régler la question Manson. Et comment récupérer la photo de sa maman. Il réussit enfin à bourrer sa pipe. Dut risquer la lumière furtive d'une allumette, et guida la flamme vers la poudre, déjà il sentait le rush monter en lui.

Quand la porte se fracassa, il laissa tomber la pipe et l'allumette s'éteignit. Il vit une forme s'approcher de lui, puis une lourde chaussure le frappa à l'abdomen. Par terre, visage écrasé contre le plancher rugueux, la bile lui remonta à la bouche. L'ampoule nue qui pendait au plafond l'aveugla soudain et il put voir la chaussure qui l'avait frappé : un soulier noir à bout pointu. Pas le genre de tenue que Manson et ses hommes affectionnaient.

Il leva la tête, un filet de bave reliant sa bouche au plancher. Le flic, l'affreux avec des boutons lui paraissait flotter. Il tenait sa pipe à la main.

« C'est quoi, cette merde ? »

Dans les Flats, la question était certainement de pure forme.

Le flic lui passa les mains dans le dos sans ménagement, puis Disco sentit l'acier froid des menottes autour de ses poignets.

CHAPITRE 21

Maggott avait emmené Robbie manger un hamburger dans un MacDo, l'heure était tardive pour un gamin de cet âge. Ils choisirent une table près de la fenêtre et il observa les putes junkies de Voortrekker Road, qui trébuchaient comme des zombies dans la nuit. Robbie avait le nez bien enfoui dans son double fromage.

Maggott crevait d'envie de fumer, mais il était devenu impossible de s'installer dans la salle fumeur avec un enfant. Y avait des putains de lois contre tout dans cette soi-disant nouvelle Afrique du Sud. Des lois mesquines pour punir le mec qui avait envie d'une clope alors que les assassins et les pédophiles se baladaient en toute liberté.

« Où est ma maman ? » demanda Robbie, le visage couvert de sauce barbecue couleur de sang coagulé.

Maggott se pencha et lui essuya la joue avec une serviette en papier.

« Elle est malade. Tu vas rester avec moi quelques jours de plus, d'accord ? »

L'enfant semblait indécis, mais il acquiesça et enfourna une poignée de frites dans sa bouche déjà pleine.

La femme de Maggott l'avait appelé plus tôt. Elle était à Atlantis avec le nouveau mec qu'elle se tapait. Impossible de ne pas rire : l'homme d'Atlantis. Si les Flats étaient durs, Atlantis c'était l'enfer. Un ramassis de cabanes et de taudis qui pourrissaient sur la côte ouest. Cette salope savait vraiment les choisir. Il lui avait demandé quand elle comptait rentrer, elle avait répondu qu'elle allait se fiancer. Elle avait raccroché avant qu'il ait pu lui rappeler qu'il faut divorcer avant de pouvoir se fiancer.

Il avait rappelé, et était tombé sur sa boîte vocale. S'il y avait pire que la voix de son épouse, c'était sa version enregistrée. Elle affectait un accent traînant à l'américaine aussi sophistiqué que deux chiens baisant dans la poussière.

La merde, c'est qu'il l'aimait encore, cette salope.

Robbie lui tirait la manche.

« Papa, je veux un milk-shake au chocolat.

— Mon cul, ouais, tu vas encore gerber. Allez, on y va. »

Il se leva et sortit, Robbie se dépêchant de le rejoindre.

En traversant Voortrekker Road vers le bâtiment trapu de Bellwood South, Robbie plaqua sa main collante dans celle de son père. Une pute junkie accrochée à un lampadaire les reluqua.

« Tarif spécial fête des pères. »

Maggott étouffa un rire.

Il laissa Robbie avec la fliquesse grincheuse de l'accueil et traîna Disco de Lilly dans une salle d'interrogatoire. Il était temps de voir s'il était prêt à parler.

Ses tremblements étaient assez forts pour faire cliqueter les menottes que le flic boutonneux lui avait passées. Assis à la table de la salle d'interrogatoire, Disco essayait de rester calme et de fermer sa gueule. Il se disait que le flic ne pouvait pas le garder plus d'une nuit à cause du morceau ridicule de tik pour lequel il l'avait arrêté. Il lui suffisait de rester courtois et de garder son sang-froid.

Le flic fumait une Camel et le regardait comme s'il était une crotte de chien.

« Disco, mon pote, parle-moi.

— D'quoi ?

— Raconte-moi ce qui s'est réellement passé dans la montagne la nuit où vous avez braqué la Mercedes.

— Quelle Mercedes ? »

La gifle fit reculer sa chaise. Mais il ne sentit presque rien. Son corps tout entier le démangeait, fébrile, ses articulations réclamaient une dose à grands cris.

« Et explique-moi aussi pourquoi ton pote le *bushman* a pris une balle dans la tête. »

Disco lécha ses lèvres desséchées.

« J'en sais rien. Je vous jure. »

Le flic sortit la pipe de Disco de sa poche. La posa sur la table. Puis il fouilla dans sa veste et en ressortit – parole d'honneur ! – une paille de tik.

« Bon, écoute-moi bien, Disco. Tu me parles et je te donne ça. (Il tenait la paille si près de lui que Disco sentait la poudre amère sur sa langue.) Je suis sérieux. Tu peux la fumer ici même et te retrouver bien *stoned* et tranquille. J'en soufflerai pas un mot. Qu'est-ce t'en penses ? »

Disco fixait la meth. Les menottes cliquetaient sur la table et les araignées lui sortaient des oreilles et lui entraient dans les yeux. Toutes les extrémités nerveuses de son corps passaient au chalumeau. Il était prêt à tout déballer, le mot magique « oui » se formait déjà sur sa langue pâteuse quand il vit que ce n'était plus le flic qui était assis en face de lui.

C'était Piper.

Ses dents pourries lui souriaient, les larmes tatouées dégoulinaient sur ses joues. Il attendait qu'il parle.

« Le con de ta mère. »

Voilà ce que répondit Disco.

Une lourde porte se referma derrière lui en claquant. Le loquet s'abaissa et il écouta le flic s'en aller. Il était seul dans une cellule de Bellwood South, isolé des détenus des autres piaules. Il avait entendu leurs sifflets et leurs cris quand le flic en tenue l'avait accompagné dans le couloir. Allongé sur le matelas crasseux, il tremblait si fort sous l'effet du manque qu'il ne sentait même pas les punaises et les poux qui grouillaient sur son corps. Il était à nouveau dans l'engrenage. Il savait où il allait finir s'il ne la fermait pas.

Au même endroit que deux ans auparavant.

Une autre lourde porte avait claqué derrière lui dans une cellule commune surpeuplée de la prison de Pollsmoor. Condamné à trois ans pour cambriolage et trafic de meth.

Il était dans la section D, en territoire 28.

Disco avait été accueilli par des bruits de succion et de sifflets. Dans la brume de fumée de tik, il avait vu des hommes accroupis par terre. D'autres allongés dans des lits superposés. Ils le dévisageaient. Faisaient des bruits de baisers. Il savait ce que ça voulait dire. Les bruits de succion s'étaient amplifiés. Suivis de rires moqueurs. Il était encerclé, les hommes lui avaient arraché ses vêtements, leurs mains rugueuses sur son corps nu.

Un corps qui n'était pas encore marqué de tatouages.

Un homme lui avait lancé une serviette sale.

« Mets ça. »

Il se l'était nouée autour de la taille comme une minijupe. Elle ne lui couvrait même pas les couilles.

« Ah, la jolie pute ! »

Un maigrichon, de la taille d'un singe, avait sauté sur un lit et lui avait attrapé le visage. L'homme-singe avait un morceau de betterave rouge cuite à la main, le jus lui tachait la paume d'une couleur sang. Il l'avait pressée sur les lèvres de Disco, le fardant comme une putain.

« Jolie, jolie pute. »

L'homme-singe s'était écarté en ricanant et sautillant.

Des mains l'avaient poussé par terre. Quand il s'était mis à hurler, on lui avait enfoncé un chiffon dans la bouche. Il s'était tortillé, débattu, mais les prisonniers l'avaient tenu. Dix-sept hommes avaient défilé sur lui l'un après l'autre, par terre, contre les lits superposés. La douleur était au-delà de tout ce qu'il aurait pu imaginer. Une cordelette de Nylon, fil à linge improvisé, partait des barreaux de la lucarne jusqu'au sommet des lits et les combinaisons orange dansaient comme des hommes creux au rythme de leurs coups de reins.

Le lendemain, alors qu'il revenait en boitant des douches où il avait essayé de se nettoyer de ce qu'il avait subi, il avait su que tout recommencerait dès la fermeture des portes, à seize heures.

Il avait remarqué le regard d'un homme, qui restait parfaitement immobile, tandis que les autres prisonniers le contournaient comme de l'eau vaseuse autour d'une pierre. Les tatouages lui encerclaient les bras et dépassaient du col de sa combinaison. Mais plus déroutant encore, des larmes noires coulaient de ses yeux rivés sur lui, fascinés par la beauté maudite de Disco.

Piper l'avait suivi dans son lit. Les 28 avaient approuvé docilement quand il leur avait ordonné d'aller chercher les affaires de Disco et de les apporter dans sa cellule, d'où il avait chassé le détenu du lit voisin. Piper s'était allongé, son visage tatoué contre le sien, et l'avait violé cette nuit-là et toutes les autres nuits pendant les dix-huit mois précédant sa remise en liberté conditionnelle.

Quand il ne le violait pas, Piper passait des heures et des heures d'adoration cruelle et obsessionnelle à déchirer la peau de Disco avec une lame et une aiguille, épongeant son sang avec un chiffon, le marquant avec une concentration féroce. Tout un réseau de tatouages noirs tracés en filigrane dans une douleur insoutenable. Qui avait culminé avec le nom Piper tatoué dans son dos et disparaissant dans la courbe de ses fesses.

À la fin de chaque séance, Piper souriait, dévoilant deux fausses dents, un « 2 » gravé en or sur la première, un « 8 » sur l'autre.

« Superbe », avait-il commenté en admirant son œuvre.

CHAPITRE 22

Roxy sortit la Stoli du congélateur et s'en versa un verre. Parfait. Elle sentit la brûlure de l'alcool glacé lui couler dans les entrailles. La bouteille et le verre à la main, elle alla jusqu'au salon où elle avait mis un disque des premières chansons de Chet Baker. Après la razzia des gangsters, il ne lui restait plus qu'un lecteur de CD portable aux haut-parleurs merdiques, mais elle avait besoin de musique pour combler le silence de la maison.

Elle s'allongea sur le canapé et regarda la nuit, tandis que la vodka et *Old Devil Moon* de Chet Baker l'aidaient à se relaxer un peu. Le jeune Chet avait encore sa voix aiguë et féminine, bien avant que l'héroïne la casse et l'éraille comme celle d'un *hobo*[1].

Elle vit le reflet de Billy Afrika descendre l'escalier dans la vitre des portes coulissantes, il avait enfilé une chemise toute propre et un Levi's. Ses cicatrices étaient invisibles.

Elle ne l'avait pas entendu de la soirée, il avait gardé sa porte fermée.

« Salut, lui dit-elle.

— Salut. »

Il passa devant elle pour aller dans la cuisine. Elle entendit la porte du frigo s'ouvrir et claquer. Il revint, une bouteille d'eau à la main.

---

1. Mot désignant un vagabond qui se déplace à travers les États-Unis en sautant dans les trains de marchandises.

Elle s'assit, leva le litre de Stoli froid sous ses doigts.

« Vous voulez un verre ?

— J'ai ce qu'il faut, répondit-il en tapotant la bouteille d'eau.

— Vous voulez vous asseoir ? »

Il hésita, puis il haussa les épaules et la surprit en s'asseyant en face d'elle, sans lâcher sa bouteille. Il lui montra le lecteur de CD d'un mouvement du menton.

« C'est qui, cette chanteuse ? »

Elle rit.

« C'est pas une chanteuse. C'est Chet Baker. »

Il hocha la tête.

« Avant votre époque.

— Vous aimez ces crooners vieux jeu ?

— Il y a des années, j'ai posé pour un photographe qui avait connu Chet. Il a joué sa musique dans le studio. Comme il a vu que j'appréciais, il m'a donné le CD.

— Ça vous manque ?

— D'être mannequin ? Non. J'en ai bien profité, mais il était temps de passer à autre chose. Toutes ces années à faire des petits bisous dans le vide et à lécher des culs. On peut pas vraiment parler d'une existence marquante et profonde. »

Elle lui adressa un sourire, n'obtint rien en retour et se versa une autre vodka.

« Bon d'accord, j'en ai déjà picolé une ou deux (elle leva son verre) et je viens de me taper plusieurs jours franchement bizarres ; ça me servira d'excuse.

— D'excuse pour quoi ?

— Pour dépasser certaines bornes et vous demander ce qui vous est arrivé. Comment vous vous êtes retrouvé aussi balafré ? »

Le visage de Billy se ferma. Elle regretta ses paroles et leva la main.

« Excusez-moi, je suis conne. N'en parlons plus. »

Billy l'étudia comme s'il pesait le pour et le contre. Puis il la surprit une deuxième fois.

« Non, je veux bien en parler, mais c'est pas tout rose comme histoire. Vous êtes sûre de vouloir l'entendre ?

— J'en suis sûre. »

Il prit une gorgée d'eau, revissa le bouchon de la bouteille et regarda les ténèbres.

« D'accord. C'est arrivé quand j'étais jeune. Seize ans. Je faisais partie d'un gang des Flats. Des petits voyous, en fait, on piquait des trucs. On braquait des gens. On foutait le bordel. Puis le chef du gang a eu un problème avec une fille, elle lui avait manqué de respect ou autre. Il a donc voulu qu'on la punisse. Qu'on lui fasse sa tournante et qu'on la tue. »

Il se tourna vers elle. Elle sirotait son verre en essayant de garder son sang-froid.

« Mais moi, là, je veux pas y prendre part. (Il ébaucha un sourire en remarquant son air soulagé.) Attention, pas parce que je suis un type bien. Je suis juste un trouillard. Son père était propriétaire d'un magasin de spiritueux, classe moyenne. Le genre de type à pisser le parfum. Son fric aurait obligé les flics à faire quelque chose. Je voulais pas aller en taule. Alors je me suis éclipsé. J'ai essayé de disparaître. (Il hocha la tête.) Ce qui est impossible.

— Qu'est-il arrivé à la fille ?

— Ils l'ont violée. Puis ils lui ont tranché la gorge. Enfin… Piper. C'était le chef, Piper. Il a balancé le corps devant le magasin de son père. Les flics les ont recherchés et Piper en a conclu que c'est moi qui les avais balancés. C'était faux, mais ça n'a rien changé. Ils m'ont attrapé, tabassé, poignardé, brûlé vif, puis ils m'ont mis dans un trou et m'ont enterré. Et laissé pour mort. »

Elle le dévisageait, le verre oublié à mi-chemin de ses lèvres.

« Nom de Dieu ! »

Elle but une gorgée, reposa le verre sur la table.

Il haussa les épaules.

« J'ai eu du bol. Un petit gamin a vu ce qui s'était passé et a appelé un flic qui habitait pas loin. Un jeune. Il m'a déterré, puis il m'a fait un peu de réanimation et conduit à l'hôpital. J'ai passé plusieurs mois dans le service des grands brûlés.

— Et le gang ?

— Ils ont été arrêtés. Placés en « juvie ». En détention juvénile. Ils ont tous dénoncé le chef, Piper.

— Qu'est-il devenu ?

— Il a fait plein d'autres conneries plus tard et ça l'a expédié à Pollsmoor. Perpétuité. Sans possibilité de remise en liberté conditionnelle.

— Piper. C'est un nom si mignon.

— C'est un surnom. Un nom de gang. En argot de gang, ça signifie "poignarder".

— Moins mignon, dit-elle.

— Oui. (Il la regarda avant de continuer.) Vous voulez que je vous dise un truc bizarre ?

— Bien sûr. (Pas si sûre.)

— De ces deux types qui vous ont agressée… le beau gosse, celui qu'on appelle Disco…

— Oui ?

— C'était… comment dire… l'épouse de Piper en prison.

— Vous me faites marcher ?

— Non. Croix de fer.

— C'est carrément sinistre.

— Vous êtes en Afrique, madame. C'est un endroit carrément sinistre. »

Elle rit, mais s'aperçut que ses doigts jouaient avec le crucifix autour de son cou.

« Et vous ? Qu'est-ce que vous avez fait en sortant de l'hôpital ?

— Le flic m'a pris sous son aile, pour ainsi dire. De nos jours, on me qualifierait de "jeune à risque". À l'époque, j'étais qu'un petit voyou. Il est venu me voir à l'hôpital, il m'apportait du Coca, des bandes dessinées, ce genre de trucs. Il a continué à me rendre visite quand je suis rentré chez moi. Quand je me suis senti mieux, il m'a emmené à la gym où il enseignait la boxe aux gamins des Flats. J'ai repris des forces et je me suis aperçu que j'étais plutôt doué. Rapide et fort pour ma taille. Il pensait que j'étais assez bon pour devenir professionnel.

— C'est ce que vous avez fait ?

— Roxanne, peu importe les capacités, personne ne se risque à mettre sur le ring un type qui ressemble à un lépreux. (Il sourit.) Mais c'était sympa. À dix-huit ans, il m'a aidé à intégrer l'école de police. Et quand je suis devenu inspecteur, des années plus tard, on a travaillé ensemble. J'étais son témoin quand il s'est marié et le parrain de son fils aîné.

— Alors, tout est bien qui finit bien, dit-elle en souriant.

— Ja. Si on veut... »

Elle remarqua un adoucissement dans ses yeux verts.

Il se leva et s'approcha de la baie vitrée, le regard perdu dans la nuit. Chet chantait son histoire de *funny valentine*. La trompette s'élevait et disparaissait, une douce tristesse flottait dans la pièce. Peut-être à cause de la vodka, ou du stress des derniers jours qui la déstabilisait, elle trouvait Billy Afrika bizarrement séduisant. Pas supercraquant au premier coup d'œil, mais il possédait une qualité plus subtile. Il avait pour lui une force tranquille et contenue. À moins qu'il ne souffre d'autisme émotionnel ?

Mais maintenant qu'il lui avait raconté son histoire, elle percevait une certaine vulnérabilité.

Elle se leva et s'approcha de lui. Elle savait ce qu'elle avait à faire pour dominer le jeu. Elle avait espéré que la mort de Joe mettrait fin au cycle. Mais ça y était, elle recommençait, s'apprêtait à se servir de son corps comme d'une arme.

Billy se retourna et la regarda de ses yeux verts.

« Ce feu. Il a épargné votre visage », lui dit-elle.

Elle était près de lui, plus près que jamais et elle sentait que ça le mettait mal à l'aise.

« Je vous ai dit que j'avais eu de la chance. »

Elle s'approcha encore davantage. Il s'éloigna.

« Qu'est-ce que vous faites ? demanda-t-il en prenant sa bouteille sur la table.

— Faut que je vous fasse un dessin ? »

Elle devait lutter pour garder le sourire. Elle savait qu'elle avait merdé. Trop de vodka.

Il hocha la tête.

« Je vous vois mal me baiser par compassion. Ce qui veut dire que vous essayez sans doute de m'attendrir. De me détourner de mes affaires. (Il se dirigea vers l'escalier.) C'est pas dans les cartes.

— Et si je me sentais simplement effrayée et seule ? »

Billy s'arrêta sur les marches et lui fit face.

« On est tous effrayés, madame. Et une femme avec votre physique ne reste jamais seule bien longtemps. »

Il avait filé.

Le CD se termina et Roxy entendit la plainte de la corne de brume, réveillée par les doigts de brouillard qui montaient de l'océan.

CHAPITRE 23

La corne de brume réveilla Billy à six heures quinze. Allongé dans son lit, il se rappela la soirée de la veille et se maudit d'avoir autant parlé. De s'être ouvert à elle. Quel connard! En lui racontant son histoire, il l'avait encouragée à lui faire des avances. Et merde, comme s'il n'avait pas été tenté! Quand elle s'était approchée, il avait failli réagir. Bordel. Un homme comme lui ne pouvait pas se permettre ce genre de connerie.

Ses balafres ne facilitant pas ses relations, payer pour ses rapports sexuels était donc l'option la plus simple. Ces dernières années, il avait même arrêté ça. Quand il s'était effondré. Quand Piper avait tué Clyde.

Il avait cru un temps que seuls les riches avaient le luxe de regretter le passé ou de s'inquiéter de l'avenir. Grandir dans la pauvreté permettait de garder l'esprit clair et vif. Le passé ne remplit pas le ventre; les couteaux, les armes, la faim et les maladies se dressent entre soi et les lendemains. Les magasins d'alcool et les marchands de tik offrent un remède quand le quotidien devient trop dur à supporter.

Quand Billy était garçon dans les rues de Paradise Park, tout le monde vivait comme ça autour de lui. Lui aussi d'ailleurs, jusqu'à ce que Piper lui mette le feu et le jette dans le trou. Le passé avait alors pris forme. Il était devenu un moteur qui le faisait avancer. Un moteur qui carburait à la vengeance. Pendant près de vingt ans, il avait attendu le jour où il pourrait faire payer Piper.

Quand l'occasion s'était présentée, il avait encore plus de raisons de descendre le salopard – Piper lui souriait tandis que le sang de Clyde lui dégoulinait encore sur les mains.

Mais alors que Billy sentait son doigt se crisper sur la détente de son Z88, une voix lui avait dit : « Fais ça et tu seras comme lui. » Elle lui avait dit que la loi allait au-delà d'une ligne tracée dans le sable d'une rue de ghetto balayée par le vent. Il avait donc baissé son arme, menotté Piper et l'avait confié au véhicule de patrouille, sous le regard de Barbara, de ses enfants et de leurs voisins de Protea Street.

Alors que le fourgon emmenait Piper, Billy s'était retourné et avait vu leurs visages. Il avait compris qu'ils auraient voulu qu'il le tue. Qu'il l'exécute sur-le-champ, à côté du cadavre de son coéquipier.

Et qu'ils le méprisaient de ne pas l'avoir fait.

Il avait porté le cercueil de Clyde le jour de son enterrement dans les Flats ; sa peau brûlant de sueur sous le costume noir, il était incapable de faire face au regard accusateur de Barbara Adams et de ses collègues flics. Pour eux, le renvoi de Piper à Pollsmoor était un acte impardonnable. Piper était chez lui à Pollsmoor. C'était là qu'il voulait vivre. L'y renvoyer revenait à lui rendre service. C'était une récompense.

Ils n'avaient jamais prononcé le mot, mais Billy Afrika savait ce qu'ils pensaient : « froussard ».

Il roula de son lit et se mit à faire des pompes. Pousser son corps à l'agonie et au-delà, jusqu'à ce qu'il devienne un tas trempé de sueur sur la moquette. Il resta un instant à écouter le hurlement de la corne de brume, puis il se traîna jusqu'à la douche pour se nettoyer de la sueur et des souvenirs qui l'étouffaient sous le poids des morts.

Quand il arriva dans la cuisine, elle préparait déjà le petit déjeuner.

« Vous m'avez donné le goût des œufs au bacon », lui dit-elle quand il s'approcha de la cuisinière.

Elle lui adressa un sourire neutre. Aucun signe de blessure ou d'embarras. Aucune référence à la veille au soir. Un simple sourire.

Il s'assit à table. La télé était allumée, l'écran plat monté au mur. Les infos du matin. Le présentateur zoulou avait un accent qui décollait à Soweto et s'écrasait au milieu de l'Atlantique.

« On a trouvé une autre femme décapitée à Sea Point, lui dit Roxy en battant les œufs. Encore une blonde. Ils ont surnommé le type "Le tueur de poupées Barbie". »

Billy sourit intérieurement. D'une Barbie à l'autre.

« Comment savent-ils que l'assassin est un homme ?

— Seul un homme peut être assez taré pour faire de telles saloperies, répondit-elle, lui souriant, tout en vidant les œufs de la poêle.

— Le corps a été trouvé au même endroit ?

— Plus ou moins. Au bord de l'océan. »

Le journaliste donna les dernières nouvelles. La victime se promenait au bord de l'eau tard dans la soirée, son fiancé n'était qu'à une ou deux minutes derrière elle. Il l'avait entendue crier, avait suivi un torrent de sang et trouvé son corps sans tête. Il n'avait pas vu l'assassin.

« Ils se sont disputés, pensa Billy, elle s'est enfoncée dans le brouillard. Ce fiancé doit se sentir salement coupable ce matin. »

Le journaliste fut remplacé par les photos des deux blondes souriantes, prises lors de jours plus heureux.

Roxy posa les assiettes sur la table et regarda la télé.

« On dirait des portraits en gros plan.

— C'est-à-dire ?

— Ce sont les portraits qu'utilisent les agences de mannequin pour présenter leurs modèles. La tête et les épaules, quoi. Dans le temps, ils faisaient des posters et des catalogues ; maintenant il suffit d'aller sur Internet.

— Elles vous ressemblent, lui dit-il.

— Allons donc, celle de droite doit avoir dix ans de moins que moi.

— Cinq, peut-être. Mais quand même. Le look est très semblable. »

Elle haussa les épaules.

« Parce qu'elles sont blondes.

— Ja, mais pas seulement. Il y a une ressemblance. Reconnaissez-le. »

Elle repartit vers la cuisinière en riant pour masquer sa gêne.

« Vous amusez pas à aller courir toute seule, c'est tout ce que je vous dis.

— La plaisanterie a assez duré, Billy. »

Elle racla le bacon dans un plat, en prit un morceau avec les doigts et le croqua en revenant à table.

« Dieu que ce bacon est bon. J'adore. Je sais pas pourquoi je m'en suis privée toutes ces années. »

Elle le servit.

À l'écran, une profileuse de la police – une Afrikaner aux épaules et à la coiffure sorties tout droit de la fédération de catch – décréta sans ciller que l'assassin était vraisemblablement un Blanc d'une trentaine d'années. Un solitaire. Un refoulé sexuel.

« N'importe quoi ! dit Billy en prenant la télécommande pour ôter le son pendant que le bulletin passait à un attentat-suicide à Karachi. C'est une affaire de *muti* !

— De la sorcellerie ? demanda-t-elle, la bouche pleine.

— Ja. Ils tuent pour voler des parties du corps. J'ai travaillé sur ce genre d'affaires quand j'étais flic. On retrouvait des gamins sans tête, ni main, ni couilles. (Il remarqua son expression.) Excusez-moi. Vous êtes en train de manger.

— Non, continuez, ça m'intéresse. »

Elle posa sa fourchette et soutint son regard, l'encourageant à poursuivre.

« Eux, enfin les négros – les Africains –, ils croient que quand on récupère des membres sur une victime encore vivante, ça donne un *muti* plus fort. Et une Blanche, surtout une blonde, engendre un *muti* encore plus puissant. Il y a des gens prêts à payer une fortune pour les obtenir. Pour devenir riches. Trouver l'amour. Guérir du sida. Ou de l'impuissance. Pour gagner un match de foot, nom de Dieu! Pour tout et n'importe quoi.

— Dans ce cas, pourquoi les flics présentent-ils ce profil?

— Ce sont des conneries pour faire politiquement correct. D'ailleurs, n'ont-ils pas utilisé le terme "Blanc"?

— Oui, et alors?

— Alors, ce pays se chie tellement dessus avec le politiquement correct que si l'auteur du... du délit est métis ou noir, on n'a pas le droit de le dire. On ne peut même pas parler de "teint basané".

— Mais on peut dire "Blanc"?

— Ja. Ça, ça compte pas. Ils veulent pas que les âmes sensibles accusent les flics de dénigrer les négros. Mieux vaut soupçonner un "petit Blanc". »

Elle le dévisagea.

« Expliquez-moi. Vous traitez les Noirs de "négros"?

— Ja.

— Mais... vous n'êtes pas noir?

— D'accord, répondit-il en riant, voilà comment ça marche: je suis de sang mêlé. En d'autres termes, "métis". Moi, ça me pose pas de problème. Mais c'est un terme que les gens ont du mal à utiliser. Alors de nos jours, on entend parler de "ceux que l'on désigne comme métis". (Il hocha la tête en mastiquant.) À la fin de l'apartheid, tous ceux qui n'étaient pas blancs étaient appelés "Noirs", officiellement, sur les papiers et les documents officiels. Mais maintenant tout ça a changé, et il y a "Noir" d'un côté et de l'autre, "Noir africain". Ou "Noir ethnique". Ce qui fait une certaine différence pour bénéficier de la discrimination positive.

— Les Noirs africains sont donc...

— Les négros.

— Ce pays est un vrai bordel, dit-elle en hochant la tête.

— Vous n'êtes qu'une étrangère, bon Dieu. Qu'est-ce que vous pouvez y comprendre ? »

Il rit, la bouche pleine d'œufs brouillés.

Assis au fond du fourgon de police, vêtu d'une combinaison orange fluo, Piper regardait entre les barreaux de la fenêtre. Il avait les pieds et les mains liés.

Il n'avait pas vu le monde extérieur depuis plus de deux ans, quand il avait pris la même autoroute en sens inverse, vers Pollsmoor, pour y purger sa perpétuité après avoir éventré le flic, Clyde Adams. Le paysage de montagnes, vignobles et grandes villas perdues dans les arbres ne représentait rien à ses yeux. C'était une illusion – comme ce qu'on voit à la télévision.

Ce n'était pas réel.

La réalité, c'était Pollsmoor. La vie qui s'échappe des yeux d'un type en train de mourir.

L'amour qu'il éprouvait pour Disco était réel, lui aussi.

Il y avait trois autres détenus dans le fourgon, qui se rendaient au tribunal pour y être jugés. Deux d'entre eux étaient des « franse », des non-affiliés insignifiants. Terrifiés, ils la bouclaient et fuyaient les regards. Le troisième, assis en face de lui, était une racaille péteuse d'une petite vingtaine d'années, avec des tatouages de rue, pas de prison : des 28. Du moins c'est ce que ce petit enculé s'imaginait.

Il ne tenait pas en place, se démenait pour attirer l'attention de Piper.

« Salut, général. »

Piper le regarda sans le voir. Ils approchaient du pont de l'autoroute à Ladies Mile Road.

Le moment était venu.

Piper se pencha en avant.

« Rapproche-toi, mon frère. »

Le type obéit, impatient, tout sourire. Piper bondit et en un instant, il lui avait passé la chaîne de ses menottes autour du cou et étranglait le merdeux. Le gars essayait de griffer les mains de Piper, mais les menottes l'en empêchaient et ses pieds liés dansaient les claquettes du moribond sur le plancher métallique.

Un des « franse » se mit à hurler et tambourina sur la vitre qui les séparait des flics dans la cabine.

Piper lâcha le connard mort, trouva la cuiller aiguisée dans les plis de sa combinaison orange et l'enfonça dans l'œil du « frans » qui arrêta de frapper et s'effondra sur le détenu à côté de lui.

Piper dégagea la cuiller dans un bruit de succion humide. Le dernier homme leva les yeux sur lui et supplia, les lèvres articulant en silence. Piper lui plongea la cuiller dans la gorge comme s'il lui faisait une trachéo artisanale, le sang gicla comme d'un geyser sur sa combinaison.

Le fourgon s'étant arrêté en dérapant sous le pont de Ladies Mile, les deux flics sortirent de la cabine, l'arme au poing.

C'était exactement ce qui était prévu. Ils avaient été payés pour jouer leur rôle.

La veille, Piper avait consulté un membre de l'Air Force, le gang qui organisait les évasions. Des sommes en liquide – issues des revenus du trafic de drogue que dirigeait Piper en prison – avaient changé de main. Un pourcentage s'était retrouvé dans les poches de ces deux flics. Il ne restait plus à Piper qu'à s'évader de manière crédible. Il s'en chargea.

Et alla un peu plus loin.

Le premier flic, un négro grassouillet, ouvrit la porte arrière du fourgon et braqua son arme sur Piper en se préparant à essuyer le coup de pied auquel il s'attendait. Quand Piper s'en chargea, le flic noir tomba sur son collègue, qui laissa tomber son fusil. Comme prévu.

« Ces deux-là devraient faire de la télé », pensa Piper.

Puis il réécrivit le scénario.

Après avoir atterri sur le macadam, il s'empara de l'arme du négro. Il avait horreur des armes à feu, il préférait l'intimité et la maîtrise que lui donnait le couteau. Mais c'était le moment d'être pratique. Il pointa le Z88 sur le flic qui le regarda d'un air stupéfait lorsque Piper lui tira en pleine figure. L'autre flic, un maigrichon blanc, comprenant que les choses tournaient mal, essaya de se lever et de s'enfuir. Piper le descendit de deux tirs dans le dos.

Les automobilistes qui passaient freinaient et klaxonnaient. Les courageux s'arrêtaient sur le bas-côté. Piper les canardait, étoilait leur pare-brise. Deux voitures entrèrent en collision et tourbillonnèrent sur l'espace médian dans des giclées de verre et de poussière.

Piper trouva les clés des menottes et des chaînes dans la poche du flic grassouillet. À l'endroit même où on lui avait dit qu'elles seraient. Il se libéra. Puis il traversa l'autoroute en évitant les voitures, escalada le talus à côté du pont et se faufila dans un bosquet où l'attendait un sac de vêtements.

CHAPITRE 24

Maggott avait pris la N2 plein sud, vers la Montagne de la Table et le centre-ville. Il roulait vite, collait les conducteurs lents jusqu'à ce qu'ils lui cèdent la route, défoulant sa colère sur la boîte à vitesses de la Ford et sur les civils qui le ralentissaient.

Robbie, attaché à côté de lui, tenait un énorme nounours rose et poilu dans les bras. Le gamin semblait apprécier la vitesse, il mimait la conduite de son père avec ses petites mains sales et faisait « vroum vroum » dans l'oreille de l'ours. Il avait besoin d'un bain et d'habits propres, mais il avait l'air vraiment heureux.

Comment savoir avec ces putains de gamins ?

Maggott avait enfin eu des nouvelles de sa salope de femme dans la matinée. Un texto, lui rappelant que c'était l'anniversaire de Robbie. Putain de Dieu. Rien sur son retour. Il avait l'impression qu'elle lui avait flanqué le gamin sur les bras et qu'elle s'était cassée.

Pour toujours.

En allant au QG de Bellwood South, il s'était arrêté dans un magasin de jouets de Voortrekker Road. Il voulait acheter quelque chose de viril pour son fils, une figurine de héros ou un ballon de rugby. Mais non, le gamin avait vu ce nounours rose et refusé de partir sans. Pourvu qu'il ne devienne pas un sale pédé, avait pensé Maggott.

Il avait passé une autre nuit désagréable, avec son fils dans le petit lit de sa chambre exiguë à l'air vicié. Le gamin n'avait pas cessé de gigoter, de pousser des cris dans son sommeil et d'exiger que son père l'accompagne aux toilettes toutes les heures.

Maggott avait donc la tête dans le cul en arrivant à Bellwood. Mais il comptait bien que Disco de Lilly soit dans un pire état que lui. Une longue nuit et une partie de la matinée sans tik devraient avoir laissé le petit sex-boy comme un morceau de bidoche sur une planche à découper.

Maggott confia son fils à l'accueil, avec son nounours et son Coca, et alla chercher Disco.

Il fut bloqué par le commissaire.

« Maggott.

— Chef. »

Son patron lui fit signe d'entrer dans son bureau et ferma la porte.

« Vous m'avez encore ramené de Lilly ?

— Je l'ai arrêté pour possession de drogue.

— Bordel, Maggott, pour moins d'une paille. C'est encore cette histoire de braquage, n'est-ce pas ?

— Cette Américaine n'est pas claire. Je le sais.

— Qu'est-ce que vous savez ? Vous avez des dons de voyance, maintenant ? »

Maggott resta silencieux et soutint le regard de son supérieur. Le commissaire, un petit branleur sans colonne vertébrale, craqua le premier.

« Vous savez qu'il y a eu un nouvel assassinat de poupée Barbie, du côté de Sea Point ?

— Une autre Blondie ?

— Ja. C'est la panique là-bas. Un détachement spécial a été créé et ils ont besoin de renforts. Surtout des inspecteurs. Je vous envoie donc à Sea Point pour leur donner un coup de main.

— Un coup de main pour quoi ?

— Porte-à-porte. Interrogatoires. Tout ce dont ils auront besoin. Les médias grouillent comme des cafards sur cette affaire.

— Et les Flats se débrouilleront pour assurer leur propre police ?

— Inspecteur, je ne fais qu'obéir aux ordres. Tâchez d'en faire autant. »

Maggott se dirigea vers la porte.

« Est-ce que je peux au moins avoir un dernier entretien avec de Lilly ? »

Le commissaire hocha la tête.

« Trop tard. Je l'ai viré il y a une heure. »

Maggott eut envie de gifler ce putain de gratte-papier. Mais il se maîtrisa, quitta le bureau, alla chercher son fils qui était assis avec son ours sur les genoux et regardait avec fascination une pute junkie qui avait perdu connaissance sur le banc des gardes à vue, la jupe relevée autour de la taille.

Au moins regardait-il une femme. Ça devait être un bon signe.

Maggott attrapa le garçon par la main et le tira dehors avec son putain de nounours. S'il devait aller à Sea Point, il irait à Sea Point. Mais pas pour s'occuper de blondes mortes.

Il y en avait une bien vivante à qui il voulait parler.

Assis au rez-de-chaussée, Billy feuilletait un magazine féminin – sept astuces sulfureuses pour satisfaire la sexualité de votre homme en gardant de jolies fesses – quand il entendit la sonnette du portail. Roxy se dirigeait déjà vers la porte en claquant des sandales lorsqu'il la dépassa, le Glock contre la hanche.

Il regarda le petit écran monochrome à côté de l'Interphone. Puis il éclata de rire. Maggott et un gamin qui tenait un énorme animal en peluche étaient à la porte.

Billy appuya sur le bouton qui débloquait la serrure et reposa l'Interphone. Roxy le regardait, la peur embrumant ses yeux bleus.

« Vous faites pas de bile, lui dit-il. Je m'en occupe. »

Il gagna la porte d'entrée et l'ouvrit. Ernie Maggott traversait la cour, essayant d'avoir l'air cool et autoritaire, avec le gamin qui lui tenait la main en se débattant pour tenir un ours rose.

« Qu'est-ce que c'est ? demanda Billy. Starsky et Hutch ? »

Maggott semblait proche d'exploser, à l'instar des boutons qui poussaient comme des fruits rouges sur sa peau jaunâtre.

« Il faut que je parle à la dame de maison. »

Maggott regarda Roxy qui avait suivi Billy sur le seuil.

« Mme Palmer ne répond à aucune question aujourd'hui. »

Maggott se gratta le cou.

« Je suis navré, madame Palmer, je n'en ai pas pour longtemps.

— Le commissaire sait-il que tu harcèles Mme Palmer le jour des obsèques de son mari? » demanda Billy en voyant qu'il avait mis dans le mille.

Sacré vieux Maggott, toujours à essayer de faire cavalier seul. Et comme toujours à finir par se planter.

« Rentre à Paradise Park, Maggott. Tu te couvres de ridicule. »

Billy s'apprêtait à fermer la porte quand Maggott demanda d'un air gêné :

« Mon fils, euh… il a besoin d'aller aux toilettes.

— J'ai envie de faire caca, dit l'enfant. »

Billy rit.

Roxy s'avança et tendit la main au petit.

« Viens avec moi, je vais te montrer où est la salle de bains. »

Le gamin se tourna vers son père, qui l'autorisa d'un signe de tête.

« Ja. Va avec la dame. »

Robbie prit la main de Roxy sans lâcher son ours.

« Comment tu t'appelles? lui demanda-t-elle dans le couloir.

— Robbie. Et en plus, c'est mon anniferfaire.

— Ça alors, joyeux anniversaire, Robbie! »

Puis ils passèrent dans une partie de la maison où ils ne pouvaient plus entendre les hommes.

Billy s'adossa au chambranle, se détendit et regarda le flic.

« Qu'est-ce que tu fous ici, Maggott? C'est pas ton territoire.

— Et c'est le tien, peut-être?

— Je fais mon boulot, c'est tout, lui renvoya Billy avec un sourire neutre.

— Ja? Garde du corps?

— Protection de biens. »

Maggott sortit un paquet de Camel de son jean, le secoua pour en sortir une et l'alluma.

« J'ai entendu dire que tu cherchais un 26 du côté de White City?

— Qui t'a dit ça?

— Mon petit doigt. J'ai trouvé l'American refroidi dans le dépotoir, ce matin.

— C'est les risques du métier, dit Billy en haussant les épaules. La seule Américaine qui m'intéresse est la dame de maison. »

Maggott acquiesça en soufflant la fumée.

« Ja? Et où étais-tu, Barbie, la nuit où son mari s'est fait descendre?

— Dans un avion, sur un vol Dubai-Johannesburg. Avec Emirates. Tu veux voir mon billet? »

Maggott déclina d'un signe de tête.

« C'est bon. (Il gratta un bouton, puis grimaça.) Alors, t'es allé voir Barbara et les gamins? »

Billy resta calme.

« Pourquoi t'attends pas dans la voiture? Je te ramène ton morveux dès qu'il aura fini d'empester la baraque. Et ne reviens pas ici sans un mandat, tu m'entends? »

Il lui claqua la porte au nez.

Le petit métis semblait avoir dormi dans ses habits souillés et la main qu'elle prit pour le mener aux toilettes était poisseuse. Soudé à son énorme nounours rose comme à un siamois, un jumeau pelucheux et gentil, il gazouillait son histoire d'« anniferfaire » avec son accent chantant. Elle n'avait pas besoin de savoir grand-chose sur sa vie pour deviner que ce ne serait pas une occasion joyeuse.

Elle le mena aux toilettes du rez-de-chaussée – en laissant la porte entrouverte – et attendit en regardant Lion's Head par la fenêtre du couloir, où un type en parapente tournait autour du sommet comme une mite géante. Le garçon tira la chasse d'eau et sortit en remontant son jean.

Elle le conduisit dans la salle de bain adjacente et réussit à le séparer de son jouet le temps de lui laver les mains et le visage. Il essaya de se dégager, comme s'il avait peur de l'eau.

En revenant vers l'entrée, les yeux du gamin s'arrêtèrent sur une petite figurine en porcelaine, posée sur une table à son niveau. Une esclave malaisienne en robe victorienne qui portait un balluchon de lessive, le corsage ouvert sur sa poitrine mate. Elle se trouvait déjà dans la maison quand Roxy avait emménagé, tout à fait le genre d'objet que l'architecte d'intérieur gay de Joe avait dû trouver amusant. Roxy l'avait en horreur, mais elle ne s'était jamais décidée à s'en débarrasser.

« Ça te plaît, Robbie ? lui demanda-t-elle en la prenant dans sa main.

— Ja. Elle ressemble à ma maman. »

Il scruta Roxy de ses grands yeux sombres, beaux et candides.

« Ta maman doit être très belle, dans ce cas. »

Elle lui tendit la figurine qu'il prit de sa main libre.

Robbie examina la jeune esclave, puis leva les yeux sur Roxy.

« Ma maman l'est partie. Avec un autre oncle. Çui qui me frappe. »

Roxy avait lu quelques poèmes quand elle était jeune, elle avait même essayé d'en écrire quelques années plus tôt, mais elle ne se souvenait pas d'avoir entendu quelque chose d'aussi déchirant que ces trois petites phrases.

Elle réussit à sourire à l'enfant.

« Eh bien, tu vas la garder, Robbie. Comme cadeau d'anniversaire. »

Il la fixa.

« Promis juré ?

— Oui. »

Le garçon prit la statuette, pressa le pas comme si Roxy risquait de changer d'avis et partit retrouver son père, qui avait été chassé dans sa voiture par Billy Afrika.

Ce dernier l'accompagna. Quand il revint, il remarqua l'inquiétude sur le visage de Roxy.

« Ne vous en faites pas pour ce type. C'est un vrai trou-du-cul.

— Que faisait-il là ?

— Réfléchissez : il est coincé dans les Flats à enquêter sur les gangs et les histoires de violences conjugales. Le point fort du mois, c'est quand il arrête un junkie qui a violé et étranglé sa propre fille de quatre ans. En planquant son corps sous le toit, jusqu'à ce que ça pue trop pour que la mère puisse encore l'ignorer.

— Bon Dieu, Billy...

— Excusez-moi, dit-il d'un air désabusé. Mais c'est la réalité là-bas. Puis il tombe sur vous (il montra la maison de la main)... vous et tout ça. Il rêve de résoudre le crime du siècle qui lui permettra d'être muté de ce côté-ci de la ville. Le seul problème, c'est qu'il lui manque une moitié de cervelle et que l'autre moitié est partie à sa recherche. Vous voyez ce que je veux dire ?

— Je comprends. Il est con comme un balai. Mais les cons sont dangereux.

— Calmez-vous. Je connais son supérieur. S'il nous emmerde encore, je lui en toucherai deux mots. D'accord ? »

Elle acquiesça. Puis elle alla s'habiller pour les funérailles.

CHAPITRE 25

Assis à l'arrière du taxibus, Piper essayait de garder le visage dans l'ombre pour éviter que la lumière expose ses larmes tatouées. Mais elles restaient visibles, malgré la casquette qu'il s'était aussi profondément enfoncée sur la tête ; les autres passagers le fuyaient comme la peste.

Deux femmes à la peau foncée qui s'étaient glissées devant lui parlaient de l'assassin des poupées Barbie dont le *Sun* faisait ses choux gras.

« Il leur coupe la tête. Mais il s'en prend qu'aux blondes, qu'ils disent.

— Ma fille — celle qui a le teint clair — elle travaille dans un salon de coiffure à Sea Point. Elle a des mèches blondes dans les cheveux. C'est naturel, mais je vais y dire de les teindre.

— T'as intérêt. C'est atroce. »

Piper cessa de les écouter. Il portait le blue-jean et la chemise marron qu'il avait trouvés dans le sac du bosquet, laissé par des contacts d'Air Force. Il faisait une chaleur de crématorium dans le taxi surchargé, mais il gardait ses manches baissées pour cacher ses tatouages.

Il s'était débarrassé de sa combinaison orange sous les arbres. Puis il s'était accroupi et, le slip autour des chevilles, il avait récupéré le préservatif avec un billet de cinquante rands qu'il s'était inséré dans le rectum le matin avant de quitter sa cellule. Enduit de vaseline, il avait été aisément évacué. Au fil des ans, il avait gardé de l'argent, des drogues et même un téléphone portable dans le coffre-fort personnel que lui avait octroyé le bon Dieu.

Un billet de cinquante n'était rien.

Il avait caché la combinaison et l'arme du flic dans un buisson et changé de vêtements. Mais il avait gardé ses Grasshoppers, la chaussure de choix pour les gangsters de la vieille école : des mocassins en cuir et à lacets avec des coutures faites main autour du bout arrondi et des semelles crêpe compensées.

Des semelles qui permettaient de s'approcher sans un bruit et de prendre les gens par surprise.

Avec les années, leur couleur fauve d'origine avait disparu sous des couches de cirage rouge foncé.

À Retreat, une métisse fut obligée de s'asseoir à côté de Piper, une jeune enfant sur les genoux. On devinait, à sa manière de se tenir – raide et la tête tournée de l'autre côté – qu'elle connaissait parfaitement la signification des larmes tatouées.

La gamine, une fillette en tee-shirt avec en lettres roses « J'ai bien cru voir un grosminet », dévisageait Piper, fascinée. Les enfants perturbaient Piper. Ils portaient malheur, avec leur manière de vous regarder dans les yeux et de voir votre âme comme si elle passait à la télé.

C'était un autre avantage de la prison : pas de gamins. Sauf les jours de visite, quand les familles arrivaient. Mais personne ne venait jamais le voir et il passait la journée dans sa cellule, sans avoir à poser les yeux sur ces nains.

La fillette continuait à le regarder fixement tandis qu'une bulle de salive se formait à la commissure de ses lèvres. Piper tendit la main et lui détourna le visage. Elle ouvrit la bouche et se mit à hurler.

La mère s'aventura à jeter un coup d'œil à Piper.

« Si ce truc me regarde encore, lui dit-il, je lui tords le cou. »

La femme ne mit pas sa parole en doute, cueillit l'enfant, se fraya un passage à l'avant du véhicule et demanda au chauffeur de s'arrêter. Quand le taxi repartit dans la circulation, Piper les vit sur le trottoir devant une agence de prêt. L'enfant pleurait toujours et la mère lui donnait une fessée comme si tout était de sa faute.

Un fourgon de flics passant à côté du taxi, Piper enfonça encore sa casquette et garda les yeux baissés. Du coin de l'œil, il vit les flics bifurquer dans une petite rue.

Alors qu'il pliait les orteils, une image de Disco lui apparut. Assis sur un lit de prison, son superbe visage concentré, son index recouvert d'un chiffon – taché d'une couleur sang – pour le plonger dans le cirage avant d'en imprégner le cuir de ses Grasshoppers.

Il n'en avait plus pour longtemps. Piper se sentit durcir dans son jean.

Les araignées lui sortaient des yeux, couraient sur son visage, disparaissaient sous son tee-shirt et se perdaient dans l'œuvre d'art brutale de Piper. Disco s'allongea sur le matelas puant et pria le ciel que les araignées s'en aillent. Une sueur âcre s'échappait de lui comme s'il était troué et ses articulations se joignirent au chœur et chantèrent avec ses nerfs et ses entrailles nouées, appelant le doux soulagement que seul le tik pouvait lui apporter. Il déchira le tee-shirt et s'en épongea le corps. Il fut trempé en quelques secondes. Puis il fourra le vêtement détrempé dans sa bouche et le mordit pour s'empêcher de crier.

Ice. Cristaux. Yaba. Tik-tik. Speed. Meth.

Les noms dansaient devant ses yeux comme des néons.

Il y avait presque un jour qu'il avait senti l'effet de la paille achetée à Popeye. Il avait à peine eu le temps d'inhaler que le flic lui avait fait recracher la fumée à coups de pied. Après l'interrogatoire et la nuit infernale dans sa cellule, il avait besoin d'un calmant. Mais il n'avait pas de fric.

Pas un centime, putain.

Il savait qu'il n'aurait pas dû revenir dans son *zozo*, que Manson risquait de l'y attendre, mais il avait besoin de ramper et de se cacher dans un trou noir. Ce dont il avait cependant le plus besoin, c'était de trouver de la came. Il frissonnait sur son lit, les yeux rivés sur l'ancien emplacement de la photo de sa mère. Même si elle était partie avec la grosse, il voyait toujours son visage. Ce beau visage, qui lui ressemblait tant.

Puis il entendit la musique disco, la préférée de sa mère…

First I was afraid…

Non. C'était insupportable. Pas Gloria Gaynor. Pas maintenant.

Mais les paroles continuaient. Il n'arrivait pas à les stopper, même en s'enveloppant l'oreiller sale autour de la tête. Il ne parvenait pas à arrêter la musique et les souvenirs qu'elle transportait comme le diable sur un cheval noir.

I was petrified…

Disco à l'âge de trois ans qui dansait sur *I will survive*, ce qui lui avait valu le surnom qui lui avait collé à la peau comme de la glu. Nuit chaude et moite dans l'appartement de Hippo Street, du côté de Dark City, sans un souffle d'air quand le vent s'était calmé. Disco qui tourbillonnait dans le salon étriqué, entre le sofa déchiré et le vieux poste de télé noir et blanc, un magnéto portable beuglant la musique d'une cassette usée à force d'être passée et repassée. La musique forte dans la nuit des Cape Flats.

Mais pas assez forte pour noyer les mots de sa mère – Evangeline de Lilly ou Vangie – et de son petit copain Pedro. Ils étaient à la table de la cuisine, où Pedro préparait une nouvelle pipe blanche, alors que la fumée envahissait déjà l'appartement comme le smog sur la ville un jour sans vent. Disco tournait, étourdi, en proie au vertige, sensation qu'il passerait le reste de ses jours à tenter de reproduire. Des bribes de conversation l'atteignaient, mais il refusait de les entendre.

« C'est lui ou moi, disait Pedro.

— Mais c'est mon fils.

— Je te jure, Vangie. Je suis sérieux, bordel. Je pars si tu le fais pas. »

Alors sa maman, belle et éternellement jeune, s'était approchée de Disco en essuyant ses larmes sur son visage et lui tendant les bras. Il lui avait souri en déhanchant son petit corps minuscule, prêt à danser avec elle comme ils le faisaient toujours. Sa mère s'était mise à genoux devant lui, l'avait étreint, piégé et avait empêché son corps maigrichon de suivre la cadence. Puis elle l'avait relâché, lui avait tenu le visage entre les mains et l'avait embrassé.

Et ses mains, les mains de sa mère, l'avaient pris à la gorge et s'étaient mises à serrer jusqu'à ce qu'il étouffe et halète. Ses petits poings avaient essayé de la repousser.

Le visage de sa mère comme il ne l'avait encore jamais vu.

Rendu fou par la drogue et le désir.

Il s'était retrouvé dans un lieu encore plus sombre que les yeux de sa mère.

Le noir. Sans air. Une chaleur comme il n'en avait jamais connu. Et un bruit, un hurlement mécanique, un effondrement. Il avait tendu les mains dans l'obscurité et senti quelque chose. Quelque chose de lisse. Ses doigts s'étaient débattus pour s'y accrocher, ils grattaient et déchiraient, un interstice de lumière avait brûlé dans le noir. Il avait tiré plus violemment, vu un tas d'ordures et au-delà, la décharge publique qui s'étendait à l'infini.

À force de se débattre il avait réussi à sortir du sac noir, silhouette minuscule dans l'océan de déchets, sous les cris des mouettes qui plongeaient du ciel blanc et brûlant. Le bruit qu'il entendait était celui d'un bulldozer, qui se balançait au-dessus de lui sur une montagne d'ordures, la benne se levait, prête à en déverser un tas sur lui. Il était parti en courant, poussant sur ses petites jambes, glissant, tombant, faisant du surplace dans ces sables mouvants d'immondices.

Le bulldozer s'était vidé.

Disco avait roulé, écrabouillé et aplati sous l'averse de détritus. Ils lui avaient bouché les yeux, le nez, les oreilles. La fange du monde l'ensevelissait. Il avait le souffle coupé. Il avait rebasculé dans le noir.

Silence.

Puis un bras avait dépassé, fin roseau qui s'agitait dans un océan d'abats. Puis une tête, comme un nouveau-né se frayant un chemin hors d'une matrice de merde. Il s'était arraché à la surface, puant, à bout de forces. Il avait réussi à se dégager, s'était allongé une minute et avait craché des saletés et de la vase.

Il avait marché une éternité dans les cochonneries. Avait aperçu des gens dans le lointain, gribouillis noirs à l'horizon, fouilleurs d'ordures en quête de nourriture et de bouteilles vides, comme il l'avait parfois été avec sa mère. Il avait vu les immeubles des ghettos juste au bord du dépotoir, comme chalutiers rouillés flottant sur une mer de déchets.

Sa maison.

Puant, le corps couvert de crasse et de pourriture, il s'était traîné jusqu'au troisième étage et avait frappé à la porte. Pas de réponse. Il avait recommencé en pleurant. En sanglotant. Assez fort pour que la vieille voisine le regarde et glousse avant de lui claquer la porte au nez.

Il avait frappé encore et encore jusqu'à ce que la porte s'ouvre sur sa mère, enveloppée d'une serviette de bain. Elle avait hurlé et bondi en arrière, la serviette tombant et dévoilant son corps. Disco était entré et avait vu Pedro sur le seuil de la chambre à coucher, nu, grattant un gros truc humide qui pendouillait des poils frisés à la base de son ventre tatoué.

« T'es vraiment bonne à rien, espèce de pétasse de merde », avait-il dit en repartant dans la chambre et en claquant la porte.

Il avait battu sa mère, il avait battu Disco, et il était parti au volant d'une coccinelle de 73 pour ne jamais revenir. Deux jours plus tard, Disco retrouvait sa mère baignant dans son sang dans la baignoire, tandis que Gloria Gaynor tournait en boucle en musique de fond.

I will survive.

Pas cette fois.

Il hurla, hurla de toutes ses forces et de son être pour revenir au présent.

Allongé dans son lit, en nage, en manque de tik comme jamais encore il n'avait été en manque de quoi que ce soit dans sa chienne de vie. Il sortit du lit et traîna son cul marqué au fer jusqu'à ses habits toujours dans le sac en plastique. Il trouva un jean Diesel, celui qui lui allait bien et retombait si joliment bas sur ses hanches. Sexy. Il l'avait acheté après un de ses coups réussis avec Godwynn.

Godwynn.

Son imagination fébrile – complètement en vrille – lui projeta une image de Goddy dans ce même dépotoir, la cervelle lui sortant de la bouche, un tapis de mouches bourdonnant comme des roulettes de dentiste en s'accrochant à lui et le rendant encore plus noir. Il vomit. Sans pouvoir s'arrêter. De la bile jaune sur son Diesel. Bordel! Il avait compté l'échanger contre une paille. Il savait que Popeye en pinçait pour le pantalon.

Il s'approcha prudemment de la fenêtre et jeta un coup d'œil dehors, craignant d'y voir Manson et ses hommes. La petite cour était vide. Il fallait qu'il aille jusqu'au robinet à côté de la cuisine de la grosse. C'était le seul endroit où il pourrait rincer son pantalon avant d'aller supplier Popeye de le lui échanger contre du tik. Il se leva et entrouvrit la porte. Approcha un œil larmoyant de la fente. Aperçut un morceau de ciel bleu et de sable blanc.

Vide.

Il quitta le *zozo* et fila vers le robinet, plié en deux par les crampes. Il nettoyait le dégueulis de son jean lorsqu'une ombre s'abattit sur lui. Il avait les nerfs tellement à vif qu'il aurait pu jurer qu'il en avait senti le poids.

Il attendit que la froideur d'une bouche de flingue lui embrasse la nuque. Résigné.

« Mais nom de Dieu…? »

L'odeur le renseigna avant la voix.

« Qu'est-ce qui t'arrive? »

La grosse se dressait à côté de lui, dans la chemise de nuit froufroutante qui lui collait à la peau comme de la moisissure sur de la viande avariée.

« Je suis malade, tantine. »

Elle rit.

« Malade de pas trouver de bonbon, ja! Et si tu fais pas gaffe, tu seras bientôt mort, aussi. »

Il leva les yeux sur elle, ses énormes seins le protégeaient du soleil qui lui brûlait la peau comme des flammes.

« Ja, ils sont venus, tu sais. Hier soir et ce matin.

— Qui?

— Les types à Manson. Ils m'ont réveillée, moi et Zuma. »

Le petit bâtard noir se réfugiait derrière elle et aboyait en dansant sur trois pattes, la quatrième s'agitant en l'air comme sur un ressort.

« Qu'est-ce qu'ils ont dit?

— À ton avis? Ils veulent ta peau de sale con. »

Elle se pencha, ramassa son chien, le serra contre elle, l'engloutit dans sa poitrine en lui embrassant la tête.

« Allons, allons, mon petit Zuma chéri. Maman va te donner de bons beignets au poisson. »

Et elle rentra chez elle en se dandinant.

Disco frotta furieusement.

CHAPITRE 26

Ils laissèrent le soleil en s'engageant dans Hospital Bend et en pénétrant dans un nuage bas qui coiffait d'un coton humide la montagne de la Table et les banlieues vertes et boisées. Laissant aussi ce qu'il restait de la bonne humeur de Roxy.

Journée parfaite pour des funérailles.

Roxy était à côté de Billy dans la Hyundai qui s'enfonçait de plus en plus profondément dans le nuage. Billy conduisait vite mais bien, il semblait pressentir les ouvertures dans la circulation et évitait les taxibus qui fonçaient comme des Scud vers les Flats. Il portait un jean foncé et une chemise blanche sous une veste en cuir noir. Pas de cravate. Il avait aussi des chaussures montantes à lacets qui venaient d'être cirées.

Une pluie fine éclaboussant le pare-brise de la voiture, il activa les essuie-glaces qui gémirent doucement. Comme un chant funèbre. Depuis cinq ans que Roxy vivait au Cap, le mystère de sa météo lui restait entier. La ville étant située sur une péninsule, ses habitants disaient qu'on pouvait avoir le climat des quatre saisons dans la même journée. Le temps n'était pas la seule variante de ce côté de la montagne éloigné de l'océan. Son quartier, qui marinait sous un soleil éclatant, avait quelque chose de méditerranéen, des airs de côte d'Azur. Ici en revanche, on se serait cru en Angleterre. Les maisons, à l'abri de grands chênes, n'auraient pas détonné dans une banlieue cossue de Londres.

Elle baissa le pare-soleil du côté passager et se regarda dans la petite glace. Pas de maquillage, hormis une fine couche de rouge à lèvres. Qu'elle finit par trouver superflu et effaça en se tapotant les lèvres avec un Kleenex.

Elle portait une robe noire toute simple. Aucun bijou sauf le crucifix et son alliance. Elle avait failli quitter la maison sans, elle l'avait enlevée le lendemain de la mort de Joe. Acte inconscient de libération.

Elle s'était sentie d'humeur étrangement joyeuse au petit déjeuner. Après sa tentative de séduction maladroite de la veille, elle s'attendait à ce que Billy se retranche dans le silence. Mais il semblait avoir envie de parler, même si la conversation sur l'assassin de Sea Point avait été macabre. Elle n'avait jamais eu de conversations aussi étranges qu'avec lui. Étranges, mais fascinantes. Les flash-back font parfois les meilleures histoires.

Puis le flic avec une gueule de pizza de la semaine dernière était arrivé avec son fils. L'interlude avec le garçon l'avait laissée désorientée et déprimée.

Elle repéra une file de voitures et un corbillard noir garé devant une petite chapelle catholique dans une rue tranquille et bordée d'arbres. Joe avait-il été pratiquant ? Elle ne l'avait jamais su. Ils s'étaient mariés sans cérémonie et avaient passé leur lune de miel à l'île Maurice. Ce qu'elle savait, en revanche, c'est que Joe souhaitait être incinéré, au moins n'aurait-elle pas à supporter les rituels de la mise en terre.

Billy se gara, fit le tour de la voiture et lui ouvrit la portière.

« Je vous retrouve après, d'accord ? dit-il en refermant la portière.

— Vous n'entrez pas ?

— Si. Mais je resterai à l'arrière. »

Elle acquiesça et s'approcha de la chapelle. La Hyundai sifflota derrière elle lorsque Billy activa la fermeture.

Des gens convergeaient sur l'église de tous côtés. Des hommes en costume, des femmes coincées dans des robes sombres qu'elles portaient rarement et dont la taille était devenue trop étroite.

Un coup d'œil sur Roxy et elles s'accrochaient à leurs maris. Elle scruta des visages, principalement blancs, principalement d'individus entre deux âges.

Elle ne connaissait personne.

Le croque-mort, un homme décharné en costume noir brillant, apparut soudain sur le côté de la chapelle, de la fumée de cigarette s'échappant de ses narines comme s'il avait la tête en feu. Elle sentit son regard sur ses fesses quand elle monta les marches. On entendait *Abide with me*[1] à l'intérieur, les aigus déformés par les haut-parleurs. Elle marqua une pause en haut de l'escalier et se retourna. Debout sur le trottoir, Billy l'observait. Il lui fit un petit signe de tête.

Elle entra dans l'église.

Le cercueil de Joe, couvert de couronnes, reposait sur un catafalque en argent.

La réalité de son acte la frappa soudain et la cloua dans l'allée, comme les mains et les pieds du christ en bois, qui la dévisageait en agonisant au-dessus de la chaire. Elle eut l'impression que le crucifix qui pendait autour de son cou lui brûlait la peau.

Elle se força à avancer.

Jane et sa mère occupaient les places de choix, sur le banc au premier rang. Roxy n'avait jamais rencontré la première femme de Joe, mais elle l'avait entrevue un jour sur le Waterfront, perchée sur des talons trop hauts qui n'étaient plus de son âge, le visage figé en ce sourire étonné que l'on doit à la chirurgie esthétique. À moins qu'elle n'ait été choquée de voir que malgré tous ses coups de bistouri, Joe avait trouvé mieux qu'elle.

Elle s'assit près de l'allée, à mi-distance de l'autel. Elle prit un livre de cantiques dans la rainure devant elle. Elle le feuilleta pour se donner une contenance. Les gens étaient debout autour d'elle ; un homme en chasuble et avec un collier de chien monta en chaire. Il avait de fines mèches de cheveux soigneusement rame-

1. « Reste-moi fidèle. »

nées sur sa calvitie et des couches de chair lui pendouillaient sous le menton comme les soufflets d'un harmonium.

Il avait travaillé dur pour trouver un ton qu'il croyait informel, censé conférer une certaine sincérité à ses propos sur un homme qu'il n'avait jamais rencontré. C'était raté. Il baratina avec enthousiasme sur un homme que Roxy ne connaissait pas non plus : un père et un mari dévoué. Un homme d'affaires.

Des cantiques furent chantés, faux. Roxy se retrancha dans un silence au plus profond d'elle, comme si elle était dans une cabine de flottaison. Ni vraiment éveillée, ni endormie.

Absente.

Jusqu'à ce qu'elle entende le râle caractéristique de Bob Dylan en train de chanter *Death is not the end* [1]. Les adieux de Jane à son père. Roxy les prit comme une menace. Ils lui rappelèrent le rêve qui l'avait fait hurler, celui où Joe n'était pas mort. Jane s'approcha du cercueil, le menton volontaire levé comme pour défier les larmes qui ruisselaient sur son visage, ses genoux roses visibles sous une robe mal ourlée.

Dylan s'interrompit brutalement et resta là, au carrefour qu'il ne pouvait pas comprendre [2].

Jane reniflait et parlait de Joe à travers ses larmes. Roxy se faisait-elle des illusions ou les yeux de la fille étaient-ils vraiment rivés sur elle?

Elle avait besoin d'air frais.

Elle quitta son banc et se dirigea vers la sortie. En réprimant son envie de courir.

Il bruinait toujours, mais elle était dehors, reconnaissante de pouvoir respirer et sentir l'ozone. Tandis qu'elle s'approchait de la route, un éclair tout en finesse illumina l'horizon.

1. « La mort n'est pas la fin. »
2. Référence aux paroles de la chanson : *When you're standing at the crossroads that you cannot comprehend* (« Quand tu arrives au carrefour que tu ne saurais comprendre »).

Piper descendit du taxibus à l'arrêt de Mowbray, près de la gare. Il voulait prendre un train pour Paradise Park – il y aurait moins de monde et ce serait plus anonyme qu'un autre taxi à cette heure de la journée. Mais il devait d'abord faire deux ou trois courses.

Il s'approcha de la supérette Chez Ebrahim, une épicerie miteuse dans un immeuble croulant de la belle époque, d'où sortirent deux musulmans portant la chéchia. Le premier était jeune, en jean et en Nikes, avec des bouts de barbe qui lui poussaient n'importe où sur la figure comme une mycose. L'autre, beaucoup plus âgé, en pantalon de costume et en sandales portait une barbe blanche et fournie qui lui arrivait jusqu'à la poitrine.

Le jeune s'éloigna. Le vieux était occupé à fermer la porte et à accrocher la pancarte manuscrite qui annonçait la fermeture du magasin pour la prière du vendredi midi.

Il regarda à peine Piper quand celui-ci s'approcha.

« On est fermés. »

Piper tendit son billet de cinquante rands.

« J'ai juste besoin d'un savon. »

Le musulman, qui s'apprêtait à fermer la porte de sécurité, jeta un coup d'œil sur l'argent.

« Bon, d'accord, mais faites vite. »

Il ouvrit la porte et entra. Piper le suivit, ferma derrière lui et entendit le clic du verrou. La boutique ressemblait à toutes celles des quartiers pauvres du centre-ville ou des Flats. On y trouvait de tout, des vélos aux vêtements, des bougies, des réchauds ou de la nourriture. L'encens et l'odeur entêtante du curry de viande flottaient dans l'air. Les petites fenêtres étaient encombrées de chemises délavées et de coupons de tissu et les carreaux assez crasseux pour qu'on ne puisse rien voir à l'intérieur.

Piper vit ce qu'il cherchait sur un présentoir couvert de traces de doigts sous la caisse enregistreuse : toute une gamme de couteaux Okapi. Ce couteau de poche avec son anneau porte-clé, sa lame en acier dur de dix centimètres et son manche en bois recourbé serti de croissants et d'étoiles avait envoyé des générations de métis dans l'au-delà. Ou aux urgences s'ils avaient de la chance et que leur agresseur était médiocre.

Piper avait tenu son premier Okapi à l'âge de dix ans. Et avait tué son premier type avec l'année suivante. Voilà une chose qui lui manquait en prison : la courbe de ce manche en bois dans la paume de la main. Il avait tué des hommes avec des cuillers affûtées, des bouts de plastique arrachés à des bassines, mais rien ne valait la sensation d'ouvrir brusquement l'Okapi près de la couture de son pantalon, de voir l'éclat de la lame et de la mettre au boulot.

« Donnez-m'en un », dit-il en montrant son modèle favori dans le présentoir.

Le commerçant regarda attentivement Piper et ne sembla pas aimer ce qu'il voyait.

« Ça coûte plus cher qu'un savon.

— Vous en faites pas, mon vieux. J'ai ce qui faut. »

Le musulman déverrouilla le présentoir en sifflant et en toussant. Il prit le couteau et le tendit à Piper qui le soupesa et lui adressa son sourire de 28.

« Parfait. »

Il ouvrit la lame et la testa sur son doigt. Elle avait besoin d'être aiguisée, mais ça ferait l'affaire. Il improvisa la suite. Il tendit la main gauche par-dessus le comptoir, attrapa l'homme par la chemise et le tira vers lui. Il leva la lame en même temps, la tenant brièvement perpendiculaire à son corps, puis il baissa le bras et sentit le couteau percer la poitrine du vieil homme. Il le retira et l'y replongea trois fois.

Il lâcha le musulman, qui s'effondra sur le présentoir, glissa en arrière et s'écroula derrière le comptoir en laissant une trainée de sang sur la vitre.

Piper essuya la lame sur un torchon en vente et glissa l'Okapi dans la poche de son jean. Il prit le même que celui qu'il venait d'utiliser et le mit lui aussi dans sa poche.

Puis il ouvrit la caisse et prit les billets. Il n'y avait guère plus de cinq cents rands, mais ça suffirait à ses besoins.

Il n'avait pas l'intention de rester en liberté très longtemps.

Il choisit ensuite une paire de lunettes de soleil poussiéreuses sur un présentoir du comptoir. Des imitations bon marché, de gros verres noirs qui dataient de l'époque de Super Fly dans les années 70. Au moins couvriraient-ils un peu son visage tatoué. Puis il prit un savon de bain Caress. Cadeau.

Et sortit du magasin.

Il pouvait maintenant faire ce que tout homme fait quand il sort de prison : retrouver son épouse.

CHAPITRE 27

Roxy reprit ses esprits en se promenant dans l'allée de chênes du vieux cimetière, en face de la chapelle. Pierres tombales délabrées, anges estropiés qui se dressaient vers le ciel dans les hautes herbes.

Elle entendit un claquement de talons hauts derrière elle, se retourna et, dans la bruine, elle vit s'approcher le cannibale africain et la pute ukrainienne. Il lui fallut un moment pour les remettre. Ils étaient certes mémorables, mais beaucoup de choses s'étaient passées depuis le dîner à Camps Bay, le soir où tout avait commencé.

La putain tenait un parapluie au-dessus de son homme pour éviter que son costume de soie ne se mouille, et la pluie donnait des allures de paille à ses cheveux jaunes. Ils n'étaient plus nattés et leurs fourches pendouillaient et balayaient les pellicules tombées sur son manteau sombre.

Le cannibale s'approcha et enveloppa une main de Roxy entre les deux siennes.

« Madame Palmer, dit-il. Tragique ! (Ses yeux clairs débordaient de compassion.) Toutes mes condoléances. »

Ses mains lui rappelèrent un crapaud-buffle qu'elle avait trouvé niché près d'une piscine vaseuse d'Hialeah quand elle était petite. Elle avait commis l'erreur de le ramasser, il lui avait envoyé une giclée de gélatine toxique sur les mains, qui étaient restées irritées pendant des jours.

Elle retira sa main.

« Merci d'être venus.

— Quand je pense que nous étions ensemble. Pour le dernier repas », dit-il avec un hochement de sa noble tête.

Roxy, déjà perturbée, faillit ricaner en entendant la référence à la Cène. Mais elle se domina.

« Oui, qui l'eut cru ? »

La blonde oxygénée changea de sujet.

« Ta robe, c'est une Nina Ricci ?

— Tout à fait, répondit Roxy. »

La pute semblait prête à lui arracher la robe et à s'enfuir avec. L'Africain l'écarta d'un geste du coude.

« Madame Palmer, je comprends qu'il soit difficile d'aborder ce genre de sujet à un moment pareil, mais… »

Roxy le dévisagea en hochant la tête, déroutée. Par-dessus son épaule, elle aperçut Billy Afrika qui les surveillait sur le trottoir devant l'église.

Le cannibale poursuivit.

« Cette nuit-là, j'ai confié un attaché-case à M. Palmer. Vous vous en souvenez peut-être ? »

Roxy acquiesça. Elle revoyait vaguement Joe rejoindre la voiture, une mallette à la main. Il l'avait glissée dans le coffre de la Mercedes après lui avoir ouvert la portière.

« C'était une avance pour du matériel que votre mari devait fournir. Du matériel dont mon pays a un besoin extrêmement pressant, madame Palmer. »

Billy les rejoignait. Roxy regarda l'Africain.

« Je ne suis pas sûre de comprendre où vous voulez en venir…

— Cet argent – l'avance – représentait une somme importante, en dollarrrrs. (Il roulait les r.) L'argent, madame Palmer, c'est comme le sang de mon peuple. Vous comprenez ?

— Non, je ne comprends pas.

— J'ai… mon pays a besoin… de le récupérer. À tout prix. »

Elle rit. Et comprit pourquoi il était venu aux funérailles.

« Il va falloir faire la queue, mon pote. Et vous adresser à l'avocat de mon mari. »

Elle essaya de s'en aller, il leva la main pour l'arrêter. Mais Billy les avait rejoints et l'Africain retira brusquement sa main et se frotta le bras. Elle n'avait pas vu ce que Billy lui avait fait, il avait été trop rapide.

Mais il lui avait fait mal.

Le cannibale, essoufflé, dit quelque chose en français qui ne ressemblait pas à des condoléances.

Billy la prit doucement par le bras et l'entraîna au loin.

« Que voulait-il ?

— La même chose que vous. (Il la regarda.) L'argent du sang. »

Elle s'écarta de lui et rejoignit la voiture, elle voulait partir avant la sortie de l'église.

Manson était assis à l'arrière du Hummer, devant le collège de Paradise Park. Un endroit sinistre avec plus de barbelés rasoirs que Pollsmoor. Il attendait sa fille Bianca.

Manson avait des rejetons aux quatre coins des Flats. Mais il avait un faible pour cette fille, depuis toujours. C'était une tigresse depuis sa naissance. Comme lui. La mère de Bianca était une fêtarde : à seize ans elle ne pensait qu'à la baise, à dix-huit ans elle était déjà une junkie, à vingt ans, un cadavre.

Il avait placé sa fille chez sa sœur Charneze, dans la maison qui servait de labo de tik. Il la faisait venir chez lui de temps en temps, les week-ends.

Sa fille s'était encore foutue dans la merde. Sa sœur lui avait téléphoné et demandé d'aller la chercher à l'école. Charneze était trop occupée à « cuisiner », une forte demande étant prévue pour le week-end. Manson avait donc ordonné à Arafat et à Boogie de l'y conduire. Il n'avait pas le temps de gérer ce genre de bazar, il avait des affaires à régler, mais un père reste un père…

Pendant qu'il attendait, il réfléchit au sort qu'il réservait à ce cafard de Disco, qui planquait toujours son petit cul de voyou. Il ne pourrait pas éternellement se cacher. Il n'envisageait pas de le tuer, non, il allait juste graver ses initiales sur sa belle frimousse, pour qu'il se balade en rappelant à tout le monde de pas faire chier Manson.

Il regarda par la vitre et vit la gamine de Clyde. Jodie. En tenue de netball, près de la grille. Son petit cul bien ferme sous la mini-jupe plissée, qui laissait voir toute sa plomberie. Elle le vit et lui fit signe – putain, mais elle attendait que ça –, puis elle bondit pour essayer de passer le ballon dans le rond, en dévoilant sa petite culotte.

Il pouvait avoir n'importe quelle fille, par la force si nécessaire. Et il n'avait pas besoin de l'argent qu'il soutirait à la mère de Jodie. Mais c'était une question de pouvoir.

De pouvoir sur la famille du flic mort.

Le commissaire Clyde Adams avait été un dur à cuire. Fier de ne pas pouvoir être acheté. Il répondait aux tentatives de corruption en vous crachant à la gueule. Il avait mené la vie dure aux gangsters de Paradise Park. On avait tenté de l'assassiner plusieurs fois avant que Piper y parvienne.

Personne ne le regrettait.

Et sa veuve, Barbara, refusait de saluer Manson quand ils se croisaient le dimanche à la messe de la Nouvelle Église apostolique. Elle se tenait toujours mieux que tout le monde. Comme si la lumière du bon Dieu lui sortait par la raie.

Manson se souvint avoir bien ri quand une petite salope qu'il baisait à l'époque – une employée de la Standard Bank proche de Bellwood South – lui avait parlé des dollars qui étaient versés tous les mois sur le compte de Barbara Adams. Il avait suffi de une ou deux visites du côté de Protea Street pour persuader Barbara de lui donner le liquide.

Manson s'était délecté de la mettre mal à l'aise et de se faire prier. Il se foutait de la promesse qu'il avait faite à Billy Afrika ; il n'allait pas se priver de la petite Jodie.

Les yeux de Manson passèrent de la gamine qui jouait au netball à sa propre fille qui traversait la cour poussiéreuse et s'approchait de lui en se déhanchant sous sa jupe courte d'écolière, le corsage tendu par sa poitrine. Bien trop développée pour son âge. Elle était devenue aussi belle qu'intenable. Et elle ressemblait tellement à sa mère qu'il devait parfois s'y prendre à deux fois pour savoir qui il voyait.

Bianca s'assit à côté de lui et gonfla une bulle de chewing-gum rose grosse comme un ballon. Elle la fit exploser en un claquement moite et se remit à mastiquer pendant qu'Arafat faisait gronder le Hummer en descendant la rue.

« Qu'est-ce que t'as encore foutu, bordel, Bianca ? lui demanda-t-il en adoptant un ton qui se voulait parental, sans y parvenir.

— J'ai rien fait.

— C'est vrai que t'as menacé une gamine avec un couteau ?

— Bien sûr. La première petite salope qui me cherche, je la charcute.

— Qu'est-ce qui s'est passé ?

— Elle a traité ma maman de *bushman*. Elle a dit que ça se voyait à mes cheveux, expliqua-t-elle en passant la main dans ses boucles rebelles.

— Bon, alors d'une, c'est un mensonge. De deux, c'est dégueulasse de dire un truc pareil. Mais tu peux pas te balader en tuant tous ceux qui te dérangent, tu entends ?

— Pourquoi ? C'est bien ce que tu fais, non ?

— C'est pas la même chose, lui dit Manson, qui se sentit en terrain glissant.

— Pourquoi ?

— Parce que… c'est mon boulot, voilà pourquoi.

— D'accord, mais faut bien commencer un jour.

— Bianca, t'as treize ans, bordel.

— Et alors ?

— Alors, ces choses peuvent attendre quelques années.

— Tu veux dire qu'il faut que j'attende d'être grande pour zigouiller une salope comme ça ?

— Ja. C'est exactement ce que je dis.

— Au cul, ouais. Je veux un flingue. Je veux descendre ces grosses putes », lança-t-elle en faisant claquer une bulle avec un bruit de détonation.

Manson hocha la tête, se revit à son âge. Il lui arrivait de ne rien comprendre à la vie. Si seulement elle avait pu être un garçon, bon sang !

Quand ils rejoignirent le Waterfront, ils retrouvèrent le soleil et l'air chaud et étouffant. L'autre versant de la colline comme un pays étranger.

Roxy était restée silencieuse depuis qu'elle était montée en voiture et Billy la laissait tranquille. Mais il se demandait bien qui étaient ce négro – noir au point d'être bleu – et la blonde oxygénée. Il avait envie de savoir s'ils risquaient de compromettre son remboursement.

Ils prenaient les virages de Lion's Head quand elle parla.

« Vous tuez des gens, n'est-ce pas ?

— Seulement quand je ne peux pas faire autrement.

— Mais vous l'avez déjà fait ? Dans le passé ?

— Pour me défendre. »

Elle hésita, comme si elle cherchait ses mots en regardant les derniers nuages décaper le ciel bleu et plat.

« On est censé se sentir comment après avoir fait un truc comme ça ? »

Il haussa les épaules.

« C'est chaque fois différent.

— Je ne sens ni remords ni culpabilité pour ce que j'ai fait. Je suis seulement morte de trouille à l'idée de me faire prendre. C'est mal ? »

Elle le fixait du regard. Comme si elle espérait une espèce d'absolution.

« Roxanne, je vous l'ai déjà dit, je me contrefous que vous ayez descendu Joe. Il est poussière. Y a rien à ajouter. Si vous avez besoin d'en parler, allez voir un psy ou un curé. »

Il se tourna vers elle.

La vit cligner de l'œil. Acquiescer.

Elle ne dit plus un mot de tout le trajet.

Elle se sentait défoncée, comme quand à quatorze ans elle prenait des drogues bon marché pour arrondir et adoucir les angles de sa vie difficile. Dix ans plus tard, en Europe, la came était chère et elle la noyait avec du champagne français, mais la drogue la laissait toujours creuse et dispersée, rendait sa vie floue, comme des images aperçues par la fenêtre d'un train lancé à toute vitesse.

Elle ferma les yeux. Elle n'avait pas tout raconté à Billy. Elle avait évidemment peur de se faire arrêter pour son crime. De faire de la prison. Mais dans la chapelle, avec ce christ morbide qui la foudroyait du regard, elle avait ressenti une autre forme de peur : celle d'avoir à payer pour ce qu'elle avait fait à Joe.

D'une manière ou d'une autre.

« Putain ! »

La voix de Billy la fit sursauter. Elle ouvrit les yeux.

Il avait ralenti en arrivant à la maison. Le portail était grand ouvert. Des véhicules de police et une véritable armée d'occupation – flics en tenue et en civil – encombrait la cour d'entrée. Il lança brusquement la Hyundai en marche arrière en se tournant pour voir la route, à toute vitesse.

Roxy se retourna aussi et vit un fourgon de la police se glisser derrière eux et leur bloquer le passage.

CHAPITRE 28

Roxy descendit de voiture. Vit la porte d'entrée de sa maison grande ouverte et dans le couloir des uniformes dont le bleu se mêlait à celui de l'océan derrière eux. Billy lui parla à voix basse avant que les flics les rejoignent.

« Ne dites rien à ces types avant de parler à votre avocat, d'accord ? »

Un homme qui portait un costume trop cher pour un flic s'approcha d'elle.

« Vous êtes bien madame Roxanne Palmer ?

— Oui, c'est moi.

— Je me présente : Ronald Barker. Je suis *curator bonis*, j'effectue un ordre de perquisition afin de procéder à une saisie des biens dans le cadre d'un ordre de préservation et de confiscation. »

Il lui secoua un truc à l'air officiel sous le nez.

« Vous pouvez me traduire ça en anglais ?

— Je travaille pour l'Unité de recouvrement des biens. Nous avons un mandat pour saisir tous les biens appartenant à M. Joseph Palmer.

— Mais il est mort.

— Justement. Dans ces cas-là, nous devons agir promptement pour empêcher que la succession absorbe les biens contestés. M. Palmer faisait l'objet d'une enquête pour des inculpations variées, dont fraude fiscale et recrutement de mercenaires pour le compte de puissances étrangères. Il nous faut donc saisir ses biens et geler l'ensemble de ses comptes bancaires. »

Roxy se tourna vers Billy, elle ne comprenait toujours pas.

Il lui prit le bras et l'entraîna un peu plus loin ; elle gardait le regard fixé sur l'homme en costume.

« Roxanne, lui dit-il à voix basse. Regardez-moi. (Elle lui obéit.) Ça n'a rien à voir avec le meurtre de Joe. Vous comprenez ?

— Oui. À peu près.

— Et donc, ne dites rien. C'est une autre affaire. Joe était dans une sacrée merde. C'est pour ça que je n'étais plus payé. Et que sa société s'est barrée en couilles. Il ne vous en a pas parlé ? »

Elle hocha la tête.

« Non. Mais il buvait plus que d'habitude. Il avait l'air en colère. »

Assez en colère pour la pousser dans l'escalier et tuer son bébé.

« La bonne nouvelle, c'est que vous n'êtes pas accusée de meurtre.

— Et la mauvaise, c'est que je me retrouve sur le cul sans un sou ?

— Ja. C'est à peu près ça. (Sourire crispé.) Il vous reste au moins votre cul, à vous.

— Très drôle. (Elle ne sourit pas.) Et je ne toucherai rien. Jamais ?

— Non, maintenant que les vautours se sont déplacés, c'est foutu. »

Elle essayait de tout digérer. De faire face.

« Qu'est-ce que vous allez faire ?

— Ce que j'ai à faire, répondit-il.

— Je suis désolée. »

Il haussa les épaules.

« Inutile. Vous feriez mieux de penser à vous. »

Elle acquiesça, puis s'approcha de l'homme en costume.

« Monsieur… ?

— Barker.

— Je veux parler à mon avocat.

— S'agit-il de M. Richardson ?

— Oui.

— Vous allez devoir trouver quelqu'un d'autre. M. Richardson est en garde à vue. Je me contenterai de dire qu'il donnait d'assez mauvais conseils à votre défunt mari. »

Il avait l'air content de lui. Le bonhomme aimait son boulot.

Elle comprenait maintenant l'attitude qu'avait eue Dick la veille. Le fait qu'il ait voulu son ordinateur portable. Ce salopard savait que tout allait partir en couilles et il ne l'avait même pas prévenue.

Roxy tenta de maîtriser sa voix.

« Qu'est-ce que je peux prendre dans la maison ?

— On vous autorise quelques effets personnels, affaires de toilette, etc. Quelques vêtements. Aucun bijou ni mobilier. Une agente va vous accompagner. »

Une fliquesse apparut à côté d'elle. Roxy se tourna vers Billy. Il haussa les épaules.

Elle entra dans la maison, la fliquesse lui emboîta le pas.

Billy monta dans la chambre d'amis, suivi par un jeune flic blanc en tenue. Ses affaires étaient déjà rangées dans son sac en toile : son rasoir, sa brosse à dents, tout. Vieille habitude. Il était toujours prêt à fuir. Le flic fouilla sommairement le sac. Hocha la tête. Billy tira la fermeture Éclair, balança le sac par-dessus son épaule et sortit.

Dans le couloir, il remarqua une chambre qu'il n'avait jamais vue avant. Toute rose, comme une chambre d'enfant. Roxy était dedans, la fliquesse l'attendait à l'entrée. Elle leva les yeux sur Billy. Il lut une expression de pure douleur sur son visage. Il faillit s'arrêter et la réconforter.

Mais il préféra prendre la direction de l'escalier.

Elle avait ses problèmes. Mais c'étaient ses problèmes à elle, rien de plus.

Il avait une famille à protéger.

Et il devait trouver l'argent qui lui permettrait de le faire.

Maggott était en retard pour le briefing stratégique.

Il ouvrit la porte au fond d'un couloir sombre du dernier étage du commissariat de Sea Point et vit qu'un négro en costard tape-à-l'œil menait le bal – il venait du QG régional et faisait semblant de savoir de quoi il parlait.

Maggott trouva un siège et perçut une certaine gêne dans la salle. Il faillit rire. Le type en costard était placé juste devant la baie de Three Anchor et la plage de Ricklands. Où les deux blondes avaient perdu la tête.

Pas étonnant que ces types se sentent tout petits.

La pièce était pleine du genre de flics qu'on voit partout : le bon, la brute et celui qui s'emmerde. Le négro racontait qu'ils avaient « élaboré un profil ». Ils avaient fait circuler le portrait-robot d'un suspect qui avait soi-disant été aperçu dans le coin au moment des meurtres. Un Blanc avec une gueule plate comme une pelle. Maggott reniflait le truc bidon. C'était destiné aux médias. Point final.

Il leva la main.

Le mec en costume haussa les sourcils.

« Oui ?

— Inspecteur Maggott. De Bellwood South.

— Que voulez-vous nous dire, inspecteur ?

— Ces femmes… des signes d'agression sexuelle sur elles ?

— Nous avons déjà couvert cet aspect avant votre arrivée. La réponse est non.

— Donc, on leur a juste pris la tête. Vous trouvez pas que ça sent le *muti* ? »

Des murmures circulèrent et personne n'osa le regarder dans les yeux, sauf le grand chef dont le pantalon semblait avoir subitement rétréci.

« Nom de Dieu, c'est reparti! C'est quoi, cette obsession avec la magie noire? Dès qu'il manque un membre, vous pensez systématiquement qu'il s'agit d'un Africain s'adonnant à un rituel primitif. »

Maggott insista.

« C'est juste que j'ai enquêté sur des cas de *muti* dans les... (il faillit dire les "squats", mais se reprit à temps) les aires temporaires. J'ai toujours retrouvé les morceaux manquants. »

Le type la lui fit boucler.

« Merci de nous avoir fait part de votre expérience, inspecteur. Mais nous avons affaire à un tueur en série ici. C'est une autre paire de manches. Et les tueurs en série attaquent leur propre groupe ethnique. C'est un fait. L'assassin est blanc. Les psychotiques et les bipolaires croient toujours à l'apartheid. (Quelques rires étouffés.) Ils en ont toujours été les plus grands supporters, d'ailleurs. »

Rires plus francs, laissant Maggott le visage rouge et les boutons prêts à décoller.

Le négro brandit le portrait-robot.

« Voici notre suspect. D'accord? »

Le briefing prit fin et le costume distribua les tâches. Celle de Maggott était prévisible : il venait des Flats, il fut donc envoyé en patrouille sur le bord de mer avec un groupe de stagiaires en tenue. Distribuer des tracts, parler aux retraités, aux sans-abri et aux fous que le gouvernement ne pouvait plus se permettre d'enfermer.

Chiasse.

Il prit une poignée de portraits-robots et regagna sa voiture. Pour une fois, Robbie lui avait obéi et était resté à l'intérieur. Il avait pleuré et était aussi rose que l'ours qu'il serrait contre lui. Maggott accompagna son fils jusqu'à une pelouse au bord de l'eau. Il l'installa sous un arbre tandis qu'il arpentait le bord de mer, bouillant de rage. Le soleil lui cognait sur la tête, sans pitié. Il suait dans ses chaussures lacées, son jean et sa chemise. Autour de lui, les gens étaient en short ou tenue de bain et l'odeur d'huile de noix de coco se battait contre la puanteur des algues en décomposition.

Il perdit son temps à distribuer les tracts et à parler aux clochards échoués sur l'herbe comme des déchets charriés par l'océan. Maggott aspirait à être muté dans cette partie de la ville, mais pas pour interroger des gens qui puaient encore plus que ceux des Flats.

Il s'approcha d'une vieille femme blanche qui traversait la pelouse comme un crabe, un sac en plastique à la main. Maggott crut qu'elle portait des collants, jusqu'à ce qu'il remarque que sa peau cramée par le soleil lui pendouillait autour des chevilles, les jambes nues sous un petit short. En le voyant, la vieille femme recula comme si elle s'attendait à être agressée. Il lui fit voir son insigne, puis lui montra le portrait-robot. Elle le regarda sans la moindre expression.

Elle hocha la tête, prit une croûte de pain rassis dans son sac, la craqua entre ses doigts tremblants et jeta les miettes sur l'herbe. Quelques secondes plus tard, elle disparaissait dans une folle nuée de mouettes hurlantes, qui se disputaient la nourriture.

Maggott s'éloigna en maugréant dans son afrikaans des Cape Flats.

Il n'arrivait pas à oublier la villa sur la montagne, certain que s'il étirait le cou pour regarder par-dessus l'ivrogne qui fouillait dans une poubelle, il pourrait voir le soleil se refléter sur les baies vitrées. C'était devenu une obsession et il en était conscient.

Il resta près de la barrière et regarda l'océan. Il alluma une cigarette et récapitula sa théorie : la blonde embauche les deux crapules de Paradise Park pour descendre son mari en déguisant l'affaire en braquage. Elle le fait pour le fric, évidemment. Puis quelque chose tourne mal, disons que Disco et Godwynn essaient de la faire chanter. Elle paie donc Billy Afrika – un employé de Joe Palmer – pour se débarrasser d'eux, et Billy tue Godwynn.

« Ça pourrait coller », pensa-t-il en tirant sur sa Camel, un filet de fumée s'échappant de ses narines. Mais il devait reconnaître qu'il y avait des lacunes. Par exemple, pourquoi Disco promenait-il toujours son cul de voyou dans White City ? Et Billy Afrika – Barbie – était une minable poule mouillée. Même pas foutu de descendre le gars qui venait de tuer son coéquipier sous ses yeux, alors exécuter un type froidement ? S'il avait pu faire étudier la balle qui était restée dans le crâne de Godwynn MacIntosh, il aurait été en mesure de répondre à la question. Mais une vie métisse ne vaut pas un clou.

Tuer une ou deux salopes blanches en revanche c'est le grand cirque médiatique.

Il finit sa cigarette, repensa aux propos insolents de Barbie, tandis que la blonde américaine restait calme, hors d'atteinte. Pensa à ces deux-là qui l'emportaient au paradis. Ce qu'il fallait, c'était écarter Billy Afrika et organiser un réseau social à la Cape Flats : Facebook sans l'Internet. On met Disco et Roxanne Palmer dans la même pièce, nez à nez.

Tout à parier qu'un des deux finirait par craquer.

Il jeta son mégot dans l'herbe et chercha Robbie des yeux. Ce putain de gamin n'était plus sous l'arbre. Il le vit près d'une clocharde assise dans l'herbe à côté d'un caddie de supermarché. Une négro, vêtue de haillons, avec une jambe – d'un drôle de rouge – tendue devant elle.

« Robbie ! » cria-t-il sans parvenir à se faire entendre.

Il s'approcha du garçon qui avait le regard fixé sur le caddie orné de tout un tas de merdes, des miroirs et des plumes, et une espèce de poupée attachée avec du fil de fer rouillé.

Et une puanteur. Bordel ! Mais qu'est-ce qu'elle trimballait sous cette couverture pourrie ?

La femme marmonnait en se regardant dans un éclat de miroir suspendu à son caddie. Il vit quelque chose couler le long de sa jambe enflée, et les mouches s'en donnèrent à cœur joie.

« Qu'est-ce que tu fous ici ? demanda Maggott en tirant le gamin par le bras. Je croyais t'avoir dit de rester sous l'arbre ? »

Avant de réfléchir, il fessa son fils de la paume de la main. Plus fort qu'il ne l'avait voulu. Robbie ouvrit la bouche, prit un peu de recul, comme l'un des Trois Ténors, et poussa un hurlement.

Maggott attendit que le gamin s'arrête pour reprendre son souffle.

« Si tu fermes ta grande gueule, on ira manger au Spur, ce soir. D'accord ? »

Robbie leva les yeux sur lui, les lèvres frémissantes, de la morve plein le nez. Mais le Spur, une chaîne de grills où les serveurs chantaient aux enfants pour leur anniversaire, était irrésistible.

« Tu le jures ?

— Mais oui, bon Dieu. Je te le jure. »

Soudain, la clocharde gronda comme si elle avait un animal dans la gorge, puis elle se pencha et attrapa Maggott par le revers de son jean. Ses yeux enfoncés dans ses orbites étaient blancs comme des éclats d'os dans son visage noir. Il essaya de se dégager, mais nom de Dieu, elle avait une poigne d'acier. Elle ouvrit la bouche, émit un gargouillis et dégobilla sur ses chaussures.

Maggott se dégagea de son emprise d'un coup de pied, jura, l'odeur aigre lui montant aux narines. Il sentit la moiteur infâme sur ses chaussettes. La femme se pencha en avant comme si elle était en caoutchouc, son visage touchait presque sa jambe purulente tandis qu'une espèce de chant tribal sortait du plus profond de son être.

Tout en jurant, Maggott prit Robbie par la main et le tira vers les jets des sprinklers sur la pelouse. Il s'assit, défit les lacets de ses chaussures et les enleva en essayant de ne pas mettre les doigts dans le vomi gluant. Il ôta aussi ses chaussettes et les rinça. Puis il nettoya ses souliers visqueux.

Il se leva, ses chaussures et chaussettes dégoulinantes à la main. En nage, les boutons enflammés. Le sang bouillonnant de rage.

Sa putain de femme nympho.

Ce trou-du-cul de commissaire.

Billy Afrika et la blonde.

Il était à bout de nerfs.

Il jeta les portraits-robots dans la poubelle et, ses chaussures et ses chaussettes à la main, il rejoignit sa voiture. Robbie dut courir pour le rattraper.

CHAPITRE 29

Disco était le roi de Paradise Park.

Il vivait son rêve au volant de la Mercedes décapotable, du rap de la côte Ouest à la radio, encore bien défoncé par la pipe qu'il s'était préparée avant d'aller à l'aéroport. Incroyable comme tout peut basculer en une heure ou deux, pensa-t-il, remonté à bloc par le tik. Tout ce qu'il lui restait à faire, c'était de trouver sur quel bouton appuyer pour décapoter la voiture.

Il avait nettoyé le vomi sur son Diesel, enfilé – malgré la chaleur – un maillot à capuche pour bien dissimuler son visage et était rapidement descendu chez Popeye en surveillant ses arrières car il savait que les hommes armés étaient à sa recherche. Il avait trouvé le dealer dans sa caravane, allongé sur un matelas taché avec deux gamines en uniforme d'écolière, des volutes de fumée de tik s'échappant de leurs bouches, les jambes écartées comme des poulets en caoutchouc.

Popeye s'était moqué de Disco, pour faire macho devant les mineures, mais il avait depuis longtemps envie de ce jean. Disco l'avait échangé contre deux pailles – une arnaque de merde, oui ! – et s'était préparé une pipe dans la caravane, les mains tellement tremblantes qu'il avait eu du mal à la bourrer. Ses dents avaient claqué contre le verre comme des doigts de squelette quand il avait porté la pipe à sa bouche. Les filles se foutaient de lui, mais avec la jupe retroussée sur leurs cuisses potelées de gros bébés, il aurait pu les niquer toutes les deux contre quelques taffes de tik.

Rien n'était plus loin de son esprit quand il avait allumé la came.

Alors la fumée avait envahi ses poumons et les araignées étaient devenues de lointains souvenirs.

Même Gloria Gaynor avait fermé sa gueule.

Disco y était allé prudemment et avait surveillé ses fesses en se dépêchant de traverser White City. Il avait six intersections à franchir pour arriver à l'appartement qu'occupait Goddy avant sa mort. Il squattait chez sa tante et ses cousins.

La fille au bec-de-lièvre lui avait ouvert, la lèvre relevée presque jusqu'aux narines, elle montrait les dents en une grimace permanente. Elle était seule dans l'appartement, ce qui était une bonne chose. Il savait qu'elle en pinçait pour lui. Il l'avait donc draguée, sympa et très à l'aise après la pipe ; elle riait derrière la main qui couvrait sa difformité.

Elle n'était pas si moche quand on ne voyait pas sa bouche et elle avait de jolis petits nichons qui sautillaient sous son tee-shirt. Il avait senti le tik propager une douce chaleur dans ses couilles et avait même envisagé de la prendre en levrette, pour ne pas avoir à regarder sa tronche.

Hors de question qu'il se fasse tailler une pipe.

Mais il s'était souvenu de Manson et avait revu la tête ensanglantée de Goddy.

Il était venu pour une raison bien précise et ce n'était pas la chatte de cette fille à la gueule de travers.

Il lui avait demandé de lui montrer les affaires de Goddy : un sac retrouvé à côté du sofa déchiré où il avait dormi. Les cousins s'étaient déjà servis et avaient piqué tous les articles de valeur. Il ne restait que quelques slips sales et le tee-shirt Lifeguard de Goddy, qui puait la transpiration.

Rien d'autre.

En dépit du tik, Disco avait senti la terreur lui rogner les entrailles comme des rats d'égout.

La fille, qui croyait sans doute que c'était son jour de chance, l'avait emmené dans une chambre à coucher, une petite cellule étroite qui puait la pisse, et lui avait montré un sac en plastique de chez Checker caché sous le matelas du lit qu'elle partageait avec son frère et sa sœur. Elle avait vu Goddy le coincer derrière le meuble de la télé dans le salon.

Disco avait ouvert le sac et trouvé un sachet de l'herbe que Goddy aimait fumer et – merci, doux Jésus – les clés de la Mercedes qu'ils avaient piquée ensemble et le ticket de parking avec TERMINAL INTERNATIONAL – LE CAP imprimé d'un côté. Il l'avait retourné et avait réussi à déchiffrer au verso l'écriture de Goddy au stylo-bille rouge : T30. Le numéro de l'allée. Goddy savait qu'il ne pouvait pas faire confiance à sa mémoire grillée par le tik.

Pour l'instant, c'était encore mieux que de gagner au Loto.

La fille attendait sa récompense, allongée sur le lit, mais il s'était enfui sans même la remercier. Elle l'avait regardé partir et avec lui disparaître un après-midi de plaisir.

Il était passé par le dépotoir pour aller à l'aéroport. La puanteur ne le dérangeait pas. Ça lui rappelait sa maison. Il avait grandi sous les jets qui passaient en hurlant au-dessus de l'appartement de sa mère et le faisaient trembler comme des répliques sismiques.

Une demi-heure plus tard, il traversait à pied le parking à ciel ouvert de l'aéroport : des rangées interminables de voitures abritées sous des petits auvents en toile. Beaucoup de modèles de luxe, certains laissés là plusieurs jours d'affilée pendant que leurs propriétaires se rendaient dans des endroits que Disco ne verrait jamais.

Il avait trouvé l'emplacement T30. Et la Mercedes.

Il avait regardé autour de lui pour voir si on ne l'observait pas. Le petit Blanc en costume qui poussait sa valise vers une Audi garée un peu plus loin se concentrait sur les textos de son téléphone.

Disco avait vu les feux clignoter et entendu le gazouillis familier quand il avait appuyé sur la clé de la Mercedes. Il s'était glissé à l'intérieur, installé confortablement dans la fraîcheur du cuir, avait démarré et entendu le doux et grave ronronnement du V8.

Puis il s'était souvenu qu'il devait payer le parking à une des caisses automatiques devant l'aéroport. Il avait coupé le contact.

Merde. Il n'avait pas de liquide. Pas un centime.

Il avait ouvert et fouillé le vide-poche. Coup de bol. Il avait senti sous ses doigts quelques billets de cent rands glissés sous une pile de CD et un paquet de Stuyvesant. Pour une fois, la chance lui souriait. Avec ce fric, il pourrait régler le parking, acheter un peu plus de came et même récupérer la photo de sa maman auprès de la grosse salope.

Il avait glissé les billets dans la machine qui lui avait recraché un ticket tamponné. En passant les barrières de sortie au volant de la Mercedes, il avait allumé la radio et, abandonnant rapidement le bulletin d'informations – une deuxième Blondie avait perdu la tête à Sea Point –, il avait capté la fréquence de Bush Radio. Du bon hip-hop bien fort pour reprendre la route de White City.

Tandis qu'il essayait de trouver le bouton pour décapoter, il avait senti un relent de l'autre Blondie, l'Américaine, une trace de son parfum flottait toujours dans la voiture. Le même qu'il avait reniflé le jour où Goddy et lui l'avaient menacée. Il la reverrait peut-être. Il savait qu'elle avait envie de lui.

Mais il devait commencer par aller voir Manson.

Pour lui ramener la Mercedes et la lui échanger contre sa vie.

Roxy descendit l'escalier, une petite valise Louis Vuitton à la main. La maison était pleine de gens qui étiquetaient les meubles et la camelote que Joe avait pris pour des œuvres d'art. Un grassouillet en jean taille basse qui montrait sa raie se promenait avec un bloc-notes sur lequel il gribouillait. Il souleva une statuette en bronze d'un dieu hindou aux bras multiples, un des rares apports de Roxy à la décoration.

« Comment tu décrirais ça ? demanda-t-il à une femme moustachue.

— Moche à chier. »

Ils rigolèrent tous les deux. La femme masculine regarda Roxy sans le moindre embarras. Comme si elle appréciait de remettre cette poule de luxe américaine à sa place.

S'il y avait un moment où s'entraîner à l'indifférence, c'était celui-là.

Le plus difficile avait été de quitter la chambre rose. L'idée d'avoir un enfant, le rêve de quelque chose de bon, de positif, Dieu sait comment ils imprégnaient toujours l'atmosphère de cette pièce.

Il était temps de tourner la page.

Elle sortit de la maison, trop chaud en plein soleil avec sa robe noire. Elle vit que la voiture blanche de Billy Afrika était partie et se sentit plus seule que jamais. Elle dut s'arrêter une seconde pour reprendre son souffle, se calmer, faire consciemment face à la vague de panique qui menaçait de l'engloutir, la forcer à disparaître peu à peu.

Elle n'avait aucun ami au Cap. Quand elle était arrivée, elle avait fréquenté d'autres mannequins, qui l'avaient vite ennuyée. Toutes ces conversations incessantes sur les régimes, la haute couture et les épilations brésiliennes. Après avoir épousé Joe et arrêté de travailler, elle les avait perdues de vue. Joe avait quelques amis, des quinquagénaires dont les épouses luttaient contre le vieillissement à grands coups de Botox et de scalpel. Les femmes avaient uni leurs forces contre la femme trophée, leur cauchemar en chair et en os.

Elle n'avait donc personne vers qui se tourner pour lui prêter un lit et partager un film pour nana et un verre de vin blanc.

Les cartes de crédit de Roxy étaient inutiles, mais il lui restait un peu de liquide dans son sac, assez pour un taxi et une nuit dans un hôtel bon marché. Son alliance devait bien valoir quelque chose. Elle verrait ce qu'elle pourrait en tirer sur le Waterfront le lendemain.

Et après ? Qui savait ?

Elle posa la valise, dégagea la poignée qui lui permettait de la tirer dans la rue et, les roulettes claquant sur les briques encore tachées du sang de Joe, passa devant les fourgons de police. Après la panique, elle éprouva un sentiment de légèreté. Comprit à quel point elle détestait cette maison ridicule perchée sur la colline et défiant la gravité et le bon goût. C'était Joe tout craché et elle était contente de lui tourner le dos.

Elle s'approcha du taxi qu'elle avait appelé, une petite voiture bleue qui attendait au bord du trottoir, moteur tournant au point mort.

Puis elle remarqua l'ours rose qui la regardait par la vitre côté passager. La portière du conducteur s'ouvrit et le flic boutonneux descendit de voiture. Elle s'apprêtait à passer devant lui en tirant sa valise lorsqu'il lui posa la main sur le bras.

« J'ai quelques questions à vous poser, madame Palmer.

— Vous tombez au mauvais moment.

— Où est Billy Afrika ?

— Parti.

— Où ?

— Aucune idée. Il est allé là où vont les gens de son espèce, faire ce que font les gens de son espèce. »

Elle tenta de repartir, mais il ne lui lâchait pas le bras. Il le serrait. Fort.

« Ôtez votre main.

— Il faut que je vous parle. »

Elle parvint à se dégager.

« Je viens d'enterrer mon mari et vos collègues m'ont pris tout ce que je possède. Alors, j'adorerais traîner et bavarder avec vous, mais je pense qu'on ferait mieux de reporter à plus tard, d'accord ? »

Elle le vit rougir, l'acné fleurissant violemment sur son visage. Un soupe au lait qui chauffait. Bouillait.

« Roxanne Palmer, je vous arrête pour l'assassinat de Joseph James Palmer. »

Elle faillit rire. Elle rêvait ou quoi ? Mais non, c'était réel. Le petit bonhomme à la gueule pleine de boutons lui récitait ses droits. Et les menottes qu'elle avait imaginées le jour du tapissage se concrétisèrent quand il lui saisit les poignets et que l'acier froid se referma sur eux.

CHAPITRE 30

Disco frima en Mercedes dans Dark City, puis il traversa Main Road pour entrer dans White City, sous les sifflets des voyous appuyés aux transfos ou aux murs couverts de graffitis. Certains vendaient du tik, les autres leurs sœurs. Ou leurs filles. Il entendit le bruit de succion moite, l'appel à la copulation des filles des rues des Flats, leurs langues gonflées dans leurs bouches sans dents.

Celles qu'on leur arrachait pour qu'elles taillent de meilleures pipes.

Il ne regardait ni à droite ni à gauche, se contentant de conduire bas sur le siège de sa Mercedes, son bras tatoué posé sur la portière comme un serpent peint, ne laissant qu'un grondement de V8 et quelques notes de Ludacris derrière lui.

Il était sur le point de tourner dans Lilac Road pour monter chez Manson, mais au dernier moment il mit le cap sur son *zozo*. Il voulait récupérer la photo de sa mère ; ses souvenirs cauchemardesques du matin avaient tous été balayés par le tik. Après, il achèterait une autre paille à Popeye, de telle sorte que quand il arriverait chez Manson, il se sentirait cool, maître de lui et de ses putains d'émotions.

Il gara la Mercedes à côté du portail rouillé et bancal de sa grosse proprio. Il languissait de voir sa sale gueule quand elle écarterait les rideaux et le verrait dans cette bagnole.

Mais les rideaux restèrent fermés.

Il descendit de la voiture d'un bond et se dirigea vers la cour, prêt à tambouriner dur sur la porte de la cuisine de cette salope.

Une image l'arrêta. Un flash-back dans une brume de tik : le grassouillet blanc en train de jeter un petit attaché-case argenté dans le coffre de la Mercedes le soir de l'agression. Goddy ne l'avait sans doute pas vu, il avait la tête sous le tableau de bord pour faire démarrer la voiture. La mallette devait toujours s'y trouver. Dans le coffre. Et… savoir ce qui se trouvait à l'intérieur ? Peut-être qu'il allait continuer à avoir du bol.

Il s'apprêtait à revenir vers la Mercedes quand il vit autre chose : le chien maigrichon de la proprio qui dormait allongé sur le côté, sa silhouette noire sur le sable blanc sous la corde à linge. Mais il ne dormait pas. Pas avec ses entrailles rouges et luisantes séparées de son corps.

Alors que le vent chaud collait sa chemise humide à sa peau, Disco entendit un coup sourd. Il se retourna, la porte de la cuisine s'ouvrit avec le vent, puis se referma dans un courant d'air. Mais elle buta sur une grosse cuisse brune qui la bloquait, la plante du pied nu maculée de sang. Du sang frais et brillant. La porte bâilla lentement, révélant la grosse allongée sur le dos, les boyaux éparpillés sur le lino.

Puis il entendit la porte de son *zozo* qui s'ouvrait.

Les types de Manson. Ils étaient venus le prendre.

Il se tourna vers sa cabane, les mains en l'air, avec son sourire à bouffer de la merde. Prêt à dire : « C'est bon, mes frères. On va discuter de tout ça, d'accord ? »

Mais il s'arrêta. Bouche bée.

Et ce fut Piper qui, accoudé au montant de la porte, son couteau Okapi pendant gentiment à sa main droite souillée de sang, parla.

« Je suis venu te ramener à la maison. »

Ils roulaient.

Dans la souillure interminable de pauvreté. Le désespoir semblait peser sur les fils électriques et imprégner les murs écaillés des petites maisons. Assise à l'arrière, d'humeur tout aussi triste, Roxy regardait défiler les Cape Flats. Une belle meurtrière blonde en Nina Ricci noire et menottes aux mains. Loin des défilés de printemps de Milan et Paris.

Même la Floride du Sud lui aurait paru douce à cette heure.

Le flic roulait en fumant cigarette sur cigarette. Le garçon, assis à côté de lui, déversait un flot de paroles incessant, ininterrompu et auquel personne ne répondait. Incompréhensible aux oreilles de Roxy.

Quand ils avaient quitté Bantry Bay, elle s'était sentie stupide, hébétée. Puis elle avait eu l'idée de demander à Maggott où il l'emmenait. Il lui avait jeté un coup d'œil dans le rétro et répondu à sa question par une autre :

« Il paraît que vous étiez mannequin ?

— Oui. Il y a longtemps.

— Ça se voit tout de suite. Vous êtes très jolie dans cette robe. Dommage que vous ayez fait quelque chose d'aussi moche, hein ? »

À nouveau silencieux, il avait pris l'autoroute, puis il était entré dans ce dédale venteux de bicoques et de terrains vagues, encombré d'épaves de voitures. Roxy se surprit à regarder sa nuque, avec tous ces boutons prêts à éclater entre son col de chemise et la ligne de ses cheveux bouclés. Elle se souvint d'une vieille ruse de mannequin – utilisée lors de nombreuses veilles de panique avant une session de photos – qui consistait à étaler un peu de dentifrice sur un bouton pour le sécher.

Bon Dieu, ce type aurait eu besoin de plusieurs tubes…

Le gamin la regardait entre les deux sièges avant.

« Tu vas venir avec nous au Spur ? »

Elle hocha la tête.

« Non Robbie, je ne pense pas.

— Mais c'est mon anniferfaire. Et ils apportent un gros gâteau et ils fantent "joyeux anniferfaire" et tout ça. »

Le flic prit la tête du gamin dans sa main et la fit tourner jusqu'à ce qu'il regarde devant lui.

« Laisse la dame tranquille, Robbie. Elle a d'autres projets pour ce soir. »

Elle vit les yeux noirs de Maggott dans le rétro, rivés sur elle. Elle dut s'accrocher au siège avant quand il accéléra dans un virage. Quelque chose cliqueta à ses pieds, elle baissa les yeux et vit la tête de la figurine en porcelaine qu'elle avait donnée à l'enfant. Aucun signe du corps, seule la tête roulait et tanguait avec la voiture.

Elle emprisonna la tête sous son pied. La petite Malaisienne la regarda en souriant.

La douleur. Tristement familière.

La douleur qui déchirait Disco de l'intérieur et lui donnait l'impression que le coup de reins suivant le fendrait en deux comme une pêche.

Piper sur lui, les yeux clos, ses larmes noires si proches que Disco respirait l'haleine fétide de son violeur, et sentait le frottement de sa barbe. Il regarda une goutte de sueur glisser sur le nez de Piper, puis se balancer un instant et, brûlante et humide, lui éclabousser la joue.

Et se mélanger à ses larmes, ses larmes bien réelles.

Piper exigeait toujours un face-à-face. Comme un homme fait l'amour à son épouse. Il était hors de question qu'il le prenne par-derrière. C'était bon pour les lapins, les lopettes. Traiter Piper de lopette, c'était la mort.

La mort qui aurait été la sienne s'il avait rejeté Piper.

Derrière le torse en action, Disco regardait le clou vide où avait été accrochée la photo de sa maman. Il était content qu'elle ne soit pas là pour voir ce qu'était devenu son fils.

Les yeux de Piper restaient clos d'extase tandis qu'il forçait encore et encore le corps de Disco ; il semblait ne jamais vouloir s'arrêter. Comme à Pollsmoor où il l'avait chevauché pendant des heures d'affilée, le tik lui permettant de rester dur et prêt à l'action.

Puis ses yeux s'ouvrirent brusquement. Ses yeux noirs, mouchetés de taches brun-rouge, comme du sang coagulé sur un chiffon imbibé d'huile.

Ses yeux terrifiants.

Et rendus encore plus terrifiants par l'amour que Disco y voyait briller.

Billy Afrika gara la Hyundai de location devant la caravane de Popeye.

Il resta un moment dans la voiture, pour se recentrer, le Glock à la main.

Ce coin de Paradise Park, du côté de White City, était rarement aussi calme. Vendredi après-midi, avant que les écoles relâchent les gamins qui avaient pris la peine d'aller en classe. Les femmes au foyer cancanaient à l'intérieur, à l'abri de la chaleur sèche qui brûlait les poumons pire que la fumée.

Même les chômeurs qui s'agglutinaient habituellement aux coins des rues pour échanger infortunes et mégots étaient absents. Les handicapés – ceux à qui il manquait un membre, un œil, les poumons ou la raison – touchaient leurs allocations le vendredi à cette heure-là et s'apprêtaient à tout boire avant dimanche.

On aurait dit que Paradise Park marquait une pause.

Dès que le soleil aurait plongé derrière l'épaisse couche de smog kaki qui étranglait les Flats, les radiocassettes déverseraient du hip-hop à plein tube et les voitures sans pot d'échappement – avec suspensions assez basses pour faire des étincelles sur la route – feraient la loi dans les rues. Les détonations d'armes à feu gronderaient comme le tonnerre, les urgences passeraient dans le rouge avec tout le sang du vendredi soir.

Mais là, tout était calme.

Assis dans sa voiture, Billy essayait de s'éclaircir les idées. Il cherchait l'espace dont il avait besoin. Il savait que ce qu'il allait faire était fou. Mais il ne lui restait que la folie.

Il descendit de voiture, monta deux marches et s'encadra dans la porte ouverte de la caravane rouillée du dealer. Popeye, allongé sur le dos sur le matelas crasseux, ne portait qu'un caleçon souillé. Il était seul et il dormait, ses côtes marquant sa poitrine décharnée telles les crêtes d'un soufflet d'accordéon tandis qu'il ronflait.

Une pipe de tik était posée par terre, à côté d'une tasse à café qui faisait office de cendrier. Un vieux préservatif, d'où suintait une trace visqueuse comme une limace, reposait tout entortillé, là où il avait été jeté.

Popeye avait eu de la compagnie.

Billy s'avança et se tint au-dessus du dealer. Une mouche à viande lui grignotait une plaie de tik, à la commissure des lèvres. Billy s'agenouilla et chassa la mouche avec le canon du Glock. Elle leva sa graisse à contrecœur et partit se poser sur le préservatif en bourdonnant.

Popeye dormait la bouche ouverte, des filets de bave lui reliant les lèvres comme les points de suture d'une vilaine balafre. Billy lui glissa le canon du Glock entre les lèvres. Un œil du dealer s'ouvrit. L'autre, infecté et purulent, resta fermé.

Mais ce qu'un seul œil vit suffit à l'exorbiter terriblement.

Popeye ne devait pas son surnom à sa consommation d'épinards.

En s'engageant dans Protea Street, Ernie Maggott regarda encore une fois la blonde dans le rétro. Comment expliquer que même quand elles étaient dans une merde noire, certaines personnes gardaient leur sang-froid et leur dignité ?

Et leur beauté, bordel, il fallait le reconnaître.

Comme une image de ces magazines en papier glacé dans lesquels sa salope de femme aimait gaspiller son pognon. Elle les feuilletait au lit en fumant des Rothmans Special Mild, mangeant des beignets à la viande en se léchant les doigts, et à haute voix qu'elles les lisait, les histoires de Britney, J.Lo et Paris comme s'il s'agissait de ses copines à l'usine.

Son épouse avait du charme – il rêvait encore d'elle lors des longues nuits de sécheresse – mais cette femme-là appartenait à un autre univers.

Maggott savait qu'il avait déconné en l'arrêtant. Même si son intuition lui disait qu'elle était forcément coupable. Il avait déraillé, là-haut sur les pentes de la colline. Il avait agi sur un coup de tête et l'avait menottée et jetée dans la voiture avant de se rendre compte de ce qu'il faisait. Il n'avait aucune preuve. Tout ce qu'il pouvait espérer, c'était lui arracher une confession en lui foutant la trouille.

Mais merde, elle n'était pas un monstre camé de Dark City qu'il pouvait tabasser jusqu'aux aveux. C'était une ressortissante américaine. Ces connards de journaux allaient se jeter sur l'affaire comme des vers solitaires sur la merde. S'il se plantait, il assurerait le poste de nuit dans les camps de squatters jusqu'à la retraite.

S'il ne se faisait pas descendre avant par les négros pour se faire piquer son arme.

Son seul espoir était l'appel raté qui s'était affiché sur son téléphone quand il était remonté en voiture après avoir arrêté la blonde. Il provenait de la grosse proprio de Disco. Elle n'avait pas laissé de message, il n'avait eu que son numéro. Il l'avait appelée plusieurs fois en route, mais elle n'avait pas répondu. Il essayait de se convaincre que Disco était chez lui. Le voyou tatoué était son dernier espoir. Il allait l'arrêter et le faire monter dans la voiture avec la blonde. L'un d'eux finirait par avoir la trouille et par parler.

En s'approchant de chez la grosse, Maggott se surprit à faire une chose qu'il n'avait pas faite depuis qu'il avait l'âge de Robbie : il pria.

Et ses prières furent exaucées.

Il ne put s'empêcher de rire en se garant devant la maison. C'était un signe, nom de Dieu : la Mercedes braquée – aussi déplacée à White City que la blonde à l'arrière de sa voiture – était garée devant l'entrée.

Il fit le tour de la Ford, détacha la main droite de l'Américaine, passa la menotte dans la poignée au-dessus de la fenêtre et la referma. Et baissa la vitre de quelques centimètres pour lui donner un peu d'air.

« Juste une petite course à faire, madame Palmer. J'en ai pas pour longtemps. »

Robbie était en train d'ouvrir sa portière et tentait de s'extirper du siège avec ce gros con d'ours rose. Maggott les repoussa tous les deux à l'intérieur et ferma la portière.

« Attends-moi ici, Robbie.

— Mais je veux venir avec toi. Feux foir le petit fien. »

Son père se pencha à la fenêtre et lui entra le doigt dans les côtes.

« Si tu m'emmerdes encore une fois, tu peux faire une croix sur Spur ce soir, compris ? »

La lèvre inférieure du garçon tremblait et les larmes n'étaient pas loin, mais il acquiesça en reniflant.

Maggott remonta son pantalon et s'approcha de l'entrée. Il glissa un doigt sur le capot de la Mercedes au passage. Tiède. Il vérifia l'intérieur. Pas de fils qui pendouillaient sous le volant. Disco avait donc les clés.

Parfait.

Maggott fit le tour de la maison et entra par l'arrière.

Ce fut le chien mort qu'il vit en premier. Puis il entendit le coup sourd de la porte de la cuisine qui se fermait derrière lui.

Lorsqu'il vit la femme éventrée, il voulut sortir son Z88. Mais il lui fallait détacher la sangle de l'étui de ceinture conforme aux normes de police. Le temps qu'il saisisse son arme, Piper lui avait déjà tranché le ventricule gauche et levait la lame pour frapper à nouveau.

Maggott réussit à tirer une balle qui passa au-dessus du *zozo* de Disco avant que le couteau lui plonge à nouveau dans la poitrine. Le sol se déroba sous ses pieds, il tomba à la renverse sur le sable et le pistolet lui échappa.

La dernière chose qu'il vit furent les larmes noires de Piper qui l'ouvrait du pubis au sternum, ce qui faciliterait le boulot du légiste.

Au fil des ans, Roxy avait essayé de méditer.

Sa colocataire à Milan, une Australienne immense – accent tout en diphtongues et chevelure enflammée –, se pliait dans la position du lotus tous les matins, les yeux clos, et contemplait son troisième œil pendant une heure.

Elle lui avait montré les principes de base. Roxy était naturellement souple et la position ne lui avait pas posé de problème. La difficulté avait été de vider son esprit, d'empêcher ses pensées de voltiger d'une chose à l'autre comme une pie. L'Australienne lui avait appris à compter ses inspirations pour l'aider à apaiser son esprit.

Ça lui avait un peu facilité les choses. Mais c'était resté une bataille.

« C'est justement le défi, Rox, lui avait dit l'Australienne. Il faut trouver le calme au sein de ta tempête. »

Au fil des ans, elle avait essayé de s'imposer des exercices de méditation. Mais ça n'avait jamais pris. Et maintenant qu'elle était menottée à une voiture de police en plein ghetto africain, elle comprenait enfin comment ça marchait.

Dès que le flic fut parti, des gamins qui jouaient à côté – à peine plus âgés que Robbie – furent attirés par ses cheveux blonds. Ils s'approchèrent de la fenêtre.

« Hé! Elle a des menottes! » s'exclama l'un d'eux en riant.

Un autre colla son nez plein de morve séchée contre la vitre.

« Hé, m'dame, qu'est-ce vous avez fait? »

La troisième, une fillette avec un visage de vieille femme, hocha la tête.

« Mais non, mec. Je te parie que c'est un film. »

Un garçon avait bousculé la fille.

« Ah ouais, et où est la caméra, bordel? »

Tandis que les gamins interrogeaient Robbie en afrikaans, Roxy ferma les yeux et se mit à respirer. Elle comptait ses inspirations jusqu'à cinq, puis elle recommençait. Bloquait la chaleur et le baragouin des enfants.

Bloquait les menottes et la crampe qui montait dans son bras levé.

Lentement elle commençait à se détacher de son cauchemar.

À moins qu'elle ne donne un joli nom à son déni. Elle se fermait et prenait des distances avec elle-même, comme elle l'avait fait quand elle était petite et que des choses terribles se passaient. Comme si elle se voyait d'en haut.

Et ce n'était pas plus mal.

Elle avait terminé deux cycles d'inspiration quand elle entendit le coup de feu.

Elle savait qu'il était proche. Elle ouvrit les yeux et sentit le calme et la sérénité l'abandonner. Les gamins s'éparpillèrent comme des pigeons dans la rue.

Robbie la dévisageait entre les sièges en serrant son nounours dans ses bras.

Roxy vit des rideaux bouger dans la maison d'en face. Personne ne sortit. Puis elle perçut un mouvement sur le trottoir à sa gauche. Elle se retourna. Et hurla.

Un homme au torse nu couvert de tatouages ouvrit violemment la portière. L'attrapa par les cheveux et la tira vers une lame qui étincelait au soleil.

Elle vit des larmes noires gravées sur son visage.

Et sentit la pointe de la lame lui percer la gorge.

CHAPITRE 31

Boum. Boum. Boum. Boum.

Un énième spasme de terreur le secouant, Popeye sentit son crâne rasé cogner le dessous de la boîte à gants. Il était tassé sous le tableau de bord de la Hyundai, les jambes repliées entre ses bras maigres, son nez qui coulait écrasé contre ses genoux.

Assis au volant, Billy surveillait le labo de tik en sentant sa sueur salée suivre la topographie des balafres de son torse et de son dos.

Ça le brûlait atrocement.

Une Mercedes modifiée, enjoliveurs, pneus larges et carrosserie bleu artisanal, était garée devant la porte. En ralentissant à une centaine de mètres de là, il avait vu deux types – sans doute encore ados – sortir de la BM et entrer dans la maison. Les vêtements de marque qui couvraient leurs culs malingres auraient pu nourrir la rue entière pendant une semaine.

Des marchands. Des dealers. Plus haut dans la chaîne alimentaire que la tête de nœud lamentable qui grelottait à côté de lui. Ou peut-être un peu moins amoureux de leur marchandise.

Pour le moment.

L'argent changeait de main dans le labo de tik. Le vendredi était un jour chargé et les « cuisiniers » avaient sans doute travaillé vingt-quatre heures d'affilée pour pouvoir fournir les dealers avant la ruée du week-end.

Boum. Boum. Boum.

Un autre tressaillement secoua Popeye.

« Tiens-toi tranquille sinon je te bute, lui dit Billy, qui sentait la chaleur et l'adrénaline commencer à lui griller les tripes.

— T'es complètement taré, Barbie. Tu vas nous faire descendre tous les deux. »

Billy leva le pied gauche – il n'avait pas changé de chaussures depuis les funérailles – et en donna un coup dans la tête de Popeye. Juste assez fort pour que le talon lui dessine un croissant écarlate sur le crâne.

Popeye se passa un doigt dans les cheveux et le retira couvert de sang.

« Mais pourquoi t'as fait ça, putain ? »

Billy leva le pied pour recommencer et l'autre se recroquevilla et enlaça ses genoux encore plus près de son corps. Billy retira sa jambe et posa son pied sur la pédale d'embrayage.

Quand il était flic, Billy Afrika avait arrêté Popeye à plus d'une reprise. Mais Popeye n'était qu'un petit joueur. Il retournait à Pollsmoor, se faisait faire un autre tatouage des 26, et on le retrouvait dans les rues où il recommençait à dealer deux ou trois mois plus tard. Prématurément vieilli à cause du tik et de plus en plus pourri. Il vendait le poison qui était devenu la drogue de choix dans les Cape Flats.

Facile à fabriquer.

Peu coûteux.

Mortel.

Pendant que Billy attendait que Popeye enfile ses vêtements puants, deux gamins étaient venus à la caravane. Un garçon et une fille, qui portaient l'uniforme de l'école où Billy était allé vingt ans auparavant. Ils ne devaient pas avoir plus de douze ans.

Ils avaient passé la tête dans la caravane et demandé des « sucettes ». Les pailles de tik que Popeye vendait trente rands pièce. Billy Afrika leur avait foutu une trouille bleue en leur racontant qu'il était flic et qu'il allait les jeter en taule. Ils avaient déguerpi.

Sans doute pour se rendre tout droit chez un autre dealer.

Billy regarda les deux types sortir du labo. Ils portaient un sac à dos chacun, plein de marchandise destinée au business du week-end. Ils jetèrent leurs sacs à l'arrière de la BM et le conducteur démarra. Du hip-hop se fit entendre, avec les basses crachant le rythme électronique qui cognait bas, près des couilles. Billy sentit le bout de ses doigts vibrer sur le volant.

La BM partit dans une volée de gravillons lorsque le conducteur fit demi-tour et fonça vers Main Road, ne laissant que de la poussière et un dernier éclat de percussion derrière lui.

Billy démarra la Hyundai et parcourut la centaine de mètres qui le séparait de la maison. Enième bungalow trapu de White City. La seule différence était la haute palissade qui l'entourait et le portail sécurisé avec une sonnette.

Il y avait fait quelques descentes dans le passé. Le système de sécurité était conçu de façon à donner assez de temps aux cuisiniers pour se débarrasser de leur came avant l'arrivée des flics.

Ces raids n'étaient jamais pris au sérieux, de toute façon. Le labo appartenait à Manson et c'était sa sœur, Charneze, qui menait les opérations. Le gangster arrosait assez de flics pour être prévenu largement à l'avance. Les inspecteurs repartaient donc avec des produits de débouchage de canalisation, de liquide de radiateur et de potion pour le rhume de cerveau. Tous produits bruts qui servaient à la préparation du tik et ne nécessitaient aucune ordonnance.

Et tous légaux.

Billy sortit de la Hyundai, fit le tour et ouvrit la portière du côté passager sur le foutoir à l'intérieur.

« Allez Popeye. On va se ravitailler. »

Le marchand essaya de se fourrer la tête encore plus profondément entre les genoux, sa peur empestant la voiture. Billy arma le Glock. Il vit un œil gluant l'observer entre deux genoux. L'œil se ferma.

« Sors. Sinon, je te tire dans le genou. »

L'œil s'entrouvrit à nouveau. Popeye savait qu'il parlait sérieusement. Le squelette qu'il était se déplia comme une mante religieuse et se leva. Billy referma la portière, lui empoigna la chemise et le poussa vers le portail de sécurité.

« Et maintenant, tu fais comme je t'ai dit, d'accord ? »

Popeye acquiesça. Arrivé au portail, il pointa un index jauni par les fumées de pipe, l'approcha de la sonnette et l'arrêta à mi-chemin. Le laissa trembler tout près du bouton rouge attaché au portail avec du fil de fer rouillé.

Billy l'encouragea du canon de son Glock.

Popeye appuya sur le bouton.

Quelques secondes plus tard, le rideau près de la porte s'écarta et se referma, puis le portail bourdonna et s'ouvrit comme un dentier dans une bouche humide.

Un autre encouragement du Glock fit avancer Popeye.

Au début, ce fut aussi facile que Billy l'espérait.

La porte d'entrée s'ouvrit, ils entrèrent tous les deux, accueillis par du rap de la côte Ouest. Un type d'une vingtaine d'années les contrôla. Billy le revit vaguement dans un tapissage il y avait de ça des lustres. Il avait un teint cireux et une balafre pâle qui lui partait du coin gauche de la bouche et lui montait tout droit jusqu'à l'oreille. Il avait dit quelque chose, un jour, qui n'avait pas été apprécié.

« Qu'est-ce que tu fous ici, Barbie ? » lui demanda Smiley.

Il n'avait pas retenu sa leçon.

Billy recourba le pied droit et faucha Smiley qui se retrouva sur le lino. Avec le Glock sur son nez plat.

« Combien dans la baraque ?

— Y a que moi et Manny.

— Où est Manny ?

— En cuisine. Il bosse. »

Billy se tourna vers une porte close qui menait au salon. Il renifla l'odeur caractéristique de produits chimiques.

« Et Charneze ?

— Partie faire les courses. »

Tout ça semblait bien domestique.

Billy fouilla Smiley. Pas de flingue. Mais il devait y avoir des armes dans tous les coins.

« Où est le liquide ? »

Smiley hocha la tête.

« Manson est déjà passé. »

Cela lui valut un coup de Glock sur le nez.

« Je sais qu'il n'encaisse que le matin. Allez. Va me le chercher. »

Smiley le regardait à travers ses larmes.

« T'es un homme mort, espèce d'enculé !

— Ja, mais en plus d'être mort, je suis armé. Alors bouge-toi le cul. »

Smiley traversa le salon crasseux et ouvrit le meuble sous la télé. Billy ne l'avait pas lâché et vit le .38 sur l'étagère avant que Smiley réussisse à s'en emparer. Billy lui envoya un coup de pied dans les couilles, prit le .38 et le cala dans la ceinture de son jean. Il recula et tint Smiley à l'écart, qui se protégeait les boules en haletant.

Il y avait un sac en papier bien garni sous le meuble.

« Sors le sac, Popeye. »

Le dealer s'approcha vite, attrapa le sac par la poignée en ficelle et s'empressa de s'éloigner de Smiley.

« Montre-moi ce qu'il y a dedans », lui ordonna Billy.

Popeye inclina le sac pour que Billy puisse voir les billets fourrés à l'intérieur.

Smiley protégeait toujours sa virilité quand Billy lui colla le canon du Glock derrière l'oreille. Le balafré tomba par terre comme si on avait appuyé sur un interrupteur à l'intérieur de son corps. Il resta immobile.

La porte de la cuisine s'ouvrit et un homme avec un masque chirurgical entra, suivi par une traînée de fumée et une odeur chimique.

Le Jamie Oliver de Paradise Park.

Le cuisinier repartit dans la cuisine et revint avec un fusil à canon scié. Fit feu à l'emplacement où avait été Billy.

Mais où il n'était plus.

C'est Popeye qui reçut la rafale, Billy étant éclaboussé d'un mélange de sang, d'os et de cervelle tandis qu'il sortait d'une roulade et tirait une balle dans la tête du cuisinier. Il entendit le fusil tomber par terre avec un bruit métallique.

Le silence après l'échange de coups de feu fut interrompu par les grognements et les vomissements de Smiley.

Billy brandit le Glock et visa sa tête. L'homme se tint tranquille et le dévisagea. Le tuer aurait permis de terminer tout ça proprement. Aurait empêché la gueule balafrée de dévoiler son identité à Manson.

Lui aurait donné bien plus de temps.

Il sentit la gâchette sous son doigt. Les yeux de Smiley s'écarquillèrent, sa cervelle ordonnant désespérément à ses muscles de s'activer. Mais il ne put faire mieux que de gratter le lino avec ses ongles.

Billy n'arrivait toujours pas à tirer.

Il baissa le Glock et Smiley s'évanouit, son souffle quittant son nez en un sifflement de freins hydrauliques.

Billy attrapa le sac de fric et se dirigea vers la porte.

La balle l'atteignit dans la chair de l'épaule gauche, il laissa échapper le sac. Le deuxième tir craquela le mur à l'emplacement où sa tête se trouvait avant qu'il ne pivote, se jette par terre et ouvre le feu.

Il vit un corps s'effondrer dans l'encadrement de la porte de la chambre et une paire de pieds nus dépasser du salon.

Des pieds nus aux ongles vernis couleur pêche.

Billy suivit la direction de son Glock.

Une fille, de treize ou quatorze ans, était en train de mourir, le sang s'échappant en flots sombres de sa bouche tandis qu'elle toussait ce qui lui restait de vie. Ses doigts flasques étaient toujours repliés autour d'un Smith and Wesson .44, plaqué chrome. Le recul avait dû lui secouer le poignet comme un marteau-piqueur tenu d'une seule main. C'était ce recul qui avait sauvé la vie de Billy.

Il haletait, il perdait son sang, mais vit qui c'était. Ou avait été.

La fille de Manson.

CHAPITRE 32

Les mouches à viande noircissaient l'unique fenêtre de la hutte, frappant des ailes contre la vitre et se disputant l'accès au festin. Le soleil tranchait cette masse en effervescence et projetait une ombre mouvante sur les trois corps qui gisaient à l'intérieur.

Celui du flic.

Du fils du flic.

Et de Roxy.

Le flic était vautré sur le dos, les entrailles à l'air. Le garçon restait pressé contre son père sans bouger. Roxy était allongée pieds nus, la robe de deuil relevée haut sur ses jambes, sa chevelure blonde en éventail sous sa tête.

Elle avait les mains attachées dans le dos, les chevilles liées par un bout de cordon électrique que l'homme terrifiant avait arraché à la lampe de chevet et qui lui rentrait dans la chair. Il lui avait fourré un slip sale dans la bouche et l'avait scotché. L'ammoniac sur sa langue lui donnait des haut-le-cœur et elle luttait pour ne pas vomir par peur de s'étouffer. Elle respirait par les narines.

La hutte empestait le sang, les tripes et la merde du flic mort et les mouches qui avaient réussi à traverser les interstices du bois festoyaient en bourdonnant.

Roxy se retrouvait encore ligotée, mais cette fois, il n'y avait pas de Billy Afrika pour la secourir.

Elle ne comprenait pas comment elle était encore en vie.

Dans la voiture, le tatoué avait été à deux doigts de lui trancher la gorge. Avant même qu'elle entende le beau gosse l'appeler par son nom, elle avait su que c'était l'homme qui avait brûlé Billy.

Piper.

Alors Disco avait dit quelques mots, mitrailleuse qui défouraillait dans la langue locale. Elle n'avait pas la moindre idée de ce qu'il avait dit, mais le couteau s'était écarté de sa gorge et Disco était parti en courant, puis revenu avec les clés des menottes.

L'homme avait tiré Roxy et le gamin hors de la voiture. De retour dans la cour, elle avait été stupéfiée par l'horreur qu'elle avait sous les yeux.

Le flic éviscéré.

Un petit chien noir sans vie à quelques pas de là.

Et une énorme bonne femme qui bloquait la porte de la cuisine.

Piper avait jeté Roxy par terre dans la hutte. Disco était entré, l'enfant en pleurs dans les bras. Il avait perdu son nounours.

Roxy avait essayé de se mettre à genoux, Piper lui avait donné un coup de pied dans les côtes. À terre, le souffle coupé, elle regardait cette apparition démoniaque dont le corps était entièrement recouvert de tatouages. Il avait empoigné son crucifix et l'avait arraché en tirant sur la chaîne.

Il se tenait à côté d'elle, la croix en argent pendait dans sa main couverte de sang. Puis il avait appelé l'autre type, la lui avait donnée et l'avait regardé la mettre dans sa poche.

Roxy avait attendu l'inévitable : le viol et la torture qui allaient forcément suivre. Quand l'homme s'était à nouveau penché sur elle, le couteau à la main, elle avait fermé les yeux. Mais il avait pris la lampe et sectionné un morceau du cordon. Puis il les avait ligotés, elle et le gamin, tandis que Disco ramenait le corps du flic dans la hutte.

L'odeur âcre des produits chimiques en train de brûler lui arrivant aux narines, elle avait vu les hommes accroupis près du matelas ; ils tiraient sur une petite pipe en verre sous laquelle ils tenaient un briquet. La fumée ajoutait une nouvelle couche de puanteur. Après un échange à voix basse dans leur patois guttural, ils étaient partis en fermant la fenêtre et en verrouillant la porte.

La chaleur et la puanteur l'accablaient. La suffoquaient.

Elle savait qu'elle ne pouvait pas attendre que les voisins donnent l'alarme. Elle ignorait si quelqu'un d'autre que les gamins les avaient vus, elle et l'enfant, se faire traîner dans la maison. Et même si on les avait vus, elle avait l'impression que dans cette rue, on vivait dans la crainte aussi bien des gangsters que de la police.

Roxy était étendue face au gamin. Elle tenta d'attirer son attention, mais il avait les yeux clos et le souffle irrégulier. Elle se tortilla comme un ver, se déplaçant lentement et péniblement jusqu'à ce qu'elle soit proche de lui, insensible aux échardes du plancher rugueux qui lui entraient dans la chair des bras et des jambes.

Elle batailla pour se retourner et se trouver face au garçon. Elle voulait essayer de lui détacher les mains. Pour qu'il puisse lui délier les chevilles. Elle resterait menottée, mais elle pourrait briser la vitre de la fenêtre et s'enfuir.

C'était leur seule chance.

Mais elle devait tout d'abord s'approcher de Robbie et pour cela, se glisser entre lui et son père mort. Elle sentit ses viscères gluants glissant sur ses jambes et ses bras nus.

Elle faillit à nouveau vomir.

Elle respira. S'étouffa. Respira encore.

Se faufila plus avant entre l'homme et son fils. Poussa le flic mort avec ses jambes. Et elle sentit quelque chose de mou et moite contre ses genoux.

Respira, la puanteur la submergeant presque.

Se trouva si proche du visage du mort qu'elle aurait pu l'embrasser. Il avait la bouche tordue en un rictus d'incrédulité, le sang tachant ses lèvres comme du jus de fraise. Ses yeux vitreux et grouillant de mouches la fixaient sans ciller.

Roxy ferma les yeux.

Ses doigts touchèrent les mains du garçon.

Elle sentit ses petits doigts lui répondre et s'agiter dans ses paumes comme des vermisseaux gluants.

Barbara Adams séchait les cheveux de sa fille dans sa chambre. Il était plus de huit heures du soir, mais le toit en tôle, tel un panneau solaire, continuait à absorber la chaleur du soleil couchant ; la petite pièce était étouffante, comme un four. Une chaleur amplifiée par le séchoir qui hurlait dans sa main tandis qu'elle lissait les boucles naturelles de Jodie.

Dans les Flats, plus on a les cheveux lisses, la peau et les yeux clairs, plus on est désirable. Jodie se rendait à une soirée organisée par la *New Apostolic Church* et refusait de mettre un pied dehors s'il lui restait un seul frisottis sur la tête.

Ce matin-là, avant qu'elle aille à l'école, quelques nuages bas étaient passés en se détachant de la masse qui produisait une pluie inhabituelle pour la saison dans les banlieues sud, et Jodie avait levé des yeux angoissés au ciel.

« Il va pleuvoir et mes cheveux vont frisotter. »

Elle voulait dire que l'humidité de l'air allait contracter et tire-bouchonner ses cheveux. Des frisottis qui l'empêcheraient d'aller à sa soirée.

Barbara lui avait répondu que les nuages allaient se dissiper. Mais sa fille n'avait été convaincue que quand elle était rentrée de l'école sous un soleil brûlant et qu'une couche de pollution avait remplacé les nuages dans le ciel bleu et chaud.

Barbara voulait empêcher Jodie d'aller à cette soirée. Elle aurait préféré la garder près d'elle, où elle pouvait la surveiller. Mais les paroles de Billy Afrika l'avaient un peu rassurée et elle savait qu'elle ne pouvait pas garder sa fille enfermée comme une prisonnière. Par ailleurs, ces soirées de l'église étaient étroitement surveillées par les diacres, qui ne toléraient aucun écart.

Ça ne l'empêcherait pas de s'inquiéter jusqu'à ce que sa fille rentre.

Jodie était assise sur le lit, vêtue d'une robe de chambre après sa douche. Son corsage blanc et son jean – sa tenue respectable, pas celle qu'on aurait dit peinte sur son corps – étaient posés sur la chaise à côté de la coiffeuse.

Barbara hocha la tête tandis qu'un trio de mouches en orbite essayait de se poser sur elle. Elle n'avait jamais vu des mouches pareilles. Le dépotoir en attirait toujours à Paradise Park, mais depuis quelques jours le problème était chronique. On disait que c'était à cause de l'abattoir, de l'autre côté du veld. Ou des squats proches de l'autoroute, ceux dont les toilettes étaient de simples trous dans la terre.

Des rubans tue-mouches étaient pendus dans toute la petite maison, noirs d'insectes.

Mais il en arrivait toujours d'autres.

Les mouches lui faisaient penser aux maladies. Et à la mort.

La sonnette transperça les hurlements du sèche-cheveux.

« Shawnie ! »

Barbara appela son fils qui jouait à un jeu vidéo, vautré devant la télé du salon. Même s'il était juste à côté de la porte, se lever et ouvrir représentait un gros effort pour lui.

« Shawn !

— Ja ? grommela-t-il dans le boucan du jeu.

— Va ouvrir ! »

C'était sans doute cette fichue voisine, Mme Pool, qui venait piquer une tomate ou un verre d'huile. Elle passait au moins deux fois par semaine pour quémander quelque chose, ses petits yeux de singe parcourant la pièce pour voir si elle trouvait de quoi alimenter les commérages avec les autres femmes du quartier.

Elle avait été témoin du meurtre de Clyde, ce qui en avait fait une célébrité locale pendant deux ou trois jours. Elle était même passée à la télé, sans prendre la peine d'ôter ses bigoudis, pour un compte-rendu sensationnel devant la caméra : « Pour sûr qu'il s'est fait étriper comme un poisson, le kaptain ! Oh lala, c'était trop horrible ! »

Alors que Barbara lissait la dernière boucle des cheveux noirs et soyeux de sa fille, elle ferma les yeux un instant pour tenter de chasser l'image de Clyde s'effondrant dans le sable.

Shawn ouvrit la porte et entra dans la chambre.

Jodie fit semblant d'être offusquée et resserra sa robe de chambre sur elle.

« Et alors, on ne frappe même plus avant d'entrer ? »

Barbara resta un moment les yeux fixés sur Shawn, convaincue que sa mémoire lui jouait des tours et surimposait l'image de son époux mourant sur celle de son fils. Il était impossible qu'il s'agrippe ainsi à son tee-shirt blanc de plus en plus écarlate et la regarde avec des yeux qui perdaient leur lumière.

Jodie hurla et bondit du lit pendant que Shawn s'effondrait.

Piper fit son apparition, tout en muscles secs et en tatouages.

Le couteau plein de sang à la main.

La puanteur de la mort irradiant de son être.

CHAPITRE 33

Billy Afrika savait qu'il avait dépassé les bornes. Il avait tué une gamine. Une gamine armée.

Mais une gamine néanmoins.

Il conduisait avec les genoux et étirait le bras droit devant son corps pour atteindre le levier de vitesses[1]. Son bras gauche pendait inutilement, couvert de sang. Il vérifia dans les rétroviseurs, s'attendant à voir débouler le Hummer de Manson ou le fourgon blanc de policiers véreux lui bloquant la route.

Mais il ne vit aucun signe de poursuite. Il n'y avait que les ombres grandissantes sur les ordures, que le sable et que les graffitis des gangs.

Avant de quitter le labo de tik, il avait asséné un dernier coup de crosse sur la tête de Smiley. Il n'aurait su dire si c'était de la morve ou du liquide céphalo-rachidien qui s'était échappé de son nez.

Il avait verrouillé la porte d'entrée de la maison et fermé le portail de sécurité. Même si les voisins avaient entendu les coups de feu, ils n'étaient pas fous au point d'intervenir. Il avait un peu de temps avant que Charneze revienne sur la scène du carnage, les bras chargés d'ingrédients pour préparer le tik.

1. La conduite se faisant à gauche, le volant se trouve à droite du véhicule.

Avant que Manson retrouve sa fille morte.

Une fois que celui-ci aurait fait parler Smiley, il mobiliserait jusqu'aux derniers de ses soldats pour retrouver Billy. Mais le connard balafré ne parlerait pas immédiatement et la première pensée de Manson serait que Shorty Andrews et les 28 avaient violé la trêve.

Billy Afrika n'était pas du genre à prier, mais il s'entendit demander à quelqu'un, quelque part, de lui donner assez de temps pour rejoindre Barbara et ses enfants et les mettre à l'abri.

Il avait déjà été blessé par balle. Il savait à quoi s'attendre. L'impact – comme un énorme coup de marteau – avait été suivi d'une forte sensation de brûlure. La zone autour de la plaie commençait à chauffer, et la douleur n'était pas loin. Il perdait beaucoup de sang.

Il fallait prendre une décision. Devait-il aller directement chez Barbara en sachant que sa blessure le rendait faible et vulnérable et la persuader de s'enfuir avec lui et les enfants ? Ou devait-il se faire soigner avant ?

Il craignit que l'hémorragie lui fasse perdre connaissance au volant et l'oblige à laisser la famille de Clyde en plan. Sans défense.

Il se dirigea vers le dépotoir.

Il couvrit son épaule blessée avec sa veste en cuir, glissa le Glock dans sa ceinture, prit le sac d'argent et arriva devant la porte de Doc.

Il frappa et entendit le murmure de la télé dans le salon.

La porte finit par s'entrouvrir et l'œil moite et familier se posa sur lui.

« Doc », dit-il en entrant, la porte se refermant aussitôt derrière lui.

Il se débarrassa de sa veste et lui montra son épaule ensanglantée.

« Sale merdier, dit Doc.

— J'ai de quoi payer. »

Doc trouva une paire de ciseaux rouillés à côté d'une vieille assiette couverte de mouches. Il découpa la chemise de Billy pour exposer la plaie.

Il hocha la tête avec une lenteur de tortue.

« Ja, pour payer, tu vas payer. D'accord. Allez, pose ton cul là. »

Billy s'assit sur l'accoudoir d'un sofa fatigué.

Doc toucha la blessure de son doigt jaune.

« Il faut que je t'assomme.

— Hors de question. J'ai du boulot. Tu peux pas me donner un anesthésiant local ? »

Le vieil alcoolo prit une demi-bouteille de brandy qui traînait par terre et la lui tendit.

« C'est du local. Et ça m'ôte la douleur. »

Billy hésita, puis but une gorgée. Grimaça. Un vrai tord-boyaux.

L'ivrogne tituba jusqu'à la cuisine et revint avec un scalpel qui semblait avoir servi à écorcher des animaux.

Ou à démembrer un corps.

Doc sortit un mouchoir crasseux de sa poche.

« Mords de toutes tes forces dans le mouchoir, dit-il en approchant une main tremblotante de la blessure. Tu vas le sentir passer. »

Il le sentit passer.

C'était la première fois que Disco violait une fille.

Il n'avait jamais eu besoin de le faire. Sa belle gueule avait toujours attiré les femmes. Il était irrésistible. Et il n'avait jamais eu cette envie de pouvoir que tant d'hommes des Flats éprouvaient quand ils prenaient une femme de force.

Après avoir tué la mère en lui tranchant la gorge, puis en l'éventrant comme à son habitude, Piper s'était tourné vers la fille. Disco s'attendait à ce qu'il la taillade aussi, mais il lui avait donné un coup de poing en plein visage qui l'avait projetée sur le lit, sa robe de chambre remontée sur les cuisses.

« Bourre-la », lui avait dit Piper.

Disco le dévisageait.

« Tu m'as entendu. Viole-la. »

Il était inutile de discuter avec Piper. Même si Disco savait pourquoi Piper tenait à ce qu'il le fasse : il voulait qu'il laisse sa signature en elle, la preuve irréfutable qu'il avait participé au massacre.

Piper aimait Disco tant qu'il lui obéissait. Il avait le choix : obéir ou rejoindre les cadavres qui gisaient à terre.

Simple.

Il tenta, en vain, de se raccrocher à un sens, même fragile, de la réalité. Son monde s'était brisé en mille morceaux depuis le retour d'un Piper qui voguait sur le sang. Même l'horreur du manque de tik paraissait bénigne comparée à ce qu'il avait enduré au cours des dernières heures.

Déchiré et en sang après que Piper eut assouvi son désir, il l'avait regardé tuer le flic.

Avait réussi, mais de justesse, à l'empêcher de tuer la blonde et le gamin.

Et quand Piper lui avait annoncé son plan, il avait su que le cauchemar ne s'arrêterait jamais : Piper avait trouvé le moyen de les faire rentrer tous les deux à Pollsmoor.

Pour toujours.

Et ce toujours venait de commencer.

« Vas-y, Disco », lui dit-il en le poussant vers la fille.

Elle haletait, les yeux écarquillés, et essayait de s'enfuir en rampant vers le mur. Muette d'hystérie. Elle sanglotait silencieusement.

Il pensait ne pas y arriver. Il croyait que son corps refuserait. Mais quand il vit les yeux de Piper, il se coucha sur la fille qui se tordait de terreur.

Et il y arriva.

Manson était accroupi à côté du cadavre de sa fille. D'instinct, il avait gardé suffisamment d'écart avec le sang pour ne pas tacher ses Puma blancs. Il regarda Bianca : une couleur jaunâtre et grise – comme de l'eau de pluie sale – recouvrait déjà le bronze naturel de sa peau. Manson n'aurait pas pu faire le compte des cadavres qu'il avait vus au fil des ans. Ni des gens qu'il avait tués.

Mais là, il avait atrocement mal.

C'était sa chair. Son sang.

Bianca avait les yeux grands ouverts et braqués sur lui. Ses lèvres étaient tordues en une espèce de sourire, comme si elle allait dire quelque chose de vilain. Elle avait la langue bien pendue, cette gamine. Les filles des Flats grandissent en apprenant à répondre, comme l'éclair. Toujours prêtes à tourner un homme en ridicule ou à humilier une autre femme. Et Bianca était douée. Capable de vous faire taper le cul par terre de rire et vous sentir comme une grosse merde en même temps.

Mais les reparties, c'était fini.

Il aurait voulu qu'elle puisse dire une dernière chose avant de la laisser. Qu'elle lui murmure le nom de l'enfant de salaud qui lui avait fait ça.

Il entendit sa sœur Charneze sangloter derrière lui. Elle s'approcha et lui toucha l'épaule.

« Je suis désolée, mon garçon. »

Elle était son aînée et pensait pouvoir jouer les grandes sœurs.

Manson lui écarta la main d'une tape et se leva. Effaça toute trace de faiblesse de son visage.

Il la bouscula pour entrer dans le salon. Ses hommes, Arafat et Boogie, l'attendaient devant Smiley qui gisait à terre. Arafat, balèze et lent, évita son regard. Boogie, en revanche, maigrichon et défoncé au tik, mais pas seulement, se balançait sur la plante des pieds, comme un lévrier prêt à attraper un lapin.

Manson poussa Smiley du pied.

« Amenez-le chez Doc. Dites-lui de le faire parler à tout prix. »

Arafat se pencha et releva Smiley. Boogie l'aida à le porter, Smiley pendouillant entre leurs épaules comme une morve entre deux bouts de bois.

« Et après, patron ? demanda Boogie, son petit museau de fouine reniflant le sang.

— Après vous venez me dire. Compris ? »

Manson les regarda charger Smiley dans la voiture. Puis il s'effondra sur une chaise.

Charneze le rejoignit.

« Qu'est-ce que je peux faire, mon garçon ?

— Je veux que tu la nettoies. Que tu lui mettes de beaux habits. Et du maquillage.

— Et les pompes funèbres ? »

Il la regarda.

« Mais t'es givrée ou quoi, bordel ? Tu sais ce que ces salopards font aux filles ? Ils les baisent. C'est ça, que tu veux ? Qu'un petit dégueulasse se branle avec elle ? (Elle le dévisagea en silence.) Ma fille est morte vierge et elle ira vierge dans sa tombe. Maintenant, retourne dans la pièce, ferme la porte et fais ce que je t'ai demandé. »

Elle sortit.

Il se retrouva seul avec le cadavre de Popeye et du cuisinier. Mais il ne pleura pas. Il n'osait pas. Pas encore.

Pas avant que l'affaire soit réglée.

Elle avait réussi à détacher les mains de Robbie.

Ça lui avait pris un temps fou, ses ongles s'étaient cassés tandis qu'elle essayait de défaire le câble autour des poignets du gamin. Il était serré et chaque millimètre avait été gagné à coups de griffe. Le sang qui coulait de ses doigts aux ongles arrachés n'avait pas facilité la tâche.

Elle avait dû s'arrêter souvent pour essuyer le sang sur sa robe. Des spasmes et des élancements dans les muscles de ses épaules lui donnaient des douleurs dans tout le bras.

Mais Robbie, les mains libres, réussit à s'asseoir, ses jambes liées allongées devant lui ; il pleurait en frottant les bracelets violets qu'avait laissés le câble autour de ses poignets.

Son visage était un collage de mucus et de larmes.

Et de sang de son père.

Elle lui fit enlever le ruban adhésif qui la bâillonnait. Elle grognait à travers le slip sale. Il finit par comprendre et tira sur le Scotch. Ses doigts glissèrent. Il tira encore une fois. Elle crut qu'il lui arrachait la peau, mais il enleva le Scotch.

Elle cracha le slip. Avala de l'air. Avec tant de flic mort dedans qu'elle dut lutter pour ne pas vomir.

« Robbie », dit-elle en s'éloignant du mort en une roulade pour faire face au garçon.

Le regard fixé sur son père, ce dernier tremblait et claquait des dents en éloignant les mouches qui lui tournaient autour.

« Regarde-moi, Robbie. (Il la regarda avec des yeux qui en avaient trop vu.) Je veux que tu me détaches les pieds. Est-ce que tu m'entends ? »

Il acquiesça, mais ne bougea pas.

« Robbie, si tu me détaches les pieds, je pourrai aller jusqu'à la fenêtre chercher de l'aide ? Est-ce que tu comprends ?

— Ils ont tué mon papa. »

Roxy s'éloigna du flic mort en glissant et Robbie fut obligé de tourner le dos au corps de son père pour la regarder.

« Tu ne veux pas que ces types nous fassent du mal, si ? »

Il fit signe que non.

« Alors, viens me détacher les pieds. S'il te plaît, Robbie. »

Il s'approcha d'elle, poussant ses chevilles jointes devant lui. Il prit le cordon et essaya de défaire les nœuds avec ses petits doigts.

Ça allait prendre beaucoup de temps.

Du temps qu'ils n'avaient pas.

À la fenêtre de la chambre, Piper regardait le soleil s'étrangler dans le smog et mourir. La nuit tombait comme un animal qui guette le jour. Piper était un homme de la nuit. Un 28.

Un soldat dans l'armée de Nongoloza. Un descendant du bandit noir légendaire qui, un siècle auparavant, avait formé les gangs à numéros pour lutter contre l'oppression du système carcéral des Blancs.

Piper avait passé de longues heures dans la buanderie de Pollsmoor en compagnie du vieux Moonlight, à l'écouter raconter comment les gangs étaient nés. À l'écouter lui dire que les 28 œuvraient au clair de lune.

La lune qui commençait déjà à percer dans le ciel du soir, jaune comme un œil de chien.

L'heure était venue.

L'heure du rituel.

Il se retourna et vit Disco assis sur le lit, il en avait terminé avec la fille qui sanglotait, la tête enfouie dans l'oreiller. Piper s'approcha de la femme morte, étalée sur la moquette effilochée près du lit. Il plongea deux doigts dans la flaque de sang épais à côté d'elle, sans se soucier des mouches.

Il s'agenouilla devant le mur blanc de la chambre. Et se servant de ses doigts comme d'un pinceau, il traça une main grossière en forme de revolver, le salut des 28. Piper admira son œuvre, puis il jeta son Okapi à Disco. Il allait lui offrir une preuve d'amour. Lui montrer le plus grand respect. L'élever au-dessus du rang de sex-boy, de simple épouse.

Il allait lui laisser faire le boulot d'un homme. D'un soldat.

« Levez baïonnette ! »

L'ordre d'un général du 28 à ses soldats pour engager la bataille.

Disco le dévisagea, abasourdi.

« Achève-la. »

Disco le regarda, puis il regarda le couteau, dont la lame était repliée dans le manche. Les doigts de Disco tremblèrent tandis qu'il l'ouvrait, toujours poisseuse du sang du garçon et de la mère. Disco fixa Piper. Supplia du regard.

« Fais-le », ordonna Piper.

Et là, encore une fois, Disco lui obéit. Il ferma les yeux et plongea le couteau dans le cœur de la gamine. Piper ressentit un élan d'affection pour son épouse soldat. La fille grognait et se tortillait sur le lit.

« Encore », commanda Piper.

Disco la poignarda une deuxième fois.

« La dernière. »

La lame s'enfonça dans la chair.

Piper poussa Disco de côté, trempa le bout des doigts dans le sang frais de la fille et écrivit sur le mur au-dessus de sa tête.

Le sang vous salue.

Puis il se laissa guider par son amour pour Disco et ses doigts tracèrent naturellement une forme sur le mur. Replongeant dans la palette de sang quand ses doigts s'asséchaient, il finit son dessin avec panache. Recula, satisfait, et essuya ses mains ensanglantées sur son jean.

Le rituel était complet.

Piper savait que ce qu'il avait fait dans cette pièce prendrait des proportions mythiques dès que l'histoire arriverait, de bouche en bouche, jusqu'à la prison. Et lui assurerait un prestige et un pouvoir encore accru quand il rentrerait à Pollsmoor avec son épouse.

CHAPITRE 34

Doc entra dans sa cuisine putride ; il ne lâchait pas sa bouteille de brandy, comme un bébé avec sa tétine. Il en but une grande goulée et s'essuya la bouche du revers de la main. L'extraction de la balle et les points de suture de Billy Afrika lui avaient pompé toute son énergie.

Travailler sur les vivants exigeait une grande concentration.

Il préférait les morts.

Mais Billy lui avait laissé mille rands, ce qui était généreux. Quand Doc lui avait dit de revenir dans quelques jours pour qu'il lui enlève les points, il lui avait décoché le sourire d'un homme qui n'était pas sûr d'être encore là dans quelques jours.

Ça va, ça vient...

Il posa la bouteille sur la table de la cuisine en déplaçant quelques assiettes sales. Si les escadrons de mouches qui grouillaient sur les assiettes graisseuses le dérangeaient, il n'en laissait rien paraître.

Il s'approcha du vieux congélateur. Le sac en plastique noir que Maggott en avait sorti la veille était posé sur le couvercle. Il l'avait remis à l'intérieur après le départ du flic et de son morveux. Il l'avait ressorti une heure plus tôt, car il se sentait d'humeur à travailler. Mais Billy Afrika l'avait interrompu et il avait oublié de revenir dans la cuisine le remettre au froid. Il pressa un doigt taché de nicotine sur le sac et constata que le contenu n'avait pas beaucoup dégelé.

Tant mieux.

Il posa le sac sur la table de la cuisine en écartant encore quelques assiettes. Il but une autre lampée de brandy, défit le sac et le secoua pour faire tomber le bras. Il estima qu'il avait appartenu à un Noir d'une vingtaine d'années. Bien musclé, avec des doigts intacts.

Il n'éprouvait aucune curiosité ni sur l'identité de cet homme, ni sur ce qui avait provoqué sa mort. Il ne posait jamais de questions aux flics qui travaillaient à la morgue de la police quand ils lui apportaient des organes. Il se contentait de vérifier la marchandise et de payer. D'après les marques au niveau de l'amputation, le flic avait utilisé une scie à bois pour couper le bras après l'autopsie.

Il ouvrit un placard et sortit une petite scie circulaire portative. Il la brancha à côté de la bouilloire et l'alluma, laissant la lame tourner et hurler un instant avant de l'éteindre et de s'intéresser au bras.

Il allait récupérer ce qu'il pouvait pour les besoins du *muti*. Médecine traditionnelle. En dépit du vernis occidental du Cap – téléphones portables, paraboles et autoroutes –, c'était une ville d'Afrique, où les gens croient qu'on dispose d'une quantité limitée de chance et qu'il est donc nécessaire d'en voler aux autres. La méthode la plus efficace étant d'utiliser des remèdes fabriqués à partir de leurs membres.

Doc songea à ses clients, les *sangomas* – ou sorciers – dans les ghettos décrépits qui s'étendent à proximité de la route de l'aéroport. Comment pouvait-il tirer le plus grand profit de ce bras ?

Il pouvait scier les doigts et le pouce et les vendre séparément – c'est ce qu'il aurait fait si la main n'avait pas été en si bon état. Mais non, il décida de la trancher au-dessus du poignet. Il la vendrait entière.

Il avait connu un boucher négro dans le temps, à Guguletu, de l'autre côté de l'autoroute, qui gardait une main humaine dans son congélateur à côté de ses coupes de viande. Tous les matins à l'aube, il ouvrait sa boutique, entrait dans la chambre froide et répétait le même rituel : il marchait au milieu des carcasses et les giflait avec la main coupée. Il jurait que ça appelait les esprits et l'aidait à développer sa clientèle.

Putains de nègres.

N'empêche, pourquoi rouspéter? Ça lui procurait de bons revenus.

Bref, il détacherait la main, puis il scierait le reste du bras en deux ou trois morceaux. Il attendrait que la chair décongèle et la désosserait. Et l'emballerait pour être vendue séparément. Et vendrait les os à l'unité.

Bon coup.

Il était sur le point de se mettre au boulot quand il entendit frapper. Il posa la scie et quitta la cuisine en fermant la porte derrière lui. Il jeta un coup d'œil à travers les rideaux. Reconnut deux hommes de Manson qui en soutenaient un troisième effondré entre eux.

Merde.

Il ouvrit la porte et les gangsters se traînèrent à l'intérieur. Et laissèrent le type inconscient glisser par terre. Doc vit un fluide s'échapper de son nez. Le maigre, Boogie, le regarda avec des yeux qui disaient : « Fais quelque chose. Et magne-toi le cul. »

« Qu'est-ce qu'il lui est arrivé? demanda Doc en poussant l'homme du pied.

— On l'a retrouvé comme ça », répondit Boogie en haussant les épaules.

Doc grommela en se baissant. Il souleva les paupières du blessé et remarqua que les pupilles étaient de taille différente. Il tourna la tête et vit du sang coagulé dans ses cheveux courts et crépus. Quelqu'un avait assommé ce 26 avec des coups précis.

« Il doit avoir une fracture du crâne.

— Tu peux le réveiller? demanda Boogie.

— Ça dépend. Ça risque de prendre du temps.

— On n'en a pas. Quelqu'un a descendu la fille de Manson. Et ce type sait qui c'est. »

Doc soupira et se frotta les yeux. Paradise Park se précipitait vers une nouvelle guerre des gangs.

« Laissez-le-moi et revenez dans une demi-heure.

— On veut juste que l'enculé nous donne un nom, d'accord ? »

Doc acquiesça et verrouilla la porte derrière eux. Regarda longuement l'homme à ses pieds. Pas besoin d'être sorcier pour deviner le nom qui sortirait de sa bouche quand il reprendrait connaissance.

Billy Afrika.

Boogie avait de l'ambition. Quand ils montèrent dans la Honda Civic verte devant la maison de Doc, il décida donc de faire preuve d'initiative.

« Passe par chez Shorty Andrews », dit-il.

Le chauffeur, Arafat, était simplet, mais pas complètement idiot.

« Qu'est-ce que tu mijotes, Boogie ?

— À ton avis, qui a tué Bianca ? (Arafat se contenta de hausser les épaules d'un air désemparé.) Y a que des 28 pour s'en prendre au labo de tik, frangin. »

Arafat le dévisagea.

« On devrait peut-être attendre, dit-il.

— Tu peux dire à ta mère d'attendre. Roule. »

Arafat soupira, il savait d'expérience que discuter était une perte de temps. Il aurait pu briser cette petite merde comme un os de poulet, mais Boogie réussissait à lui tourner la tête avec son baratin et ses bavardages incessants.

Arafat mit la sauce – le V6 de la Honda grogna sourdement – et ils se glissèrent dans Dark City.

Shorty Andrews adorait Céline Dion. Quand il traînait avec ses 28, ils écoutaient du gangsta rap, et un peu de R & B s'ils se reposaient en fumant des Mandrax. Mais quand il conduisait, c'était Céline, et à fond.

Assis dans la BM garée devant chez lui, il regardait le ciel se vider de ses couleurs en chantant avec Céline. Il atteignait sans effort les notes les plus haut perchées quand *Power of love* était à son paroxysme. Et lorsque la chanson se termina, il se sentit exalté, comme toujours.

Puis il pensa à Billy Afrika qui se baladait dans Paradise Park, un Glock à la main. C'était inquiétant. La situation était calme et agréable depuis quelque temps, la trêve instable entre les Americans et lui avait tenu la route.

Il ne voulait pas que quelque chose aille tout foutre en l'air.

Une vie calme lui convenait bien, maintenant qu'il prenait de l'âge. Les tueries et les viols, c'était bon pour les jeunes. Il avait une famille. Des responsabilités. Il appuya sur le lecteur de CD avec un doigt de la taille d'une banane et chercha la ballade suivante pour rétablir sa bonne humeur. Et se joignit à Céline pour *Because you love me*, sa voix douce et pure comme celle d'un enfant de chœur.

Il attendait sa femme qui était en train d'habiller Keegan, leur benjamin. Son autre fils, le plus âgé – et son favori –, monta à l'arrière et se mit à jouer avec un pistolet en plastique. Son cadeau de Noël. Un .38 Smith and Wesson.

Et bordel, il ressemblait sacrément à l'article véritable.

Ils allaient dîner au centre commercial de Canal Walk, puis ils iraient voir le dernier Eddie Murphy et achèteraient peut-être des habits pour les enfants.

Shorty arrêta de chanter. L'impatience le gagnait.

« Whitford, va voir où est maman. »

Le garçon ouvrit la portière, activant le plafonnier. À ce moment précis, Shorty entendit un son qu'il ne connaissait que trop bien : des détonations d'armes de poing à bout portant. La vitre arrière se fissura et Shorty sortit de la BM en plongeant et, le Taurus 9 mm à la main, ouvrit le feu sur la Honda qui s'enfuyait.

Il toucha le chauffeur, la voiture ralentit et s'arrêta. Ses deux roues étaient grimpées sur le trottoir d'en face, sous la lumière jaune d'un réverbère à vapeur de sodium. Les hommes de Shorty, Osama et Teeth, sortirent de la maison en tirant sur la Civic.

Shorty s'approcha de la voiture et vit que le chauffeur était mort. Boogie, cette saloperie de maigrichon dans le siège du passager, avait reçu une balle dans le ventre, mais était toujours en vie. Shorty abrégea ses souffrances en projetant sa cervelle grillée au tik sur la vitre, où elle dégoulina comme une lampe à lave.

Shorty se redressa et reprit son souffle.

Teeth le rejoignit.

« Patron.

— J'ai rien.

— Patron », répéta Teeth, et Shorty suivit son regard.

Whitford venait vers eux et, arqué et déjà trapu, tirait sur la voiture avec son pistolet en plastique tendu devant lui... à deux mains.

Exactement comme son papa.

Shorty vit sa femme, impassible, sur le seuil de leur maison. Il s'approcha du garçon, lui fit gentiment faire demi-tour et le poussa à traverser la rue.

« Tu vas voir maman, d'accord ? »

Le garçon lui obéit à contrecœur, en regardant par-dessus son épaule la voiture accidentée et le sang.

Shorty comprit qu'il allait devoir le surveiller. L'envoyer dans une école de banlieue. S'assurer qu'il devienne un putain de comptable ou un truc dans le genre.

Il se tourna vers Teeth.

« Rassemble tous nos hommes. Immédiatement. »

Teeth acquiesça et prit son portable pour composer les numéros en mémoire. Il appelait les soldats à la guerre. Céline continuait à brailler dans la voiture de Shorty pour lui dire qu'il n'y avait pas de mot plus triste que « *good-bye* ».

Robbie était accroupi devant Roxy, la langue tirée pour mieux se concentrer sur le nœud du câble autour de ses chevilles. Elle avait dû lui parler sans relâche, l'encourager quand ses doigts glissaient et que les larmes et les frissons secouaient son petit corps.

Quand il parvint enfin à la détacher, il faisait noir dans la hutte. C'était une bénédiction, l'horreur en Technicolor du flic mort n'était plus qu'un monochrome voilé.

Elle avait les chevilles libres. Elle secoua ses jambes pour essayer de rétablir la circulation.

« Tu es un garçon courageux, Robbie. »

Il acquiesça en reniflant.

Maintenant qu'elle avait les jambes déliées, elle avait une petite chance de pouvoir passer ses bras menottés autour de ses jambes et à l'avant de son corps. Allongée sur le dos, elle tira les bras vers ses fesses, les épaules au bord de se disloquer tandis qu'elle poussait ses mains au-delà des cuisses.

Elle leva la jambe gauche en l'air, droite comme une danseuse, en gardant l'autre pliée et tira le genou vers le menton. Les muscles de ses épaules se déchiraient, mais elle réussit à passer les menottes par-dessus son pied droit. Puis elle réussit à baisser sa jambe gauche et à passer ses poignets par-dessus. Elle avait maintenant les mains à l'avant du corps.

Elle resta étendue sur le plancher quelques secondes pour reprendre son souffle. Ses épaules l'élançaient.

Elle se leva et trouva un tabouret en bois renversé à côté du flic mort. Elle le jeta contre la fenêtre et la brisa. Le chœur des mouches agglutinées sur la vitre recula furieusement avant d'entrer dans la pièce en une épaisse formation. Elle attrapa la couverture puante du petit matelas et s'en servit pour recouvrir les bouts de verre hérissés autour du cadre de la fenêtre.

« Où tu vas ? lui demanda Robbie.

— Chercher des secours.

— Me laiffe pas ici. S'il te plaît, madame. »

Roxy le souleva de ses mains menottées et le leva vers la fenêtre en grognant, surprise par son poids. Elle le déposa sur le sable.

Puis elle porta le tabouret sous la fenêtre, releva sa robe, passa une jambe à travers la fenêtre cassée et chevaucha le cadre. Et s'agrippa au bois au-dessus de sa tête du mieux qu'elle put ; handicapée par les menottes, elle essayait de lever la jambe, mais sentit le verre transpercer la couverture et lui rentrer dans la cuisse.

Elle ravala sa douleur, leva l'autre jambe, s'extirpa de la fenêtre et tomba lourdement sur le sable.

Elle se remit sur pied, mais sentit le sang couler le long de sa jambe.

« Je feux fenir avec toi », lui dit Robbie.

Elle n'avait pas le temps de lui défaire les chevilles.

« S'il te plaît, Robbie, sois un grand garçon et attends-moi. Je reviens vite. »

Elle partit en courant dans la rue, ses mains menottées devant elle, le sable encore chaud sous la plante de ses pieds nus.

Les petites maisons, recroquevillées dans les flaques de lumière orange, étaient silencieuses. Un éclat de rire et un bruit de percussion l'atteignirent. Puis ce fut le silence. Il y avait de la lumière dans une maison sur sa gauche, elle s'y dirigea.

Puis elle vit deux hommes qui marchaient vers elle. Des minstrels, comme ceux qu'elle avait vus au bord de l'océan quand elle était allée courir avec Billy Afrika. Vêtus de costumes de carnaval bigarrés : pantalon en satin et queue-de-pie recouverts de la bannière étoilée, avec d'autres étoiles sur le rebord de leur haut-de-forme. Elle faillit rire. Une paire d'oncles Sam. Envoyés à son secours.

Elle courut à leur rencontre.

« Aidez-moi, s'il vous plaît. »

Le plus proche d'elle tendit ses mains gantées pour la soutenir et l'attrapa par les épaules directement sous le réverbère.

Et quand Roxy leva les yeux sur son visage couvert du rouge, blanc et bleu de la bannière étoilée, elle s'aperçut que le maquillage n'arrivait pas à recouvrir complètement ses larmes noires.

CHAPITRE 35

Billy traversa Main Road et entra dans White City en bataillant avec le volant et le levier de vitesses. Son bras gauche était tenu en écharpe par un tee-shirt crasseux qui dégageait la même puanteur que Doc : un cocktail d'alcool, de sueur et d'huile de friture. Plus une odeur de rassis qu'il n'avait aucun désir d'identifier. Au moins l'ivrogne avait-il réussi à lui ôter la balle de l'épaule et à le recoudre, en suant tant et plus pour forcer ses mains tremblantes à obéir.

Billy ne buvait jamais – il ne pouvait pas se payer le luxe de ne pas être maître de lui –, mais il avait avalé quelques goulées de brandy qui l'avaient brûlé jusqu'aux tripes. Il avait mordu dans le mouchoir et accueilli la douleur. Il avait appris la souffrance depuis son plus jeune âge. Appris qu'il était inutile de l'ignorer. Qu'il fallait la regarder bien en face.

Lui faire savoir qu'on était prêt.

Lui dire de donner ce qu'elle avait de pire.

Et se faire enlever une balle par un ivrogne était un désagrément mineur comparé aux mois d'agonie qui avaient suivi le barbecue organisé par Piper. Ça, c'était l'enfer.

Billy retrouva la rue de Barbara. Personne ne l'avait suivi, mais il s'arrêta à une centaine de mètres de la maison et gara la voiture dans une zone de pénombre entre les rares réverbères. Il coinça le Glock dans sa ceinture et descendit de la Hyundai, le sac d'argent à la main. Pas question de le laisser dans le coffre pour qu'un junkie décide de le forcer et de se servir.

Il faisait nuit noire, une lune d'enfer gonflant au-dessus des maisons sinistres et des immeubles du ghetto ; Paradise Park commençait à tenir ses promesses du vendredi soir. Une voiture descendait la rue voisine à toute vitesse, le hip-hop et les rires chargés de testostérone. Il entendit un hurlement de sirène au loin. Et des coups de feu, en provenance de Dark City ; assez pour une salve de vingt et un coups de canon.

Le prélude à la symphonie qui allait suivre.

Le lampadaire devant chez Barbara bourdonnait et clignotait comme un papillon de nuit à l'agonie. Expédiait des flashs orange dans la nuit poussiéreuse, puis se rétractait dans l'obscurité. Billy attendit un moment en regardant les clichés de la maison que l'éclairage stroboscopique lui offrait. Une lumière brillait derrière les rideaux de la chambre la plus proche de la rue. Celle de Barbara. Vacillements bleutés d'une télé au salon.

Rien ne bougeait à l'intérieur.

Il franchit le portail rouillé et s'approcha de la porte d'entrée. Il s'apprêtait à frapper quand il remarqua que la grille de sécurité n'était pas verrouillée et vit la porte d'entrée entrebâillée. Il posa le sac d'argent et sortit le Glock. Il ouvrit la porte avec le pied et balaya le salon du canon de son arme.

Vide.

Une assiette de riz au poulet à moitié mangée et couverte de mouches noires posée devant la télé. Un personnage de dessin animé coincé dans une boucle de violence à l'écran – du sang giclait de sa tête décapitée. Graphiques d'épouvante sur une bande-son trash metal.

Billy poussa le sac à l'intérieur du bout du pied et ferma la porte d'un coup de coude. Et resta dans le salon. Renifla. Une odeur vint à lui, plus forte que le gras et les épices de l'assiette. Une puanteur qu'il ne connaissait que trop bien.

La puanteur de la mort.

Il baissa les yeux sur la moquette usée et vit des traces de pas qui allaient de la chambre fermée à la porte d'entrée. En hiver, un soir de pluie, on aurait pu les prendre pour des traces de boue. Mais cela faisait des mois qu'il n'avait pas plu sur les Flats. C'était des traces de sang du type qui avait quitté cette maison.

Billy s'approcha de la chambre et, debout devant la porte close, s'arma de courage avant d'entrer. Et poussa la porte. Elle buta contre le corps du garçon, en jean et en Nike. Puis il vit le visage de Barbara, par terre. Elle semblait le regarder. Elle avait la bouche fermée, mais sa langue dépassait. Il lui fallut un moment pour comprendre : elle avait eu la gorge tranchée et sa langue, qui sortait par l'entaille de son cou, lui descendait jusqu'à la clavicule.

Il força la porte à s'ouvrir en poussant le cadavre du garçon et vit la fille allongée sur le lit, sa robe blanche imprégnée de sang, ses cuisses écartées et gluantes.

« Manson, pensa-t-il l'ombre d'un instant de folie. Manson est venu ici et les a tués pour venger sa fille morte. »

Puis il vit l'Okapi sur la coiffeuse, à côté du séchoir et de la brosse à cheveux. La lame était ouverte et humide. Le couteau avait été laissé là délibérément. Comme pour composer une nature morte. Il vit les graffitis sur le mur. La main rouge braquée comme un revolver. Les mots gribouillés. Et enfin, une preuve d'amour ensanglantée, un cœur grossièrement barbouillé autour de deux noms : Disco et Piper.

La pièce tangua sous ses pieds ; il dut se tenir à la porte pour ne pas s'effondrer.

Il sentit une lame du passé lui percer la chair avant d'être emporté par les flammes.

Clyde qui tombait à genoux en essayant de retenir ses entrailles entre ses doigts.

Et Piper qui souriait.

Alors il sut à quoi il avait affaire. Et à qui.

Piper s'était évadé. Il était sorti pour renouer ses vœux de mariage dans le sang, prêt à ramener son épouse à Pollsmoor. Cette mise en scène le lui garantissait. Mais Billy ne le lui permettrait jamais. Il ne permettrait jamais à la prison de garder Piper vivant et en sécurité. Cette fois-ci, il n'hésiterait pas.

Il enjamba Barbara et entendit le bruit des semelles de ses chaussures sur le sang épais comme du pudding. Il tendit la main vers le couteau, en replia la lame et le mit dans sa poche.

Puis il se dépêcha.

Il traversa la cuisine et entra dans un petit garage; une tache d'huile sur le ciment indiquait l'ancien emplacement de la voiture de Clyde Adams. Les rayons soigneusement rangés portaient toujours des pots de peinture, des outils et des jerricans d'essence qu'il utilisait pour sa tondeuse à gazon. Ils en avaient blagué entre eux : comment trouver du gazon sur le sable des Flats ? « Comme couper les cheveux à un chauve », avait plaisanté Billy pour se moquer de son ami.

Il prit le jerrican de sa main valide et le secoua. Toujours plein.

Il partit avec, empocha une boîte d'allumettes en passant dans la cuisine et revint dans la chambre. Ferma les yeux un instant pour essayer de trouver une prière. En vain. Alors il s'efforça d'honorer les morts en les regardant une dernière fois, tandis qu'il les aspergeait d'essence.

Puis il arrosa les graffitis sur les murs, sortit le mouchoir de Doc de sa poche – il était encore moite de sueur et de salive – et l'imbiba d'essence. Il repassa par la porte de la chambre, alluma le mouchoir et suivit des yeux sa flamme bleu et orange lorsqu'il le lança dans la pièce.

Il ferma la porte sur l'explosion de chaleur dont il ne se souvenait que trop bien.

Il prit l'argent de la drogue et s'éloigna. Resta un moment sous le lampadaire clignotant et regarda les flammes qui grimpaient déjà aux rideaux. Sentit sa main sur le couteau. Il avait promis à son ami mourant qu'il s'occuperait de sa famille. Il avait échoué. Il se fit une autre promesse : il plongerait ce couteau dans la chair de Piper.

Pour en finir une bonne fois pour toutes.

Doc posa délicatement la scie sur le bras, juste au-dessus du poignet, tandis que la lame hurlait. Il gardait la tête en arrière, mais un fin hachis d'os et de chair lui tacha le visage et les lunettes. Il éteignit la scie en entendant un grognement.

Le 26 avait bougé et essayait de se lever du carrelage sale. En geignant.

Quand les autres étaient partis, Doc avait traîné le balafré dans la cuisine et l'avait bourré de piqûres d'adrénaline. C'était risqué. Soit ça réveillerait cet abruti, soit ça le tuerait. Doc s'approcha de lui et s'accroupit, ses os arthritiques jouant des castagnettes des Flats.

Les yeux du balafré papillonnèrent. Puis s'ouvrirent. De plus en plus grands. Doc se rendit compte qu'il tenait toujours la main tranchée dans la sienne. Il se redressa et la posa sur la table. L'homme clignait des yeux et regardait autour de lui comme s'il essayait d'identifier dans quel au-delà il avait atterri.

« Qui t'a assommé ? lui demanda Doc.

— Barbie, répondit le type en essayant d'accommoder sa vision. »

Doc se releva en plusieurs étapes en s'aidant de la table. Il sortit l'Eriksson de sa poche arrière et appela le 26, le numéro de Manson. Il vivait des bonnes grâces de ces gangsters et il était toujours utile de leur rendre service. Surtout quand une guerre s'annonçait.

Il marquerait des points en leur communiquant la nouvelle.

Et quelques autres en apprenant à Manson que Billy Afrika était blessé.

Elle ouvrit les yeux. Une ampoule jaune, qui pendait nue du plafond l'aveuglait, elle tourna la tête. Douleur. Un feu derrière les yeux.

La douleur était bienvenue. Elle lui disait qu'elle était en vie. À peine consciente et luttant pour ne pas sombrer dans l'obscurité. Mais vivante.

Roxy se trouvait à nouveau dans la cabane en bois, allongée sur le côté droit, les mains menottées sur le devant, les jambes écartées là où elle avait été jetée. Du coin des yeux, elle vit une forme floue qui devait être Disco avachi sur le matelas et Piper debout à côté de lui. Et un peu plus loin, une autre forme, comme un tas d'habits sales. Robbie. Immobile. Elle n'avait aucun moyen de savoir s'il avait survécu à son anniversaire.

Elle avait un goût de sang dans la bouche. Et de bile. Le col de sa robe était humide de sang et de vomi. Elle explora ses dents avec sa langue. Il n'en manquait aucune. Sa lèvre était enflée et la piqua quand sa langue trouva une plaie.

Piper lui avait donné un coup de poing sous le réverbère. Il lui avait balancé sa main gantée dans la gueule avec assez de violence pour lui faire le coup du lapin et l'envoyer voltiger, le crâne sur le trottoir. Puis il avait pris de l'élan et lui avait donné un coup de pied dans la tête. Elle était déjà dans le brouillard, comme enveloppée d'un linceul noir, quand elle l'avait senti soulever son corps inanimé et le jeter par-dessus son épaule. Elle avait respiré sa puanteur au moment où elle s'évanouissait.

La puanteur de la mort et de la décomposition.

Elle sentit une toux lui monter à la gorge et lutta pour la réprimer. Sous cette ampoule qui se divisait, devenait floue puis nette, elle entendit sa voix grave et gutturale. Qui insistait. Et s'acharnait contre Disco, dont les réponses hésitantes étaient écrasées par la force de ses paroles. Elle tourna la tête de quelques centimètres et vit l'ombre de Piper bouger sur le mur. Elle ferma immédiatement les yeux.

Mais il avait perçu le mouvement.

Elle l'entendit s'approcher, sentit le plancher s'affaisser sous son poids, son propre corps rebondissant légèrement ; il se pencha sur elle. Le chuintement du tissu lui indiqua qu'il s'était accroupi.

« Blondie. (Comme un grondement de chien, du fond de la gorge. Elle ne bougea pas.) Blon – diiiiie ! »

Il lui posa la main sur la gorge. Elle se força à rester immobile.

Elle entendit quelque chose cliquer près de son oreille, le bruit d'un mécanisme qui s'enclenche.

Elle comprit ce qu'elle entendait en même temps qu'elle ressentait la douleur, une brûlure atroce tandis que le bout de la lame lui perçait la cuisse gauche. Ses yeux s'écarquillèrent, puis ses lèvres ; elle était sur le point de hurler. Piper réprima le cri en la bâillonnant de la main. Elle respira par le nez et haleta dans la main gantée qui lui serrait la mâchoire comme un étau.

Elle vit le visage peint s'approcher du sien, son haleine comme les relents stagnants d'une exhumation, sur sa joue. Il remuait le couteau dans la plaie, le faisait tournoyer avec des mouvements délicats et calibrés du poignet, jouant avec ses nerfs à vif comme d'un banjo de minstrel. Elle sentit la pisse couler chaudement le long de ses cuisses et essaya de lui donner un coup de pied. Il rit en esquivant aisément ses membres, sans la lâcher une seconde des yeux. Des yeux si morts qu'ils semblaient attendre qu'on les recouvre de pièces.

Puis il retira le couteau. Lentement.

Elle retint son souffle, ses cris toujours étouffés au fond de ses poumons par la main de Piper. Il brandit le couteau sous ses yeux. Le sang coulait sur la lame, s'engouffrait dans le sillon puis s'accumulait derrière le butoir avant de tomber goutte à goutte sur le gant blanc. Il éloigna la lame de son visage et elle la sentit à nouveau froide et gluante sur sa cuisse, la pointe relevant le tissu de sa robe au-dessus de ses hanches.

Il promenait doucement la lame sur sa chair. Il la caressait. La taquinait.

Elle attendit. Se prépara à l'agonie.

« Bordel de merde, Piper! (La voix de Disco, ton urgent, flippé.) Viens voir ça. »

Piper, dans son costume américain – le chapeau haut de forme de travers sur la tête –, sortit du *zozo* et sentit la fumée. Ils avaient trouvé les costumes de minstrel pliés sur la machine à coudre de la femme du flic morte, comme s'ils les attendaient. Dès qu'il les avait vus, Piper avait compris que ces déguisements leur donneraient un peu de temps et leur permettraient (surtout à lui) d'être dissimulés tout en restant visibles.

Se rendre avant que les tabloïdes couvrent l'histoire aurait été suicidaire. Piper ne pouvait pas compter sur la protection du gang hors des murs de la prison. Les flics auraient descendu les hommes qui avaient massacré la famille d'un des leurs. Il n'avait aucunement l'intention de passer l'arme à gauche dans l'immédiat. Non, les journaux à scandale étaient sa police d'assurance. Il devait garder profil bas jusqu'à ce que les corps soient découverts. Attendre que le *Sun* publie des titres tonitruants en énormes lettres à la une et que l'histoire fasse le tour des Flats en s'embellissant.

Après, il emmènerait Disco au poste de Bellwood South et ils se rendraient. Tout sourire pour les caméras, ils attireraient trop l'attention pour que les flics et les tribunaux puissent faire autre chose que les renvoyer à Pollsmoor.

Pour la vie. Jusqu'à ce que la mort les sépare.

Mais en voyant le brasier qui engloutissait la maison du flic mort, il sut qu'il devait changer de plan. Il regarda les habitants de Portea Street courir en tous sens comme des poulets décapités, ceux proches de la maison en flammes aspergeant leurs toits avec des tuyaux d'arrosage pour éviter la propagation du feu dans cette poudrière.

Les flammes lui firent penser à un autre corps brûlé, vingt ans auparavant. Il entendit le nom que Disco avait prononcé pour l'empêcher de trancher la gorge de la blonde : Billy Afrika.

Il eut une montée de rage qui le brûla comme s'il était dans la maison incendiée.

Il savait qui y avait mis le feu. Il écarta toutes les questions. Peu importait comment il le savait. Tout ce qui comptait, c'était ce qu'il allait faire. Il allait devoir repartir de zéro. Mettre un nouveau rituel en scène. Il comprit pourquoi il n'avait pas encore tué la blonde. Il était encore trop tôt. Elle était la clé et son lien avec Billy Afrika ne pouvait pas être ignoré.

Piper ne croyait pas en Dieu. Mais il croyait en un certain ordre. L'action permettait de garder le contrôle de sa vie, alors que les actes inachevés gagnaient en puissance dans les ténèbres et finissaient par revenir lui tendre des embuscades.

Comme le fait qu'il n'ait pas tué Billy Afrika quand ils étaient ados. C'était cet échec qui avait donné au flic la possibilité de lui tirer dessus, il y avait deux ans, alors qu'il venait de descendre son coéquipier. Qu'il ait été trop faible pour s'en acquitter n'empêchait pas que Piper se soit rendu vulnérable. Et un lien le rattachait à la blonde. Il était temps de tirer sur ce lien et de ramener Billy Afrika. Et de lui fermer son sale clapet de couineur une fois pour toutes.

Piper renversa la tête en arrière, ferma les yeux et huma l'air enfumé en y sentant des variations d'atmosphère, en y cherchant des signes.

Comme un prédateur.

Assis au volant de sa Hyundai, Billy Afrika glissait des balles dans le chargeur de son Glock. Il avait tiré deux fois dans le labo de tik et il voulait avoir les dix-sept balles disponibles avant de rejoindre la cahute de Disco, à deux ou trois pâtés de maisons de là, et de boucler la boucle.

Ce n'était pas facile, avec une seule main. Il coinçait le chargeur entre ses genoux et y insérait les projectiles de la main droite. Et procéda de la même manière pour insérer le chargeur dans le Glock. Il rata les sillons et dut le tenir entre les ongles pour le décoincer. Il s'imposa la patience. Dégagea le chargeur, l'aligna. Entendit le déclic quand il se mit en place.

Il regarda autour de lui. Il était toujours garé près de la maison de Barbara. Les flammes s'étaient propagées, elles léchaient le toit, attisées par le vent. Les voisins hurlaient. Un homme tenta d'ouvrir la porte d'entrée et fut soufflé par le brasier. Billy posa le Glock à côté du sac de fric sur le siège du passager, démarra et partit.

Tout était d'une belle simplicité à présent. Symétrique. Il se fichait de sa vie. S'il devait mourir ce soir, il mourrait ce soir. À condition qu'il emporte Piper avec lui. Il ralentit, évita les gens qui envahissaient la rue, attirés par le feu.

Il accéléra quand il arriva au dernier carrefour avant le *zozo* de Disco. Il n'eut pas le temps de voir venir l'autre véhicule. Il ressentit juste l'impact quand celui-ci fonça tout droit dans le sien, du côté passager. Une pluie de verre s'abattit sur lui tandis que la Hyundai faisait un tonneau, le secouant comme s'il se trouvait dans une boule à neige, les billets voletant dans tout l'habitacle après s'être échappés du sac déchiré.

La Hyundai fit deux tonneaux et finit sur le toit comme une punaise morte.

Billy n'avait pas pris la peine de mettre sa ceinture et se retrouva couvert de fric, allongé sur le plafonnier de la voiture renversée, les yeux au niveau des roues chromées d'un Hummer. Il chercha le Glock. Sans le trouver.

La portière arrière du Hummer s'ouvrit et Billy vit des Puma blanches se poser sur le macadam, suivies de jambes dans un survêt doré et brillant.

CHAPITRE 36

Le cannibale regardait la lune jaune et lourde se lever au-dessus des appartements de Sea Point. Dans son pays, les gens croyaient que la pleine lune était l'œil de Dieu observant les pécheurs en dessous.

Dieu n'aurait pas chômé dans ce quartier pauvre du Cap.

De son siège sur le balcon exigu, le cannibale voyait l'intérieur de l'appartement d'en face, il n'était dissimulé que par trois fils d'étendage. De la musique forte y beuglait, des hommes et des femmes dansaient le *kwasa-kwasa*, les genoux serrés.

Il s'appelait Bertrand Dubois Babakala. Il était prince et avait fait ses études à la Sorbonne. Mais en était maintenant réduit à vivre dans un appartement minable au milieu de tous ces réfugiés congolais en tenues bariolées. Avec des dealers de cocaïne qui le collaient dans l'ascenseur et le traitaient avec une trop grande familiarité. Comme s'il était leur compatriote.

Ce qu'il n'était pas.

Son pays n'en était même pas un. Pas sur les cartes, en tout cas. C'était plutôt une province dépendant d'une entité plus vaste dont les contours n'avaient cessé de varier depuis que les Français avaient fui, les frontières s'en redessinant dans le sang au gré des alliances. En vérité, quand on le questionnait, il était totalement incapable d'étayer sa thèse selon laquelle ce petit bout de terre – aucune ressource minérale, population décimée par la pauvreté, la guerre et le sida – s'en tirerait mieux en étant indépendant.

Mais il était prêt à sacrifier sa vie pour ce rêve.

Ou plutôt, à sacrifier la vie des armées disparates de garçons qui croyaient en lui comme en une espèce de Sélassié du hip-hop. Un groupe de gamins défoncés à l'herbe et habillés n'importe comment, de robes de chambre de femme ou de restes de treillis déchirés et décorés de bouts de corps humain. Ils sévissaient dans la jungle, massacraient tout sur leur passage et jouaient au foot avec les têtes qu'ils tranchaient.

Il savait se faire de la publicité pendant ses brefs séjours avec eux. Il s'était rendu tristement célèbre en mangeant un cœur humain. Il venait juste de fumer une ganja fabuleusement forte – un rituel chez les garçons avant le combat –, ce qui avait teinté ses actions de l'irréalité du rêve.

De fait, ce cœur n'avait pas si mauvais goût. On aurait dit du carpaccio.

Et grâce à ce geste, ses troupes avaient redoublé de ferveur.

La mallette qu'il avait donnée à Joe Palmer contenait les derniers financements qu'il avait frauduleusement soutirés à une organisation d'aide alimentaire basée à Paris, crédule et impatiente de compenser sa culpabilité postcoloniale. L'argent devait servir à acheter des armes pour ses garçons de la jungle. Ses garçons qui s'étaient engagés à renverser le gouvernement et à porter Babakala au pouvoir. Et ma foi, n'aurait-il pas l'air superbe dans son uniforme fabriqué sur mesure, avec une écharpe en peau de léopard et un chasse-mouche, debout à l'arrière d'une Mercedes décapotable, en route pour conquérir la capitale ?

Il poussa un soupir très français. Il n'avait pas passé une bonne journée.

Plus tôt, quand il faisait encore jour, ils avaient pris la petite Fiat cabossée de la pute pour se rendre à la villa cossue de Bantry Bay. Babakala ne conduisait pas, naturellement. Mais la pute Tatiana, si.

Et mal.

Crispée sur le volant, elle roulait en plissant les yeux, myope comme une taupe mais trop vaniteuse pour porter des lunettes. Elle ne lui avait pas dit comment elle avait trouvé l'adresse de la maison, mais il se disait qu'un de ses clients du salon de massage était policier, et qu'un coup de fil accompagné d'une promesse chuchotée avait suffi à obtenir le renseignement.

Babakala avait du mal à accepter sa perte de statut. Son exil au Cap. À vivre aux crochets d'une pute ukrainienne. Il s'était senti plein d'optimisme quand il avait dîné avec Joe Palmer et sa belle épouse américaine. Il pensait alors que l'argent de l'organisation d'aide continuerait à couler gaiement, ce qui lui aurait permis de diversifier ses perspectives. Mais la veille, il avait reçu un e-mail abrupt à l'Internet café de Sea Point. On lui faisait clairement comprendre qu'il n'y aurait plus de financements. Et pour toujours. Et l'informait qu'il figurait maintenant sur la liste noire de toute la communauté d'aide internationale.

Merde*1.

La petite voiture gravissait péniblement la colline et la pute parlait sans s'arrêter.

« On devrait la tuer, cette salope.

— On veut seulement l'argent, *chérie**.

— Mais une fois qu'on l'aura, on la tue. Et après, je veux faire une razzia dans son armoire. »

Il avait soupiré, puis cessé de l'écouter. Ce que son garde du corps lui manquait… Jean Prosper était maintenant serveur dans un restaurant congolais de Johannesburg. Il lui était resté loyal pendant des mois, sans être payé, mais Babakala avait fini par se séparer de lui. Jean Prosper se serait très bien acquitté de cette tâche : donner la trouille à la blonde jusqu'à ce qu'elle règle les dettes de son mari.

---

1. Toutes les expressions en italique suivies d'un astérisque sont en français dans le texte original.

Ils étaient arrivés à la villa et la pute s'était arrêtée en calant, juste après avoir franchi le portail ouvert. Un fourgon de déménagement était garé dans l'allée, des hommes y chargeaient le contenu de la maison.

Tatiana s'apprêtait à descendre.

« Cette salope se barre sans rien dire ! »

Babakala l'avait retenue. Ensemble, ils avaient regardé les flics qui s'agitaient partout. Le cannibale comprenait ce genre de situation. Il savait ce qui se passait et l'avait expliqué à la pute du mieux qu'il pouvait : la propriété avait été saisie.

« Allez, continue de rouler, *chérie**. Il n'y a rien pour nous ici. »

Elle avait démarré et roulé vers Sea Point en lançant des regards furieux dans le rétro.

Sale journée.

Il lâcha la lune jaune des yeux et regarda Tatiana qui venait de le rejoindre sur le balcon avec un décolleté accentuant son augmentation de poitrine. Il lui avait offert l'opération à une époque plus faste, quand il pouvait la garder à la maison et répondre à ses besoins.

« Je vais travailler, Bert. »

Ses poils se hérissèrent, comme toujours quand elle l'appelait comme ça. Mais elle était incorrigible.

« *Au revoir**, ma chère. Ne travaille pas trop dur. » « N'y prends pas trop de plaisir », voilà ce qu'il voulait vraiment dire.

Elle se pencha pour l'embrasser, bataillant dans son jean qui lui rentrait dans la chair comme une lame de trancheuse dans de la charcuterie.

« T'en fais pas, mon amour. Je trouverai un moyen de l'avoir, cette salope. »

Il eut un geste élégant du poignet.

« C'est fini, Tatiana. *C'est la vie**.

— Fini, mon cul. »

Elle partit d'un pas lourd sur ses hauts talons, il resta assis sur le balcon, à envisager l'avenir. Il trouverait peut-être un boulot de portier dans un des grands hôtels qui cernaient le Waterfront comme un collier Cartier. On lui avait déjà fait des offres d'emploi.

Il soupira ; les voisins aux jambes en caoutchouc dansaient, riaient et sautaient partout, comme des singes.

Roxy traversait Paradise Park au volant de la Mercedes de Joe, en direction du Cap. La capote était baissée et Disco, assis sur le siège passager, portait toujours son costume de minstrel. Piper se serrait sur la banquette arrière, son haut chapeau tordu contre le plafond. Il tenait Robbie sur ses genoux, le couteau sur la gorge.

La nuit dépassait l'imaginable et le raisonnable.

Mais Roxy se sentait étrangement calme. D'un détachement bizarre, comme si elle planait près de la lune et se voyait de là-haut. C'était peut-être ce qui se passait quand on échappait de peu à la mort. Elle attendait que le choc la terrasse, mais il ne se passait rien.

Pas encore.

Lorsqu'il avait joué sur son corps avec le couteau, elle avait su que Piper s'apprêtait à la tuer. Elle l'avait vu dans ses yeux. Il la regardait comme si elle était déjà morte. Puis Disco avait parlé, dans son patois local mitraillé, et ils étaient tous les deux sortis de la hutte. Elle avait levé ses mains menottées, touché le cou de Robbie et murmuré une prière silencieuse en trouvant son pouls sous ses doigts. Mais elle n'avait aucune idée de la gravité de son état.

Elle avait regardé tout autour d'elle, à la recherche d'une arme. Quelque chose brillait dans la lumière jaune. Un éclat de la fenêtre brisée. Tout le verre ou presque avait été projeté dehors quand elle avait cassé la vitre d'un coup de tabouret, mais ce morceau était tombé à l'intérieur, sur le plancher. Un éclat de la taille de son index, au bout pointu. Elle l'avait dans la main quand elle les avait entendus dans la cour et avait réussi à le glisser sous l'élastique de son slip avant que le poids des deux hommes qui rentraient ne fasse trembler la hutte.

Elle s'était assise et les avait regardés entrer. Ils étaient agités. Disco parlait davantage, comme s'il essayait de convaincre Piper de quelque chose. Celui-ci lui répondait brutalement, mais Disco ne l'avait pas fermée pendant le long moment où ils avaient fumé une autre pipe de meth.

Et il semblait avoir obtenu gain de cause.

Piper avait grommelé en haussant les épaules. Puis il s'était approché de Robbie et lui avait donné un coup de pied. L'enfant avait ouvert les yeux et s'était mis à sangloter. Piper avait recommencé.

« Laissez-le. Laissez-le tranquille », avait dit Roxy en se levant.

Piper avait éclaté de rire et avait frappé une nouvelle fois le gamin, plus fort. Roxy s'était tue, consciente que ses protestations feraient empirer les choses pour Robbie.

L'enfant s'était assis. Piper l'avait attrapé par son tee-shirt et l'avait soulevé, alors qu'il se débattait et se tortillait en l'air. Il avait le couteau à la main et l'avait placé sur la gorge du petit, les yeux fixés sur Roxy.

« Tu fais ce qu'on te dit, sinon je le découpe. D'accord ? »

Elle avait acquiescé.

Il avait baissé le gamin, qui sanglotait et suffoquait, sans lâcher son tee-shirt, le couteau lui frôlant toujours la gorge. Disco avait détaché les menottes de Roxy. Il lui avait apporté un seau d'eau tiède et un chiffon qui puait la pisse. Puis il l'avait poussée devant la glace brisée posée contre la cloison en bois.

« Fais-toi belle. »

Elle avait fait son possible. Effacé les traces de sang de sa bouche. Elle avait la lèvre gonflée et un œil qui virait au noir.

Elle s'était levée et avait soulevé sa robe. Elle avait deux entailles dans la cuisse. Celle du bris de verre et celle du couteau de Piper. La première était superficielle et le sang avait déjà coagulé. L'autre blessure saignait toujours et, quand elle avait bougé, elle s'était ouverte et avait coulé ; du sang frais lui avait dégouliné le long de la jambe.

Piper avait laissé le garçon, s'était approché d'elle et lui avait pris le chiffon des mains. Il en avait découpé un morceau avec son couteau, puis il l'avait poussée par terre, sur les fesses. Il avait soulevé la robe et placé le tissu sur la plaie. Elle craignait qu'il ne découvre l'éclat de verre, mais sa robe le couvrait.

« Tiens-le là », lui avait-il dit.

Il avait appuyé le chiffon sur la blessure, pris le Scotch et l'avait entortillé fort autour de sa cuisse. Le sang ne coulait plus, pour le moment.

« Debout ! »

Elle lui avait obéi. Sa robe recouvrait le tissu et le Scotch.

Il s'était tourné vers elle.

« Ja. C'est bon.

— Je peux nettoyer le petit ?

— Non.

— Détachez-le, au moins. »

Piper lui avait fait baisser les yeux ; il avait une gueule de clown terrifiante. Puis il avait tranché le cordon qui liait les chevilles de Robbie. Le garçon s'était assis et avait frotté l'endroit où le câble avait mordu dans sa chair.

Roxy lui avait touché la tête.

« Tout va s'arranger, Robbie, je te le promets. »

Le garçon avait regardé son père mort sans réagir à ces mensonges.

En allant à la voiture, Disco avait trouvé les chaussures de Roxy dans la poussière et les lui avait lancées. Elle les avait enfilées et tout le monde était monté dans la Mercedes.

« Ferme le toit », avait ordonné Piper.

Elle avait appuyé sur la manette et le mécanisme parfaitement huilé avait remis le toit en place dans un doux bourdonnement.

« Bon, en route pour Le Cap », avait dit Piper.

En reculant, elle avait vu un incendie en bas de la rue, les flammes s'élançant haut dans les ténèbres. Le toit de la maison s'était effondré en un bouquet d'étincelles. Un million de lucioles dans la nuit.

Un peu plus loin, une voiture blanche était renversée sur le toit. La rue grouillait de monde. Elle entendait les cris excités et le chœur des véhicules de secours au loin.

Une voix lui grinçait dans l'oreille et lui disait où aller. C'était la belle gueule à l'haleine fétide. Ils s'approchaient des dernières rues bordées de petites maisons; elle vit une zone industrielle et un grand axe routier devant elle. Il lui sembla qu'elle avait emprunté cette route pour aller au tapissage. Elle eut l'impression que des années s'étaient écoulées depuis, mais il n'y avait que deux jours.

Elle vit une voiture derrière elle et s'attendait à ce qu'elle double la Mercedes. Puis elle entendit une sirène et les gyrophares d'une voiture de flics apparurent dans son rétro.

CHAPITRE 37

« Qu'est-ce que je leur dis ? » demanda Roxy en se rabattant sur le bas-côté.

Piper serrait Robbie contre lui ; les deux flics approchaient, un de chaque côté de la Mercedes.

« Raconte ce que tu veux, répondit Piper, mais t'as intérêt à assurer, sinon, je te jure que je le zigouille. »

L'un des flics était à sa portière. L'autre près de celle de Disco. Ils avaient tous les deux des lampes électriques. Elle plissa les yeux quand le flic se pencha vers elle par la fenêtre ouverte ; il abaissa le faisceau de sa lampe.

« Qu'est-ce que vous faites ici, madame ? »

Elle était à deux doigts de parler... de hurler... de leur dire qu'elle avait été kidnappée, jusqu'à ce qu'elle regarde dans le rétro et voie la main de Piper sur la gorge du gamin, la manche du costume d'oncle Sam pendouillant et couvrant ses longs doigts.

Elle savait ce qu'il tenait dans cette main...

Elle pouvait sauver sa peau. Mais Piper tuerait le garçon. Il lui trancherait la gorge avant que les flics puissent dégainer.

Elle entendit des mots. Il lui fallut un moment pour comprendre que c'était elle qui les prononçait.

« Ces hommes sont employés par mon mari et ils sont en retard pour le carnaval. C'est donc moi qui les emmène. »

Les lampes des deux flics balayaient la voiture. Disco. Piper. Robbie.

« Vous êtes américaine ? lui demanda le flic près d'elle en scrutant l'intérieur de la Mercedes.

— Oui.

— Montrez-moi vos papiers. »

Ils étaient dans son sac. Dans le coffre de la voiture du flic mort.

« Je suis désolée, monsieur l'agent, je les ai oubliés à la maison. J'étais pressée. »

Elle lui fit son plus beau sourire. En se demandant s'il pouvait voir les blessures qu'elle avait à la figure. C'était sur son côté gauche, qui n'était pas éclairé par la lampe ; elle essaya de laisser tomber ses cheveux sur sa joue.

« À qui est cet enfant ? »

Le flic du côté du passager braqua sa lampe sur Robbie. Roxy se rendit compte pour la première fois qu'il s'agissait en fait d'une femme, que l'épais gilet en Kevlar rendait androgyne.

« C'est mon petit frère, répondit Disco en souriant.

— C'est mon anniferfaire, lui dit Robbie. »

C'étaient ses premiers mots depuis longtemps. Ils lui sauvèrent la vie.

La femme flic rit.

« Et pourquoi t'es tout sale, alors ? Tu devrais dire à ton frère de faire ta toilette. »

Le flic regarda les seins de Roxy, puis son visage.

« Je pourrais vous verbaliser pour conduite sans papiers, vous savez ?

— Je sais, monsieur l'agent. Je suis désolée. »

Il la draguait. Encore un Roméo couleur cappuccino des Cape Flats.

« Où habitez-vous ?

— Sea Point, répondit-elle, car c'était la première chose qui lui était venue à l'esprit.

— Bon, allez, conduisez prudemment, lui dit-il en riant. »

Elle déterra un ricanement de gamine de Dieu sait où et fit même sa petite mimique avec les yeux que les mecs trouvaient irrésistible.

Les flics s'éloignèrent, Roxy démarra le moteur et partit.

Elle n'avait pas la moindre idée du lieu où Piper et Disco l'emmenaient.

Disco le savait.

Ils allaient là où Roxy avait dit qu'elle habitait : à Sea Point.

Il avait failli embrasser le gamin quand celui-ci avait sorti son histoire d'« anniferfaire ». Et avait dû se retenir pour ne pas se pisser dessus pendant qu'ils s'éloignaient et que les flics remontaient dans leur Opel et faisaient demi-tour pour regagner les Flats.

Nom de Dieu…

Il avait envie de fumer une paille. Il allait devoir se maîtriser. Une chose à la fois. C'était un sacré coup fourré qu'il préparait. Piper avait été sur le point de trancher la gorge de l'Américaine dans l'après-midi, quand elle était attachée sur le siège de la voiture du flic.

Jusqu'à ce que Disco lui ait dit les quatre mots magiques : « Elle connaît Billy Afrika. »

Tentative désespérée de garder une possibilité de fuite. Après la visite de Billy à son *zozo*, Disco s'était souvenu de l'ex-flic. Piper lui avait parlé de lui dans la cellule de Pollsmoor. Il l'appelait toujours « cette tête de con de Billy Afrika ». C'était lui, la « Larme manquante ».

Quand Disco avait prononcé son nom près de la voiture de Maggott, Piper l'avait regardé, puis retiré le couteau en laissant sur le cou de la blonde une fine traînée de sang, qui avait disparu entre ses nichons. Piper avait sorti son sourire de 28 en remettant l'Okapi dans sa poche et en ramenant la femme et le garçon dans le *zozo*.

« Pour plus tard », avait-il dit.

Disco avait besoin que la blonde reste en vie. Billy Afrika semblait travailler pour elle. La protéger. C'était un homme dur. Pas aussi dur que Piper – qui était moins un homme qu'une bête sauvage –, mais peut-être assez dur pour lui tenir tête. Disco devait les réunir. C'était sa seule chance de se sortir d'affaire.

Et il avait besoin d'une sacrée dose de chance pour y parvenir.

Il avait eu une vie de merde. La poisse l'avait suivi de plus près que son ombre. Mais il espérait toujours que la chance tourne un jour et lui sourie. Comme le vent change au Cap au mois d'avril. Il soufflait du sud pendant tout l'été, soulevant les toits et projetant de la poussière et des ordures en l'air. Et même plus. Il rendait les gens fous.

Puis, à Pâques, il tournait et soufflait du nord, de la mer. Il apportait la pluie et le sable humide collait enfin au sol comme de la sciure ensanglantée après un accident de voiture. Même les Flats se refroidissaient et verdissaient, l'herbe poussant en touffes entre les dépotoirs, les fosses d'aisance, les carcasses de voitures rouillées et les taudis.

C'était la période de l'année qu'il préférait. Il traînait dans son *zozo*, se déchirait au tik et regardait la pluie couler sur la vitre de la fenêtre comme des larmes qui nettoyaient toute la saleté et la misère.

Il avait l'impression qu'elle lui lavait le cœur.

Il avait fait des trucs ignobles en son temps et il avait honte de regarder la photo de sa mère dans les yeux. Il avait volé. Il avait menti. Dieu sait qu'il avait consommé plus de came qu'il aurait dû.

Mais violé, non. Jamais.

Et quand il avait cru avoir touché le fond, Piper l'avait obligé à tuer la fillette. Il sentait encore la lame lui entrer dans le cœur, entendait encore le bruit révoltant de succion quand il l'avait retirée. La fille qui pleurait, qui le suppliait. Tandis que Piper l'observait et lui parlait lentement et calmement. Qu'il lui ordonnait de la poignarder encore et encore. Jusqu'à ce qu'elle meure.

Et putain, il avait l'impression que quelque chose en lui était mort avec elle.

L'incendie avait brûlé toutes les preuves. Mais il n'avait gommé ni sa culpabilité ni sa peur. Et puis il y avait aussi la grosse proprio et le flic mort. Et l'enlèvement de la blonde et du gamin. Largement de quoi le renvoyer à Pollsmoor avec Piper.

Pour toujours.

Alors il avait concocté un projet de dingue, et avait dû batailler ferme pour le faire accepter par la bête sauvage armée du couteau, là-bas, dans le *zozo*. Piper, avait-il dit, devait couper la tête de Blondie du côté de Sea Point. Et quand ils se rendraient, revendiquer tous les assassinats de poupées Barbie.

Piper l'avait regardé comme s'il était cinglé.

« Mais ils savent que j'étais à Pollsmoor quand les deux premières blondes ont été décapitées.

— Ja, mais je dis que c'est moi. Puis que t'es sorti et que t'as fait le troisième crime avec moi. »

Disco avait hoché la tête vers la blonde étendue par terre à côté du gamin. Il savait qu'elle ne comprenait pas un traître mot de ce qu'ils racontaient.

Piper avait longuement réfléchi, puis il avait fini par sourire. En comprenant qu'ils feraient la une de tous les journaux. Et passeraient même à la télé. C'était encore mieux que d'éliminer la famille du flic. Les assassinats dans les Flats n'intéressaient que les métis. Mais zigouiller des Blondies dans les quartiers blancs et la ville entière pétait les plombs.

Ils rentreraient tous les deux à Pollsmoor en héros.

Piper avait donc donné le feu vert.

Puis Disco avait entendu les paroles qui avaient failli le faire pleurer et embrasser l'ancien emplacement de la photo de sa mère.

« Et on se servira d'eux, avait-il dit en regardant la femme et le gamin, pour attirer Billy Afrika. Je veux le trucider, cet enculé. Le finir. »

Puis il avait montré son visage et ajouté :

« Et je veux récupérer la larme qui me manque. »

Il lui avait décoché son sourire de 28.

Si Billy Afrika venait, Disco avait encore une chance. La blonde et le garçon aussi. Il frotta le crucifix dans sa poche en regardant défiler Voortrekker Road, la longue ligne droite qui menait au Cap. L'espace d'un instant, les réverbères prirent une allure de lampions de fête.

Tout jaunes et tout joyeux.

La puanteur des ordures qui planait sur tout Paradise Park était abominable là, à la source. Étendu au bord du terrain, Billy regardait le vaste dépotoir, presque joli au clair de lune. Il était allongé sur quelque chose de mou et de moite, quelque chose qui puait plus que tout. Après ce qui lui était arrivé, il ne remarquait rien et se fichait de tout.

Son bras gauche inutilisable, toujours en écharpe, était coincé sous lui. Son épaule s'était remise à saigner. Une douleur crue et rouge lui enflammait les extrémités nerveuses. Il avait le bras valide tordu dans le dos, la main clouée au sol par le pied de Manson, et ce dernier lui avait collé un flingue sur la nuque. La seule arme dont disposait Billy était le couteau de Piper, là, au fond de sa poche, et il n'avait aucun moyen de l'attraper.

Manson allait le tuer. Il mourrait avant d'avoir eu le temps de rectifier la situation. Piper s'en sortirait vivant.

Encore une fois.

Billy se demanda s'il y avait un enfer. Et s'il avait fait suffisamment de mauvaises actions pour y être expédié une fois abattu par Manson. Il était au moins sûr d'y retrouver Piper un jour. Pour finir sa mission.

Manson lui parlait et il sentait le canon froid et dur du .44 à la base de sa nuque.

« Alors Barbie, tu crois que tu vas aller au paradis ? »

Comme si cet enculé arrivait à lire dans ses pensées. Billy ne répondit pas.

« Tu vas peut-être retrouver ton vieux pote Clyde ? Parce que c'est sûr que Clyde y est avec ses belles petites ailes d'ange et sa putain d'auréole, tu crois pas, mon frère ? »

Aucune réaction de Billy, qui cherchait un moyen de mettre la main dans sa poche. En vain. Puis le canon s'éloigna.

Manson s'accroupit à côté de lui.

« Regarde-moi. »

Billy continuait à regarder droit devant lui, vers le dépotoir. Deux hommes de Manson étaient assis sur un vieux frigo qui se dressait comme un iceberg dans cet océan d'ordures. L'un d'eux alluma une pipe dans un goulot de bouteille et son visage s'empourpra derrière l'allumette. Ils avaient tabassé Billy en le sortant de la voiture accidentée. Il avait l'impression d'avoir le nez cassé et il était sûr d'avoir entendu ses côtes craquer sous une botte.

Mais tout ça n'avait plus d'importance.

Manson se servit du canon de son .44 pour relever le menton de Billy. C'était l'arme avec laquelle la fille de Manson lui avait tiré dessus. Le gangster tenait sans doute ainsi à lui rendre hommage. Le scélérat lui souriait, un côté du visage coloré en orange par le réverbère.

« Qu'est-ce que ça te fait de pas avoir descendu Piper ? Toujours pas de regrets ? »

Billy le regarda, il ne put s'en empêcher. Manson était assez rusé pour l'envoyer dans sa tombe avec un terrible point d'interrogation tatoué sur le cœur.

« Je t'emmerde, Manson. Finissons-en et dépêche-toi.

— Ja, je perds mon temps. (Il se leva.) Il faut que j'aille veiller ma fille. Espèce de charogne. »

Manson lui donna un coup de pied dans la figure. Puis il se baissa et lui colla le canon de son arme sur la tempe.

« T'es prêt à partir, Barbie ?

— Vas-y.

— Récite tes prières. »

Billy entendit le coup de feu.

Et attendit la mort.

CHAPITRE 38

Mais il ne mourut pas.

Au lieu de ça, il sentit le canon du .44 s'éloigner de son crâne. Il entendit d'autres coups de feu et vit du sang gicler de l'abdomen de Manson : la vie dégoulinait de ses vêtements de marque troués comme une passoire.

Les soldats de Manson s'éparpillèrent dans le dépotoir en tirant sur les hommes qui arrivaient de la rue. Shorty Andrews se promenait dans les détritus, le Taurus 9 mm toujours braqué sur Manson. Le gros 28 se pencha sur l'American et lui vida son flingue dans le corps en le faisant gigoter comme s'il était en plein *break dance*.

Puis il s'immobilisa.

Billy essaya de se relever et alla jusqu'à se mettre à genoux quand il entendit un autre coup de feu. Et sentit un appel d'air. Un homme de Manson avait tiré en s'enfuyant dans les montagnes d'ordures. Shorty toussa et s'effondra comme s'il voulait prier avec Billy.

« T'as foutu un sacré merdier, Barbie », dit le géant en crachant du sang.

Et en s'effondrant tête première dans les immondices, il tendit le bras comme pour lui offrir le Taurus.

Billy prit l'arme et partit en courant.

Sans être philosophe, la pute Tatiana avait une théorie sur la différence entre les coïncidences et le destin.

Les coïncidences se résumaient aux petits trucs qui s'affichaient un instant sur votre radar, puis disparaissaient. Comme entrer dans un salon de coiffure et tomber sur un boudin qui porte la même robe que vous. Ou avoir rencard, le même soir, avec deux types qui ont des piercings dans les couilles. Le genre de trucs qu'elle pouvait raconter à Bertie pendant qu'ils sirotaient des samovars de thé au citron avant de s'endormir.

Mais le destin, c'était autre chose. C'étaient les trucs qui vous changeaient la vie.

Comme Tchernobyl. Ou son premier rendez-vous avec Bert.

Elle arrivait tout juste d'Ukraine, commandée sur catalogue par un connard de Grec du Cap. Il l'avait laissé tomber après l'avoir baisée non-stop pendant un mois. Son anglais était aussi déplorable que sa dentition – elle avait fait attention à ne pas écarter les lèvres pour le sourire de son profil sur Myspace – et elle ne savait pas faire grand-chose. Elle avait donc fini par travailler comme escorte pour un salon de massage de Sea Point. Quand ils l'avaient présentée comme Russe, elle avait pété un câble dans son fort accent. Le propriétaire taiwanais, un homme ridé comme un pénis ratatiné, avait haussé les épaules. « Russe, ça fait exotique, avait-il expliqué. Et personne sait où se trouve cette saloperie d'Ukraine ! »

Bert avait été l'un de ses premiers clients, à l'époque il avait encore de l'argent et habitait dans une belle villa de Newlands, avec Jaguar dans le garage et chauffeur pour le balader. Elle ne savait pas grand-chose sur les Noirs. Elle n'en avait vu que quelques-uns avant de venir au Cap et il avait été sa première passe avec un « shokolad ». Elle était terrifiée, mais il avait été doux et rapide. Et étonnamment petit.

Mieux que tout, il avait payé. Sans faire d'histoires.

Elle l'avait bientôt vu plusieurs fois par semaine. Il était d'une compagnie agréable et quand il lui avait demandé d'abandonner son boulot et de vivre avec lui, elle n'avait pas hésité. Pendant quelque temps, elle avait vécu une vie de rêve. Elle passait ses journées au centre commercial de Cavendish, où elle achetait tous les trucs de marque qu'elle trouvait. Elle avait obtenu l'augmentation mammaire dont elle avait toujours rêvé. Elle était sur le point de se faire refaire les dents quand Bert s'était retrouvé à court d'argent et avait perdu la maison. Ils avaient dû s'installer dans ce trou de merde à Sea Point. Il lui avait expliqué – honteusement – qu'elle allait devoir se remettre au boulot. Temporairement.

Tatiana était coriace. Merde alors, elle avait été assez irradiée à Tchernobyl pour affoler les compteurs Geiger comme des serpents à sonnette en furie. Et elle était toujours là, grandeur nature. Elle avait l'habitude des déconvenues et s'était attachée à son nounours « shokolad ». Elle avait donc dépoussiéré son carnet d'adresses et avait repris le boulot, certaine qu'ils retrouveraient bientôt un bon train de vie.

Mais elle avait été vraiment en pétard en apprenant la somme que Bertie avait donnée à Joe Palmer après la soirée de Camps Bay. Avec ça, ils auraient pu mener la grande vie pendant au moins un an. Et elle ne supportait pas l'idée que cette salope d'Américaine ait récupéré les dollars. Avec ses cheveux blonds, ses dents et ses nibards. Qui étaient tous d'origine.

Ce qui fait que lorsqu'elle était sortie de l'immeuble de luxe de Sea Point – où elle venait de consacrer deux heures à un Suisse, propre et gentil – et avait vu la Mercedes passer avec cette salope au volant, elle avait su qu'il ne s'agissait pas d'une coïncidence.

C'était le destin.

Elle avait piqué un sprint sur ses talons hauts et failli se fouler la cheville pour arriver à sa Uno. Elle n'avait pas démarré immédiatement, mais la Mercedes était bloquée à un feu et elle avait eu le temps de faire fumer le moteur et de se lancer à sa poursuite. Après avoir sniffé une ligne ou deux dans la salle de bains du Suisse, elle ne craignait rien ni personne.

La sale blonde avait roulé une minute de plus, était passée devant le phare, puis avait tourné dans le parking de Three Anchor

Bay, à côté du minigolf. Tatiana fouilla dans son sac pour trouver son portable, qui se cachait entre la vaseline, les préservatifs et son Beretta Tomcat calibre 32.

Elle voulait absolument appeler Bert pour lui dire de la rejoindre. Il devrait venir à pied – ce qu'il refusait d'ordinaire – mais ce n'était qu'à quelques minutes de l'appartement. Le temps qu'elle trouve le téléphone, l'Américaine était descendue de la voiture avec un petit garçon – « shokolad » clair – et deux types déguisés avec des costumes bizarres.

Après avoir dissimulé sa Uno derrière un des énormes 4 × 4 qu'affectionnent les habitants du Cap, elle essaya d'appeler Bert en numérotation rapide. Rien. Elle plissa les yeux et tenta de voir grâce à la lumière des énormes globes colorés accrochés le long de la plage à cette période festive de l'année.

Les batteries de son téléphone étaient à plat.

Merde.

Elle savait qu'il y avait une cabine téléphonique à la station-service de l'autre côté du parking, mais elle n'avait pas le temps d'y aller. La blonde et ses compagnons se dirigeaient vers Three Anchor Bay. Tatiana quitta ses talons hauts et les suivit, pieds nus, les souliers à la main.

Elle avait la plante des pieds dure, héritage de son enfance de pauvre paysanne près de Pripyat avant que Tchernobyl ne fasse fuir sa famille à Kiev.

Billy traversa les abords du dépotoir, sans se soucier des matières en décomposition qui collaient à ses chaussures, mouillaient et empestaient son jean et son épaule en écharpe. Des coups de feu claquaient dans tout Paradise Park. Bien plus que les autres vendredis soirs. Des concerts de sirènes se faisaient entendre dans le ghetto, un hélico tournait en rond comme un moustique au-dessus de Dark City, le faisceau de son projecteur découpant le ciel nocturne. Les flics se manifestaient, mais ils n'étaient pas fous : ils restaient en retrait et laissaient couler le sang.

Billy avait déclenché une guerre des gangs. Elle ferait rage jusqu'à ce qu'il y ait suffisamment de cadavres métis dans les rues, dans des pièces surpeuplées et sur les sièges de voitures customisées pour que de nouveaux leaders sortent du lot et imposent une trêve. Il se foutait complètement des gangsters, mais il avait pitié des innocents. Les gamins blessés par balle – dommages collatéraux des coups de fusil tirés de voitures en marche. Les mères qui berçaient les cadavres brisés de leurs fils morts.

Encore une mauvaise action à ajouter à son ardoise.

Il suait et ce n'était pas seulement dû à la chaleur. Il se sentait malade. Nauséeux. La blessure à son épaule vibrait d'une vie qui semblait séparée de la sienne. Billy se força, se concentra en sortant du dépotoir en bas de Protea Street et se dirigea vers la hutte de Disco.

Il passa devant les ruines calcinées de l'ancienne maison de Clyde et de Barbara. Vit un groupe de voisins chercher dans le foutoir humide et noir pour voir s'il y avait quelque objet de valeur à récupérer. Un jeune ado sortit avec un four micro-ondes roussi, un peu tordu, mais fonctionnel. Il regarda Billy, puis s'enfuit avec son butin.

C'est alors que Billy se souvint qu'il tenait le Taurus dans sa main valide. Le gamin croyait sans doute qu'il allait être abattu comme un pillard. Billy glissa l'arme dans sa ceinture et poursuivit sa route. Il retrouva la Hyundai, toujours sur le toit. Les quatre roues et les rétroviseurs avaient disparu. Les orbites vidées de phares le regardèrent passer.

Si l'on devait trouver un oiseau symbolique des Cape Flats, ce serait le vautour.

En arrivant chez Disco, il sortit le Taurus, s'assura que la sécurité était enlevée et entra. La maison principale était paisible et plongée dans le noir. Il passa dans la cour.

Aucun mouvement. Lumières éteintes dans la hutte *zozo*.

Il sentit du verre cassé sous ses pieds et vit que la fenêtre avait été brisée. Il tenta d'ouvrir la porte. Fermée à clé.

Il recula d'un pas et l'enfonça d'un coup de pied, fort et haut. La porte en contre-plaqué s'ouvrit d'un coup et il entra, Taurus au poing. Il distingua un cadavre dans le clair de lune et entendit un bourdonnement affolé.

Il abaissa l'interrupteur près de la porte avec le coude ; l'ampoule nue s'alluma. Ernie Maggott gisait, éventré et recouvert d'un linceul noir de mouches à viande qui sifflaient et grouillaient dans la lumière. Billy vit les câbles tranchés sur le plancher, une cuvette d'eau rosie et un chiffon essoré, foncé par le sang. Il ne savait pas combien de personnes Piper avait retenues dans cette pièce.

Ni combien d'entre elles avaient survécu.

Quand son portable – dont il avait oublié l'existence – sonna dans sa poche arrière, son premier instinct fut de l'ignorer. Il n'avait donné le numéro qu'à deux personnes : Barbara et Roxanne. Barbara ne risquait plus de l'appeler et il avait assez de problèmes sans avoir à entendre ceux de Roxy.

Il n'empêche, il répondit.

« Ja ?

— Billy Afrika. »

Une voix aussi froide et vide que la mort en personne.

Celle de Piper.

CHAPITRE 39

Roxy était assise sur un rocher ; elle sentait la surface humide et visqueuse de la pierre contre ses jambes nues tandis qu'une douce brise taquinait les pointes de ses cheveux comme un coiffeur en quête d'inspiration. Robbie était affalé à côté d'elle, la tête appuyée sur son épaule.

La nuit chaude sentait l'eau de mer et les algues pourries. Et une autre odeur fétide qui montait de la sans-abri au caddie couvert de saloperies. La femme qui l'avait transpercée du regard quand elle l'avait croisée au bord de l'océan. Elle ne regardait rien à présent. Elle était endormie sur un tas de sable puant à côté de son caddie. Roxy faillit rire en se souvenant des peurs qu'elle avait projetées sur cette pauvre femme.

Ses peurs avaient un nom maintenant : Piper.

Et elle était son appât pour attirer Billy Afrika.

Piper se tenait à côté d'elle. Immobile. Visage grimé aux allures fantomatiques dans le clair de lune, tandis qu'il observait Disco, qui donnait des coups de pied dans une bouteille ensablée près des vagues qui clapotaient doucement. Le regard fixe d'un amant obsédé.

Roxy entendit un rire et leva les yeux sur deux hommes qui marchaient sur le trottoir au-dessus d'eux – à un cri de là. Gros et grand, le premier portait un tee-shirt haut sur la panse qui dépassait de sa ceinture. Il léchait une glace en écoutant son petit compagnon. Le gros rit à nouveau, la langue sur la glace. Et le poids coq rit, lui aussi.

Si elle hurlait, combien de temps faudrait-il à Laurel et Hardy pour réagir? Elle chercha le bout de verre des doigts, il était toujours coincé sous l'élastique de sa culotte. Elle ne lâchait pas les hommes des yeux. Ils continuaient de rire, juste au-dessus d'elle.

« Chut, Blondie », lui siffla Piper, qui lisait dans ses pensées.

Soupir de satin tandis qu'il s'asseyait à côté de Robbie. Elle aperçut l'éclair de la lame de son couteau quand il l'approcha de la gorge de l'enfant endormi.

Les hommes s'éloignaient dans une traînée de rires noyée par le braiement d'une Harley Davidson. La moto réveilla Robbie qui marmonna, désorienté.

Roxy lui caressa les cheveux.

« Tout va bien, Robbie. Je suis là. »

Il s'agrippa à sa robe.

« On va au Spur?

— Oui, Robbie. Je te l'ai promis, on ira au Spur.

— Et ils chanteront "Joyeux anniferfaire"?

— On le chantera tous ensemble. »

Il posa la tête contre elle, elle l'enlaça et retira brusquement son bras nu quand elle sentit le contact de Piper, qui s'était collé au garçon.

Il rit. Comme un chat qui vomit une touffe de poils.

Les lumières orange des bords de l'autoroute sinueuse devenaient floues et se multipliaient tels des vers luisants qui s'écrasaient sur le pare-brise.

Billy transpirait, sa peau balafrée enflammée par un million de bouts de cigarette incandescents. Il sentait battre la blessure à son épaule et savait que le bandage était mouillé et pas uniquement par la chaleur. L'écharpe puait les ordures. Et le sang. Le sien et celui des autres aussi. Il était fébrile, au bord du délire.

Il brûlait.

Puis il eut à nouveau seize ans et sentit Piper le recouvrir de la toile enflammée. Sa chair bouillonnant sur ses os tandis que les gars le faisaient rouler dans la tombe. Le sable dans ses yeux et dans son nez.

Le noir.

Il perdit connaissance un instant, sentit la Ford de Maggott lui échapper, et fut réveillé en sursaut par le Klaxon d'un camion. Il se força à garder les yeux ouverts et à les fixer sur la route devant lui. À se concentrer sur les pointillés de la ligne blanche. Mais ils ressemblaient à des vers qui grouillent et il eut à nouveau un haut-le-cœur. Il tenta de se dominer, mais dut se rabattre sur la bande d'arrêt d'urgence, puis sur le bas-côté, en conduisant d'une seule main.

Il se sortit de la voiture et s'étouffa, fut happé par les appels d'air des véhicules qui passaient, un Klaxon le prévenant qu'il allait finir écrasé comme un chien sur la route. Il fit le tour de la voiture et s'adossa à la portière du côté passager. Se plia en deux et dégueula en un long torrent sur les touffes d'herbe éparses. Sentit la sueur lui dégoutter du front.

Il s'accroupit et se remit à vomir. Haletant, il s'essuya la bouche d'un revers de main. Quand il releva la tête, un crucifix blanc lui pendouillait devant les yeux. Il crut à une hallucination, puis il comprit qu'il s'agissait d'une croix en bois éclairée par les phares des voitures. Une couronne était accrochée à la croix, ses fleurs séchées et aussi mortes que la victime.

Puis elle disparaissait selon l'éclairage des phares.

Billy palpa doucement son épaule. Elle lui faisait un mal de chien. Enflée et suppurante. Il se souvint vaguement du cours de secourisme qu'il avait suivi avant d'aller en Irak : l'infection des blessures par balle était susceptible de causer la gangrène ; qui pouvait mener à la septicémie, à l'état de choc, et à la mort. En quelques heures, parfois.

Il revit le scalpel crasseux de Doc lui percer la chair. Sentit le suintement des ordures du dépotoir où il s'était vautré en pleurant, sa blessure ouverte.

Il se redressa. Lentement. Il était toujours fiévreux, mais vomir lui avait éclairci les idées. Les lignes blanches se tenaient tranquilles. Les réverbères orange défilaient par deux vers la ville. Il se rassit dans la voiture, attendit une ouverture, puis laissa la Ford rejoindre le flot de circulation.

Son téléphone sonna.

Le numéro de Roxy, mais la voix de Disco.

« T'es où ?

— Je viens de passer Century City.

— Tu connais la rampe pour Three Anchor Bay ?

— Ja.

— On y est. Piper dit que si t'es pas seul, on les bute. La blonde et le gamin.

— Je suis seul. »

Disco raccrocha.

Billy continua à rouler, soudain il avait froid, les tremblements faisant danser ses mains sur le volant. Il l'agrippa plus solidement. Les tremblements étaient les bienvenus. Ils le maintiendraient éveillé.

Il s'imagina Piper avec Roxanne Palmer et le fils de Maggott. Piper était convaincu que leur présence le rendrait faible. Elle ne ferait rien de tel. Ce n'était pas de les sauver dont il était question.

C'était de sauver ce qu'il restait de lui-même.

Piper restait là, dans toute l'immobilité que lui avaient apprise des années d'incarcération. Celle de l'homme à qui il ne reste que le temps. L'enfant s'était rendormi. La femme l'enlaçait. Elle était immobile, elle aussi, mais éveillée. Plus coriace qu'elle n'en avait l'air, celle-là.

À surveiller de près.

Le front de mer s'était vidé. Un passant toutes les deux ou trois minutes, et encore. De l'autre côté de la plage, la clocharde négro avachie comme un sac de merde à côté de son caddie. Elle ne verrait rien. Il avait tout le temps de se débarrasser de la blonde et du gamin. Mais il résista à la tentation. Vivants, ils lui donnaient du pouvoir sur Billy Afrika. Il avait le cœur tendre. Il était faible comme une femme.

Piper avait eu l'intention de les tuer dès qu'ils avaient descendu la rampe qui menait à la petite plage de Three Anchor Bay. C'était la première fois qu'il y venait, mais d'après Disco, c'était là qu'avaient eu lieu les meurtres de poupées Barbie. Il était prêt à trucider la blonde. Et il languissait de tailler le gamin en morceaux.

Putain, ce qu'il haïssait les gosses.

Il avait dû faire tout le trajet en Mercedes assis à côté du petit morveux pour s'assurer que la femme ne déconnerait pas. Piper avait passé trop de temps à proximité de la mort et d'autres corps d'hommes infects pour être sensible aux odeurs, mais le gamin en avait une qui le dérangeait. Sous ses vêtements crasseux, il y avait une senteur douce. Il n'aurait pas su lui donner de nom. C'était celle d'un corps jeune. D'un enfant. Quelque chose qui lui évoquait des souvenirs de la brutalité de ses premières années. Impossible de parler d'enfance. La famille d'accueil qui l'avait sorti de l'orphelinat lui avait fait des choses qui le réveillaient encore en pleine nuit, à Pollsmoor, comme d'obscènes berceuses.

Des choses avec des cigarettes allumées, des barbelés et des tessons de bouteille.

Et avec leurs corps.

Il avait refoulé la plupart de ces souvenirs, mais certains lui revenaient parfois, clichés fiévreux, brûlants, projetés au-dessus de son lit. Naturellement, en grandissant, il avait appris à faire les mêmes choses. Il avait ça dans le sang.

Mais il ne voulait pas de ces souvenirs. Pas à cet instant. Pas pendant sa lune de miel.

Il attendait donc de tuer Billy Afrika. D'en finir avec ce fumier une bonne fois pour toutes.

Après, il pourrait tuer la femme et le gamin.

Et prendre la tête de la blonde, traverser la route, entrer chez les flics et la poser sur le comptoir d'accueil. Dire d'une voix forte et fière que Disco et lui étaient les assassins des poupées Barbie. Il voyait déjà les flashs crépiter et leur image à la télé. Il ferait le salut des 28 et Disco prendrait sa pose de mannequin. Il savait que les détenus de l'aile D de Pollsmoor deviendraient fous en les voyant. Même si les flics trouvaient le vrai coupable, Disco et lui auraient fait suffisamment de dégâts pour être renvoyés au bercail.

Ensemble. Pour toujours.

Piper se leva et s'écarta de la blonde et du gamin, mais pas trop au cas où ils décident de faire des leurs.

« Disco. »

Le regard perdu sur l'océan, celui-ci observait les petites poches de brouillard qui dérivaient vers les côtes. Elles avaient déclenché la corne de brume qui poussait des gémissements graves et profonds, mais n'avait pas encore atteint sa puissance maximale. Disco n'avait pas entendu Piper.

« Disco ! »

Plus fort cette fois. D'une voix rocailleuse. Comme des bottes sur du gravier.

Disco se retourna et le rejoignit, le visage éclairé par les lampes de l'allée qui les surplombait. Même sous le maquillage, Piper voyait sa beauté. L'assassin au cœur de pierre qu'il était avait un faible pour ce jeune. Il ne savait toujours pas pourquoi, juste que c'était comme ça. Tout comme il savait que tout ce qu'il faisait maintenant vaudrait le coup, une fois de retour à Pollsmoor.

Il prit le visage de Disco dans sa main et le serra assez fort pour qu'il en ait les larmes aux yeux. Son idée de l'affection. Il sourit à son épouse et retira sa main. Disco se frotta le visage et le regarda sous son chapeau. Terrifié. Ce qui ne déplaisait pas à Piper. Toujours terroriser à moitié ce qu'on aime. C'est la seule manière de le garder.

« Je vais te faire confiance, tu m'entends ? »

Disco acquiesça. Piper sortit le Z88 de Maggott de la poche de sa queue-de-pie et le lui tendit de sa main gantée. Disco regarda l'arme. Leva les yeux sur Piper. Sans réagir.

« Prends-le.

— Pour quoi faire ?

— Prends-le, je te dis. »

Disco le prit. Le poids de l'arme lui fit baisser la main.

« Je veux que tu les surveilles, dit-il en hochant la tête vers la blonde et le gamin. Tu les tiens en respect pendant que je m'occupe de Billy Afrika. S'ils bougent, tu les flingues. T'as compris ? »

Disco acquiesça. Le haut-de-forme faillit glisser, il le rattrapa de sa main libre et le redressa. Piper le fit tomber par terre d'une gifle, attrapa Disco à la gorge et le tira si près de lui qu'il vit les fines craquelures dans le fard.

« Tu fais ce que je te dis, sinon je te larde. Compris ? »

Disco acquiesça de nouveau. Piper le lâcha, se pencha, ramassa le chapeau dans le sable, l'épousseta et le remit sur la tête du jeune. Puis il se ravisa et l'inclina un peu pour rendre Disco encore plus mignon.

« OK, va avec eux, maintenant. »

Il regarda Disco s'asseoir à côté de la blonde, l'arme noire dans son gant blanc.

Piper traversa la plage et se trouva un endroit près de la porte fermée d'un hangar à bateaux, profondément dans l'ombre. De là il voyait droit jusqu'au parking. Les lumières crues de la rue éclairaient la rampe. Ce serait parfait pour voir Billy Afrika, qui regarderait vers la blonde et l'enfant sur le rocher en descendant vers la plage.

Et qui ne le verrait pas, lui, dans le noir.

Tatiana, ses escarpins à la main, avait traversé la route en courant pour aller téléphoner de la station-service ouverte vingt-quatre heures sur vingt-quatre. Elle avait failli rouler sur le capot d'une Ferrari rouge, avait fait un bras d'honneur au chauffeur, puis s'était empressée de rejoindre le trottoir.

Elle n'arrivait pas à comprendre ce qu'ils mijotaient sur la plage. Ils ne faisaient rien, n'avaient même pas l'air de parler entre eux. Elle avait passé ce qui lui avait semblé une heure dans un coin d'ombre surplombant la plage, à surveiller et à attendre qu'il se passe quelque chose. Rien. Elle avait donc décidé de faire une percée de l'autre côté de la route pour appeler Bertie. Et lui demander de la rejoindre.

Elle enfila ses escarpins, entra dans la boutique vivement éclairée en faisant claquer ses talons, gagna le téléphone public mural près des chips au maïs. Elle s'aperçut qu'il s'agissait d'un téléphone à carte, jura, et s'approcha du guichet.

« Filez-moi une putain de carte. »

Le « shokolad » du guichet, affublé d'une tenue d'un rouge absurde avec une casquette jaune, prit son temps. Elle piaffait en jetant des coups d'œil inquiets vers la plage. Non pas parce qu'elle pouvait voir la blonde et ses amis dans leurs costumes bariolés d'où elle était. Et qu'est-ce que ça voulait dire, ce cirque à la con d'abord ? Elle savait que l'Américaine avait été une espèce de supermodèle. Peut-être qu'ils préparaient une séance photo ? Attendaient-ils les appareils photo ?

Il fallait qu'elle se dépêche, avant que d'autres arrivent.

Le « shokolad » lui tendit une carte, elle repartit en sautillant vers le téléphone.

Billy Afrika descendit de la Ford. Il y avait quatre autres voitures garées sur le parking. Dans deux d'entre elles, il repéra les mouvements révélateurs d'amants en train de se bouffer le chou. Ou de putes au boulot. Une Fiat Uno cabossée, garée sous un réverbère, vide. La quatrième voiture, une Mercedes 500 SLC, était juste devant la rampe. Elle aussi inoccupée.

Il entendit la corne de brume, grondement grave qui vous atteignait dans les tripes, puis se changeait en gémissement plus aigu comme la plainte de quelque chose qui agonit. Il traversa le parking, vit la rampe en béton qui descendait à la plage, soutenue de chaque côté par des murs en pierre. La rampe était juste assez large pour un 4 × 4 avec une remorque de bateau.

Près du bas, sous le pont étroit que formait le passage piéton au-dessus, des toilettes publiques avaient été creusées dans la pierre. Fermées à cette heure de la nuit. Il n'y avait nulle part où se cacher. En descendant la rampe, il serait éclairé par-derrière et ferait une cible idéale.

Mais il savait que Piper voudrait être proche de lui. À une longueur de lame.

Il commença donc à descendre, le Taurus contre lui, l'épaule douloureuse sous l'écharpe. Sa démarche n'était pas encore très assurée, il suait abondamment – à cause de la chaleur, de la fièvre et de la peur. Pas la peur pour sa propre vie, il n'en était plus là depuis longtemps. La peur de se trouver encore une fois tout près de Piper et de ne pas pouvoir l'achever.

Il marcha, son ombre s'étirant devant lui comme un arbre, bien plus solide et stable que lui. Il vit le sable, entendit le doux murmure de l'océan, l'eau qui bougeait à peine dans cette petite baie abritée. En bas de la rampe, un balluchon de chiffons était posé près d'un caddie de supermarché aux roulettes plantées dans le sable. Il lui fallut un moment pour donner une forme humaine au balluchon : une Noire avachie contre le caddie. Endormie.

Il aperçut un éclat de cheveux blonds de l'autre côté de la petite plage. Roxy et le gamin de Maggott étaient assis sur les rochers. Roxy avait passé un bras autour du garçon. Billy cligna des yeux, réprima un instant de nausée et de vertige, certain qu'il était en proie à de nouvelles hallucinations. Il rouvrit les yeux. S'aperçut qu'il ne rêvait pas. Roxy était gardée par l'oncle Sam.

Billy s'avança et passa sous le passage piétons.

Une voix s'éleva de l'ombre sur sa gauche, d'un endroit que les réverbères n'éclairaient pas.

« Lâche le flingue. »

Billy écarta les doigts, le Taurus glissa et tomba dans le sable en faisant un bruit humide.

« Les mains sur la tête. »

Billy obéit et une silhouette s'extirpa du noir. Un autre oncle Sam. Mais aucun costume de Minstrel ni grimage ne pouvait déguiser l'homme qui s'avançait vers lui. Sa présence allait au-delà du physique. C'était une atmosphère. Une manière d'empoisonner l'air autour de lui. Un être empreint de mort.

L'homme s'arrêta et sourit, sa dent en or étincelant comme la lame dans sa main.

« Billy.

— Piper. »

CHAPITRE 40

D'abord elle vit une ombre, comme un filet d'encre qui se dessinait sur la rampe. Roxy se leva et dégagea son bras de Robbie. Il fallait qu'elle soit prête. Elle vit des pieds, des jambes, puis le visage de Billy Afrika, son crâne rasé couleur bronze auréolé par le contre-jour des réverbères. Il s'enfonça dans l'ombre en traversant sous la passerelle. Une seule seconde, mais il disparut. Comme si elle avait réussi à le faire apparaître par magie pour le perdre ensuite.

Jusqu'à ce qu'il arrive sur la plage.

Elle fut consternée de voir son bras gauche en écharpe, et même de loin, elle remarqua qu'il se déplaçait lentement, d'un pas mal assuré dans le sable. Elle entendit Disco, collée à elle, retenir son souffle, les yeux fixés sur l'homme qui approchait.

Roxy passa la main sous sa robe et en ressortit l'éclat de verre. Elle remonta la main sur ses genoux et mit le tranchant du verre en avant.

Elle attendait son heure.

Billy dévisageait l'homme qui l'avait estropié. Qui avait tué son coéquipier. Qui avait massacré la famille de Clyde.

Piper jeta un regard à Disco, Roxy et l'enfant avant de le poser sur Billy Afrika, comme un animal mesurant sa proie.

Puis il se lança.

Billy comprit qu'il n'y aurait aucun préliminaire. Piper éleva son couteau au-dessus de son épaule, la lame d'un jaune fugace sous la lumière du lampadaire. Billy allait riposter lorsqu'il fut submergé par le vertige ; ses jambes le lâchèrent. Il s'effondra, comme un condamné par la trappe de la potence. Ses genoux mirent une éternité à atteindre la fraîcheur du sable.

Au lieu de le frapper au cœur, Piper lui abattit son couteau sur le crâne, la lame s'enfonçant profondément dans la peau au-dessus de son oreille droite et ricochant sur l'os. Le sang coula aussitôt, épais sur le front de Billy, lui masquant l'œil droit avant de goutter sur le sable.

Il leva la tête, et de son autre œil il vit Piper reprendre son équilibre et brandir la lame telle la faucheuse sur le point de récolter.

Disco sut qu'il devait agir.

Il devait se servir de l'arme qu'il tenait d'une main tremblante. Pour descendre Piper. Une voix lui disait qu'il est impossible de tuer ce qui est déjà mort. Que même s'il vidait le chargeur, Piper continuerait de venir vers lui avec son Okapi et son sourire de 28. Mais c'était absurde. Même Piper n'était que chair, os et merde comme n'importe quel autre salopard.

Mais juste au cas où, alors qu'il prenait son arme sur ses genoux, il se pencha vers la blonde, pour lui dire de prendre le gamin et de partir vers la rampe.

Fuir.

Roxy vit Billy Afrika s'effondrer et Piper fondre sur lui. La créature à côté d'elle se pencha, elle sentit son souffle chaud sur son cou. Sans prendre le temps de réfléchir, elle serra le morceau de verre, lança le bras en avant et enfonça l'éclat au fond de son œil gauche.

Disco hurla, sa voix remplissant la nuit alors que la corne de brume avait cessé un instant. Il se leva un instant, l'arme toujours à la main. Puis il la lâcha pour porter ses deux mains à son œil et tenter d'en ôter l'éclat de verre.

L'arme semblait suspendue dans l'air. Roxy tendit le bras, prête à l'attraper, mais ses doigts se fermèrent sur l'air chaud de la nuit pendant que le pistolet ridait la surface de l'eau et disparaissait.

Le couteau plongea jusqu'au fermoir, dans la poitrine de Billy.

Il sentit le sang s'accumuler, couler et gicler sur le devant de sa chemise. Le cœur battait encore. Peut-être. Piper retira le couteau, le sang de Billy jaillit à nouveau tandis qu'il levait haut sa lame. Le prochain coup serait fatal.

Un hurlement. Profond et déchirant. Plein de douleur et d'une peur animale de la mort.

Piper s'arrêta, le couteau immobilisé au sommet de l'arc qu'il venait de décrire. Il se tourna vers son épouse à l'agonie.

Billy passa la main droite dans les plis de son écharpe, ses doigts glissant sur son sang. Il trouva le manche de l'Okapi, le prit bien en main, puis le sortit, la lame déjà ouverte et bloquée. Il l'avait préparé avant de descendre de voiture.

Il enfonça la lame dans le bas-ventre de Piper, juste au-dessus du pubis. Piper se tourna vers lui, aussi proche qu'un amant, son haleine putride soupirant de sa bouche ouverte comme une plaie béante dans son visage grimé. Rassemblant le reste de ses forces, Billy poussa la lame vers le haut et la sentit trancher viscères, ligaments et chairs. Il tira dessus jusqu'à ce qu'il bute sur le sternum de Piper.

Piper s'affaissa sur lui, les lèvres remuant comme si elles voulaient former des mots. Des mots noyés dans le sang qui jaillit de sa bouche telle de l'eau noire sortant d'une gueule de gargouille. Finalement, Piper mourut comme n'importe quel autre homme : en crachant son sang et son souffle, alors que la vie le quittait en même temps que ses immondices.

Billy s'affala sur le dos, le poids de l'homme mort le clouait au sol. Quand il essaya de bouger, ses vêtements glissèrent sur sa peau, lourds de sang. Le sien et celui de Piper. Il réussit à pousser Piper sur le sable et lutta pour reprendre son souffle, sous la lune qui le regardait comme d'un œil accusateur.

Puis un visage la masqua. Un visage encadré de blond. Roxanne.

Elle le touchait. Lui parlait. Il ne sentait rien. N'entendait rien. Il la vit courir vers la rampe, le gamin la suivant de près. Le monde devenait flou aux entournures, s'assombrissait comme un iris au centre de son champ de vision. Et là, avant d'être englouti par les ténèbres, il vit une dernière chose.

Une autre lame de couteau éclairée par les lampadaires.

La clocharde qui dormait à côté de son caddie était debout, au pied de la rampe. Elle poussa Roxy contre le mur et leva haut son couteau. Billy comprit alors de qui il s'agissait. Et ce qu'elle s'apprêtait à faire.

Il essaya de crier.

Mais comme la marée, les ténèbres l'emportèrent tandis qu'il voyait tomber la lame.

CHAPITRE 41

Le silence le réveilla.

Étalé sous la table de la cuisine, une bouteille de brandy vide comme une vieille amante à côté de lui, Doc sentit la migraine familière de la gueule de bois, là, à la base du crâne, lorsqu'il se redressa. Il essaya de recoller les morceaux. Pourquoi avait-il tourné de l'œil sous la table ? Pas moyen de se rappeler.

Il se remit sur pied dans une symphonie de craquements offerts à l'aurore par ses vieux os, puis il entra dans son salon. La fenêtre brisée lui rafraîchit la mémoire. Ainsi que la rangée d'impacts de balles de gros calibre qui déchiquetait le mur. Et la télé renversée, le tube explosé.

Pas de cricket aujourd'hui.

La maison de Doc était mal placée en cas de guerre des gangs. Située en plein no man's land entre les 26 et les 28, elle se faisait amplement mitrailler par les deux côtés qui tentaient de couvrir leurs soldats quand ils traversaient Main Road pour pénétrer en territoire ennemi. Mais pour le moment, tout était paisible.

Doc s'approcha de la fenêtre cassée et jeta un œil dehors. Dans la lueur de l'aurore, il voyait jusqu'à Main Road. La rue était jonchée de barricades de fil de fer et de pierres ; une carcasse de voiture incendiée était renversée sur le côté, non loin de sa porte d'entrée.

Un homme gisait face contre terre à côté de la voiture, son sang noir colorant le sable.

Une musulmane en foulard traversa vite la route, un sac de courses et un seau de poulet Kentucky à la main, puis disparut dans Dark City. La rue redevint vide et silencieuse.

Puis Doc entendit les détonations sèches d'un fusil automatique. Des snipers en position sur les toits du côté de White City tiraient de l'autre côté de la rue. Une riposte suivit. Puis des cris. Des bris de verre. Des hurlements.

Il revint dans sa cuisine dont les petites vitres haut perchées donnaient sur le dépotoir. C'était l'endroit le plus sûr. Il rampa sous la table et renversa la bouteille pour en extraire la dernière goutte de brandy qui lui brûla agréablement la langue. Il n'avait plus d'alcool et ces guerres de gangs avaient la fâcheuse habitude de traîner en longueur. Les flics préféraient ne pas s'en mêler et observer à distance ce qu'ils considéraient comme un processus de sélection nécessaire. Une manière de se débarrasser des ordures qui traînaient les rues. Et si quelques innocents y laissaient la peau, personne n'en avait rien à foutre.

La journée allait être longue.

Billy Afrika, s'il n'était pas mort dans un fossé, avait des seaux de sang sur les mains.

C'était Bagdad revisitée, Billy revenant des ténèbres et voyant une figure pâle s'agiter devant lui. Mais c'était un homme grisonnant en blouse blanche, le visage sans expression. Billy essaya de parler, mais il avait quelque chose d'enfoncé dans la gorge. Il essaya de bouger les mains pour s'en débarrasser. Impossible. Il perdit à nouveau connaissance.

Et revint à lui un peu plus tard.

Seul en service de soins intensifs, il entendit le grésillement des écrans et la succion cliquetante de l'assistance respiratoire, incessante comme un appel obscène diffusé en boucle. Il avait la gorge sèche et irritée par l'intubation. Deux tuyaux lui sortaient de trous au côté droit, près des côtes, un liquide couleur rouille s'écoulant dans un récipient en plastique au pied du lit. Le liquide gargouillait comme un narguilé quand la machine lui gonflait les poumons. Il leva les bras et vit les intraveineuses de la perfusion dans ses mains.

Il avait mal absolument partout.

Une femme au teint mat et en tenue d'infirmière entra. Et lui fit un bilan rapide.

« Vous m'entendez? lui demanda-t-elle. (Il répondit d'une voix rauque.) N'essayez pas de parler. Vous avez un poumon perforé. Et la blessure par balle à votre épaule s'est infectée. Vous avez failli y passer. La prochaine fois que vous vous faites faire un peu de chirurgie artisanale, ne revenez pas ici pour peaufiner le boulot. »

Il aurait voulu lui demander des nouvelles de Roxanne Palmer. Mais l'infirmière avait déjà disparu. Il évalua toutes ses douleurs. Il sentit un grand vide en lui maintenant que Piper était mort. Rien de tel que la haine féroce d'un être pour vous donner une raison de vivre.

Il fit les comptes. Évalua la note. Il était rentré depuis quatre jours. Il avait tué deux hommes et une fille. Et avait causé la mort de nombreux autres. Mais il avait survécu. Qu'est-ce que ça pouvait signifier?

C'était peut-être un signe. Ou alors ça voulait dire que dalle.

Il écouta l'appareil respiratoire. Succion. Clic. Il sentit sa poitrine se déployer, en dépit de lui-même. Il sentit la vie reprendre son cours.

Alors que le sommeil l'emportait, Billy Afrika se vit sur une route. Ses pieds faisaient un bruit de succion et de cliquetis en marchant et le macadam était poisseux de sang.

Le cannibale regarda les chiens, il y en avait trois et ils avaient la taille de petits poneys. Les muscles et les ligaments jouaient sous leur pelage soyeux, leurs longues langues pendouillaient et s'affolaient tandis qu'ils luttaient dans l'herbe. Il prit du recul, s'approcha de la balustrade au bord de la mer.

Bertrand Dubois Babakala ne faisait pas confiance aux chiens des Blancs. Ces animaux lui aboyaient souvent dessus, essayaient parfois de lui arracher sa peau noire, mandatés par leurs maîtres. Ils disaient ouvertement les nouveaux interdits de ce pays où aucun décret ni aucune loi ne pouvait contenir ce qui bouillonnait sous la surface.

Il fut soulagé de voir les chiens s'enfuir pour s'intéresser à une couverture effilochée, accrochée à un caddie en fer abandonné sous un arbre rabougri, les roulettes tordues. Une clocharde corpulente était étendue face contre terre non loin de là, immobile, les bras largement écartés, comme si elle était tombée de haut.

Babakala alluma une nouvelle Gitane et s'accouda à la balustrade en observant l'activité dans la petite cuvette de Three Anchor Bay. Des groupes de flics en tenue, échoués sur le sable comme des méduses. Des silhouettes en costume et en blouse blanche. Des fourgons de police, des ambulances et des véhicules de la morgue garés sur la rampe. Les médias encombraient le parking et un hélicoptère blanc fondit sur eux, comme une mouette sur de la nourriture. Sa porte était ouverte et un cameraman se pencha sur la scène, l'objectif étincelant un instant au soleil.

Babakala avait commencé sa journée comme toutes les autres. Il avait brossé son plus beau costume et l'avait enfilé par-dessus une chemise blanche, en essayant d'ignorer les manches élimées. Il avait ciré ses mocassins, achetés à Milan quelques années plus tôt. Le cuir se craquelait et la semelle de la chaussure gauche avait un trou de la taille d'un anus de chien plissé.

Il avait quitté son appartement et descendu la rue principale de Sea Point pour rejoindre le petit café où il prenait son *café au lait** du matin en lisant une ou deux pages du *Voyage au Congo* d'André Gide. Le cannibale était toujours stimulé par la haine du Français envers ses compatriotes colonialistes.

Il avait pris une table en terrasse, pas pour faire plus parisien, mais parce qu'il était interdit de fumer à l'intérieur. Après quelques gorgées de café, il avait écouté les messages sur son portable. Il avait dormi avec le téléphone éteint et ne s'était pas inquiété de ne pas voir rentrer Tatiana. Il lui arrivait de passer une nuit entière avec un client. Pour gagner plus d'argent.

Il avait dû repasser son message pour le comprendre. Elle était à Three Anchor Bay. Elle avait retrouvé l'Américaine. Babakala avait senti le café cailler dans son estomac et avait repoussé la tasse à moitié pleine. Il avait laissé quelques pièces dans la soucoupe et s'était empressé de rejoindre le bord de mer.

Où il se trouvait à présent. Et fumait.

Il craignait la police encore plus que les chiens qui tiraient sur la couverture, l'un d'eux debout sur les pattes de derrière, son long museau fouillant dans le caddie. Il était hors de question que Babakala se rapproche davantage de la scène sur la plage. Il essaya d'appeler Tatiana, pour la dixième fois du matin.

Et pour la dixième fois, il tomba sur la messagerie vocale : « C'est Olga. Vous laissez message pour moi après bip. » Olga était son nom professionnel. Les clients semblaient le retenir plus facilement.

Il glissa le portable dans sa poche.

« Hé, Noiraud! Viens ici! »

Babakala entendit la voix blanche, dégoulinante d'autorité, et crut tout d'abord qu'elle s'adressait à lui. Mais la voix appartenait au maître des chiens, un homme aux cheveux châtains assis sur une couverture de pique-nique avec deux jeunes enfants et une femme à l'air fatigué.

Les trois chiens étaient maintenant dressés sur les pattes arrière et cherchaient désespérément à dénicher ce qui se trouvait dans le caddie. L'un d'eux – le plus noir des trois – sauta plus haut, prit appui sur le cadre en fer et essaya de grimper à l'intérieur. Le poids du chien renversa le caddie sur le côté et celui-ci déversa son contenu.

Surpris, les chiens reculèrent d'un bond. Puis ils se ruèrent et, chacun prenant quelque chose dans sa gueule, revinrent en courant vers leur maître, côte à côte comme les molosses de l'enfer, et déposèrent fièrement trois têtes humaines puantes et en décomposition, couvertes de mouches, au milieu du pique-nique. La

Blanche hurla et rassembla ses enfants. L'homme se leva, partit à reculons, trébucha et finit sur les fesses.

Quelque chose attira Babakala vers la couverture. Une des têtes était plus fraîche. Et elle le regardait, encadrée par une coiffure teinte couleur jaune d'œuf.

Tatiana.

Le cannibale cligna des yeux, repoussa une forte envie de vomir et s'éloigna rapidement, en sentant la dureté du trottoir sous son soulier troué.

Il partit tout droit vers le Waterfront et le boulot de portier.

CHAPITRE 42

Tandis que le soleil saignait et mourait, le ciel fut traversé d'un éclair émeraude. Le fameux rayon vert. Roxy se rappela avoir lu quelque part que c'était le vert du paradis. Le vert de l'espoir.

Elle était assise avec Robbie à une table près de la fenêtre d'un grill Spur. Le garçon était en train d'engloutir un double cheeseburger-frites. Et le faisait passer avec un milk-shake au chocolat. Si l'appétit est indicateur de guérison de trauma, il s'en tirait plutôt bien.

Roxy s'était servie au buffet salades, le mouroir des légumes feuillus. Tout ce qui était vert et frais était traqué et noyé sous une sauce sucrée et riche. Elle remplit son assiette de laitue et de quelques quartiers de pomme de terre, coordonnant avec soin les couleurs pour éviter toutes les teintes de sang ou d'intestins qui avaient défilé en arrière-plan ces derniers jours.

Ils étaient au Spur de Hout Bay, de l'autre côté du port, d'où ils voyaient les petits bateaux de pêche rentrer lentement avec leurs prises. Il y avait un Spur à Sea Point, mais il donnait sur la plage, trop près du carnage. Elle avait donc fait monter Robbie dans sa voiture de location et ils s'étaient éloignés de la ville en suivant une route qui serpentait dans la péninsule, entre la montagne et la mer. Le garçon s'était endormi à côté d'elle, en serrant dans ses bras l'ours rose qu'elle lui avait acheté sur le Waterfront. Pour remplacer celui qui traînait quelque part dans la poussière de Paradise Park.

Roxy n'avait pas dormi de deux jours. L'idée de dormir, alors même que son corps était exténué, la terrifiait. Comme si les monstres qui n'avaient pas réussi à la détruire pendant son cauchemar éveillé risquaient d'y parvenir si elle fermait les yeux. Elle était donc restée en alerte. S'était concentrée sur la route. Robbie marmonnait dans son sommeil ; elle avait posé une main sur sa tête, lui avait caressé les cheveux.

La veille, il lui avait sauvé la vie.

Sortant de l'ombre sous le pont, la clocharde s'était approchée de Roxy, avait grommelé quelque chose en lui donnant un coup de l'épaule gauche en pleine poitrine, le coup la projetant dos au mur. Elle avait levé le bras droit, le couteau se découpant en ombre chinoise à la lueur du réverbère, et Roxy avait compris à qui elle avait affaire.

La lame s'était abattue.

Roxy avait lancé le bras en avant et réussi à dévier le coup. La vagabonde était tombée sur elle, lourde et puante. Le bras droit coincé le long de son flanc, Roxy ne pouvait plus bouger. Le couteau s'était à nouveau levé, elle avait poussé un cri. Qui s'était perdu dans le vacarme de la corne de brume qui avait soudain retrouvé sa voix. Elle avait réussi à dégager son bras gauche, essayé d'attraper le poignet de la femme, d'arrêter son bras meurtrier. C'était comme essayer d'arrêter la chute lente d'un arbre. La lame s'approchait, terrible et inévitable. Roxy s'était entendue haleter dans le silence qui avait suivi la sirène.

Puis la clocharde avait lancé quelque chose de trop étranglé pour qu'on puisse parler de cri. Glottal et humide, un son s'était échappé de ses lèvres et le couteau avait calé. Roxy avait alors vu Robbie donner des coups de pied et de poing dans la jambe de la vieille femme. Une jambe qui, même dans cet éclairage, semblait terriblement enflée. Roxy avait alors levé la sienne et poussé du pied contre le ventre de la femme, de tout son poids, en prenant appui contre le mur en brique. La femme était partie à la renverse sur le caddie, son couteau claquant sur le béton.

Roxy avait attrapé le garçon et foncé vers la rampe.

Elle avait alors vu quelqu'un en haut, une autre femme – chevelure pâle comme enflammée sous le réverbère.

« Au secours! avait-elle crié d'une voix rauque et méconnaissable à ses oreilles. Aidez-nous! »

La femme aux cheveux clairs descendait la rampe. S'approchait d'eux.

« Dieu merci. Je vous en prie, aidez-nous! »

La femme avait tendu la main. Et Roxy avait vu ce qu'elle y tenait : un petit flingue noir.

« Où il est? Où est le fric? » avait crié la pute ukrainienne.

Roxy avait failli rire en évitant Tatiana, qui lui tournait autour, le dos à la rampe, l'arme braquée, le blond artificiel de ses cheveux embrasé comme la lumière d'un lampadaire.

La clocharde, qui poussait son caddie pour s'aider à marcher, un centimètre après l'autre, s'était approchée d'eux comme un jouet mécanique infernal, le bruit des roulettes sur le béton masqué par les beuglements de la corne de brume.

La pute avait poussé son arme contre le visage de Roxy et hurlé.

« J'ai dit, où il est? »

La folle avait repoussé son caddie, titubé, puis brandi la longue lame de son couteau. Roxy, dans l'ombre, avait eu le temps de penser que la putain n'était même pas une vraie blonde, puis l'arme s'était abattue...

Roxy avait cueilli Robbie au passage et couru vers la Mercedes. Elle avait traversé la rue de la ville à toute allure jusqu'au commissariat de Sea Point. Les souvenirs qu'elle gardait des heures qui avaient suivi étaient comme des clichés dans l'album photo d'un étranger.

Les urgences d'un hôpital qui sentaient le désinfectant, l'alcool et le sang, les flics qui les faisaient passer, elle et Robbie, à l'avant d'une file de métis fracassés et déchirés.

Billy Afrika, immobile sous un masque respiratoire, admis en toute urgence, les roulettes du chariot laissant des traces de sang dans un ascenseur en chrome rayé.

Un jeune médecin cubain qui lui recousait la jambe, qui la dévisageait de ses yeux marqués par le manque de sommeil comme s'il était surpris qu'on lui confie une peau aussi pâle.

Après les soins, les flics les avaient ramenés au poste de Sea Point. Une agente l'avait installée dans une salle d'interrogatoire et avait disparu avec Robbie. Elle avait été interrogée par un flic en civil avec une bouche qui s'affaissait aux commissures comme sous le poids de tout ce qu'il avait vu. Il l'avait écoutée en buvant un café dans une tasse en polystyrène et l'avait rarement interrompue.

Elle lui avait donné une version de la vérité : comment l'inspecteur Maggott lui avait demandé de l'accompagner à Paradise Park, pour un face-à-face avec un des hommes qu'il croyait coupable d'avoir volé sa voiture et tué son mari. Il croyait que le type serait si choqué de la voir qu'il baisserait la garde. Le flic à la peau noire avait tiré les lèvres en un sourire plein d'amertume. Et hoché la tête.

Roxy qui lui dit qu'après avoir tué Maggott, Piper et Disco les avaient enlevés, elle et le garçon. Les avaient laissés dans la hutte, avant de revenir et de la forcer à les conduire à Three Anchor Bay.

Qui lui dit que Billy Afrika avait essayé de les sauver, Robbie et elle. Qui lui raconte comment elle avait enfoncé l'éclat de verre dans l'œil de Disco. L'avait laissé la tête dans l'eau peu profonde comme s'il observait des poissons avec un masque et un tuba.

Puis elle s'était arrêtée, s'était tue, et avait regardé l'homme à la peau sombre.

Il la dévisageait en tapotant sa tasse de son annulaire.

« Savez-vous qui est la femme morte sur la plage ? »

Elle avait fait non de la tête. Elle avait supprimé de sa version l'attaque de la femme au couteau et la mort ironique de la pute. Qu'ils se débrouillent pour y trouver un sens.

Elle n'en voyait aucun.

« Décapitée comme les autres Barbie, avait dit le flic. Sauf qu'elle n'était pas blonde. Enfin… pas une vraie. (Il avait bu une gorgée de café et haussé les épaules.) La couleur de la moquette jurait avec les rideaux, si vous voyez ce que je veux dire ? »

Roxy voyait très bien. Mais elle avait joué la blonde naturellement conne. Et avait à nouveau hoché la tête.

Le flic la dévisageait toujours. Il avait le sentiment qu'elle ne lui disait pas tout. Mais il ne voulait pas la pousser. Pas pour le moment. Ils l'interrogeraient peut-être à nouveau plus tard. En attendant, elle était libre.

« Libre d'aller où ? » s'était demandé Roxy en descendant le couloir vide. En passant devant une porte ouverte, elle avait vu Robbie recroquevillé sur un banc en bois, endormi sous une couverture qui semblait avoir été empruntée à une cellule. Il suçait son pouce.

Elle s'était arrêtée. Avait senti le regard du flic, il l'observait du seuil de la salle d'interrogatoire, sa tasse de café toujours à la main. Elle lui avait demandé ce qui allait advenir du garçon. Il avait haussé les épaules : la police n'avait pas réussi à retrouver des membres de sa famille. Sa mère, en conflit avec les services sociaux, avait disparu. Le gamin allait devoir être placé en lieu sûr.

« Est-ce que je peux le garder ? s'était entendu demander Roxy. M'occuper de lui jusqu'à ce que vous trouviez sa famille ? »

L'homme mélancolique avait mis du temps avant d'acquiescer.

Il faisait jour quand elle avait quitté le commissariat avec le gamin groggy. En lui attachant sa ceinture dans la Mercedes, elle avait vu la plage qui grouillait d'uniformes bleus. Elle avait démarré, puis arrêté le moteur. Avait fait le tour de la voiture et ouvert le coffre. Mis un moment à se convaincre qu'elle n'imaginait pas la petite mallette argentée, restée à l'endroit même où Joe l'avait posée. Elle l'avait déverrouillée et entrouverte juste assez pour apercevoir les billets de cent dollars, tout beaux, tout neufs et bien alignés.

Elle avait senti le courant de la vie la tirer à nouveau, prêt à l'emporter avec lui.

Elle avait respiré un grand coup, fermé la mallette et claqué le couvercle du coffre. Elle était descendue au Waterfront et entrée dans le parking souterrain. Si tôt le matin, la Mercedes était toute seule sur la grille de lignes blanches et de taches d'huile. Elle avait garé la voiture et récupéré la mallette dans le coffre. Le garçon l'avait regardée compter le liquide, assise au volant. Il y avait exactement deux cent cinquante mille dollars.

Ainsi donc, elle avait commis un crime et l'emportait au paradis. Avec un beau paquet de pognon, par-dessus le marché. La seule personne qui savait qu'elle avait descendu Joe Palmer était en réanimation. Elle irait le voir, peut-être demain, et lui donnerait cinquante mille dollars. C'était plus que ce qu'elle lui devait, mais il le méritait. Et elle était convaincue que Billy Afrika ne dirait rien, avec ou sans fric.

S'il s'en sortait vivant.

Elle avait pris la mallette en chrome, tenu le garçon par la main, et s'était dirigée vers le Waterfront, la grosse confiserie blanche qui couronne les docks du Cap. Des agents d'entretien passaient la cireuse sur le carrelage et de jeunes métisses perchées sur des talons vertigineux marchaient en cliquetant et ouvraient les boutiques de luxe, leurs bavardages incessants des Flats ranimant les fantômes de Piper et Disco.

Elle avait accompagné Robbie aux toilettes, l'avait assis sur une rangée de lavabos sous les miroirs et l'avait nettoyé du mieux qu'elle avait pu. Une femme en robe Stella McCartney était entrée et leur avait jeté un seul coup d'œil avant de ressortir. Roxy avait frotté le sang sur son visage et sur sa robe et arrangé ses cheveux pour dissimuler son œil au beurre noir. S'était regardée dans la glace : Courtney Love au lendemain d'une nuit bien chargée.

À l'agence American Express, elle avait changé suffisamment de dollars en monnaie locale pour faire ce qu'elle avait à faire dans la journée. Acheter des habits pour Robbie et pour elle. Lui faire choisir un nounours. Louer une voiture quelconque.

Elle avait pris une chambre dans un hôtel du Waterfront, le liquide avancé combiné à son accent américain lui permettait de faire baisser les sourcils haussés à la réception. Elle avait consigné la mallette en chrome dans le coffre de l'hôtel et monté Robbie dans la chambre, un rectangle blanc cassé, avec un mur vitré qui donnait sur le port, puis là-bas au loin, sur les Cape Flats. Elle avait fermé les rideaux.

Elle était restée longtemps sous la douche et s'était vigoureusement frotté la peau et lavé les cheveux. Elle était sortie en peignoir blanc, ses cheveux humides enturbannés dans une serviette, et avait trouvé Robbie endormi sur le grand lit, son nounours enlacé dans ses bras. Elle s'était allongée à côté du gamin en regardant la télé sans le son et en écoutant ses doux ronflements. Chaque fois que sa respiration se calmait, elle se surprenait à lui toucher la gorge. Pour s'assurer qu'il était vivant.

Son corps réclamait les analgésiques que le médecin aux yeux cernés lui avait donnés. Mais elle n'y avait pas touché. Elle savait qu'ils l'endormiraient. Elle fixait l'écran – tennis, mode, plages thaïlandaises et alpinistes de l'Éverest – mais ne voyait que sang, os et feu. La climatisation semblait attirer la puanteur de la mort dans la chambre.

Dieu sait comment, le jour avait fini par se fondre au crépuscule, vers six heures, elle se leva. S'assit devant la coiffeuse et maquilla les dégâts extérieurs. Puis elle déshabilla Robbie et l'emmena dans la salle de bains. Elle le nettoya et le vêtit de neuf. Lui dit qu'il était temps d'aller fêter son anniversaire.

Alors qu'ils se garaient devant le Spur, il avait eu un moment de peur, pour la première fois de la journée. Elle s'était dit que c'était le traumatisme qui le rattrapait.

« Qu'est-ce qui ne va pas, Robbie? lui avait-elle demandé en lui tendant la main.

— On risque pas d'afoir des ennuis s'ils f'aperçoivent que c'était hier, mon anniferfaire? »

Elle avait ri. Ce qui l'avait surprise. Elle n'avait pas ri depuis des jours.

Elle s'était penchée sur lui et l'avait embrassé sur le front. Il sentait le savon et le petit garçon.

« T'en fais pas, c'est bon. C'est notre secret. »

Le noir s'était fait dans le restaurant, les cierges magiques crépitaient sur le gâteau en éclairant le visage de Robbie tandis que la jeune serveuse déposait une assiette devant lui. Tous les membres du personnel, une dizaine de gars et de filles, se rassemblèrent autour de la table et lui chantèrent « Joyeux anniversaire ». Il leur fit un énorme sourire, qu'il adressa ensuite à Roxy à travers la fontaine d'étincelles ; il avait l'air comblé.

Elle sut alors ce qui lui restait à faire. Elle avait conscience que ça puait la célébrité qui fait son shopping de gosses du tiers-monde – « je crois que je vais en prendre un marron pour aller avec le jaune » – mais elle décida de l'adopter. Et de se barrer de ce pays. De mettre un ou deux fuseaux horaires entre eux et l'horreur de ces derniers jours. Et de commencer une vie nouvelle.

Elle aperçut un reflet dans la vitre. Un grand brun costaud, en costume noir et chemise blanche, qui venait vers elle. Mais en se retournant, elle s'aperçut que ce n'était qu'un type accompagné de sa femme et de ses enfants, tous lui souriaient en passant. Elle leur rendit un sourire.

Elle prit la main de Robbie et mêla sa voix au chant.

REMERCIEMENTS

J'aimerais remercier mon agente, Alice Martell, et mon directeur littéraire, Webster Younce.

Je dois beaucoup à Sumaya de Wet qui m'a raconté ses extraordinaires souvenirs d'enfance dans les Cape Flats.

Dans la collection

Robert Pépin présente…

Photocomposition Datagrafix

Impression réalisée en mai 2012 par CPI Firmin-Didot
pour le compte des éditions Calmann-Lévy
31, rue de Fleurus 75006 Paris

N° d'éditeur : 5185095/01
N° d'impression : 111012
Dépôt légal : mai 2012
Imprimé en France.